비상은 모두가 즐거운
배움의 길을 만듭니다.

배움이 필요한 모든 이들이 그 한계를 넘어설 수 있도록
비상은 더 넓은 세상을 향한 첫 걸음을 응원합니다.

한국에서의 전형 창출을 넘어 세계 교육의 패러다임을
바꾸겠다는 비상은 모든 이의 혁신적 성장에 기여합니다.

교육 문화의 질서와 유기적 융합을 추구하는 비상은
새로운 미래 세대의 행복한 경험과 성장에 기여합니다.

상상 그 이상 ————————————

핵심만 빠르게~ 단기간에
내신 공부의 힘을 키운다

내공의 힘

확률과 통계

STRUCTURE

내신 개념 정리

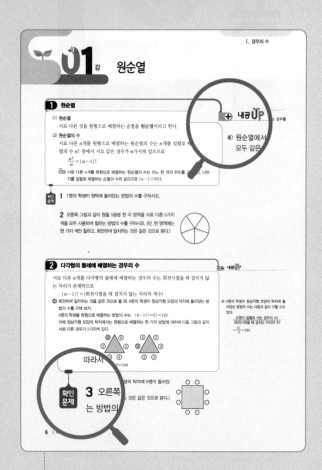

단계적 문제 풀이

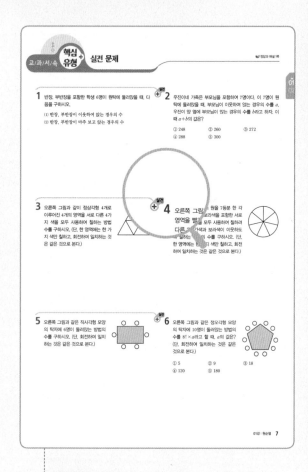

교과서에서 다루는 주요 개념과 그에 대한 보충 설명 및 주의할 내용 등을 제시하였다.

🔅 내공 UP / 확인 문제

내공 UP 해당 개념에 대한 보충 설명을 실전에 필요한 팁과 함께 소개하였다.

확인 문제 개념을 제대로 이해하였는지 확인해 볼 수 있는 기초적인 문제들을 제시하였다.

🔅 1단계 교과서 속 핵심유형+실전 문제

교과서에서 다루는 핵심유형을 소개하고, 그 유형을 완벽하게 마스터하기 위한 실전 연습 문제를 제시하였다.

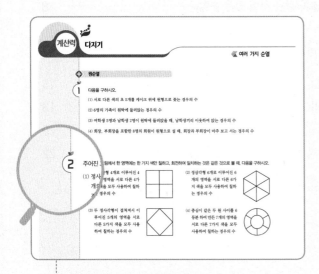

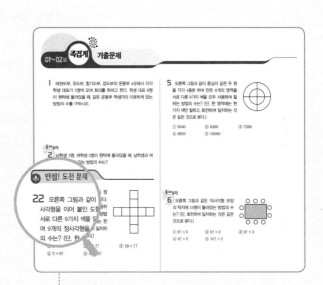

2단계 계산력 다지기

기초 계산력 향상을 위한 연습 문제를 유형별로 제시하였다.

3단계 족집게 기출문제

학교 시험에 자주 출제되는 문제들을 엄선하여 소개하고, 내신 1등급을 위한 만점 도전 문제와 서술형 문제를 수록하였다.

내공 점검

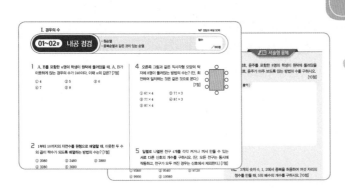

▶ 실제 시험에 대비하여 스스로 평가해 볼 수 있는 테스트 문제를 수록하였다.

CONTENTS

I 경우의 수

II 확률

통계

내공 점검

01강 원순열

1 원순열

(1) 원순열
서로 다른 것을 원형으로 배열하는 순열을 **원순열**이라고 한다.

(2) 원순열의 수
서로 다른 n개를 원형으로 배열하는 원순열의 수는 n개를 일렬로 배열하는 순열의 수 $n!$ 중에서 서로 같은 경우가 n가지씩 있으므로

$$\frac{n!}{n} = (n-1)!$$

참고 서로 다른 n개를 원형으로 배열하는 원순열의 수는 어느 한 개의 위치를 고정하고, 나머지를 일렬로 배열하는 순열의 수와 같으므로 $(n-1)!$이다.

▶ 원순열에서는 회전하여 일치하는 경우를 모두 같은 것으로 본다.

 1 7명의 학생이 원탁에 둘러앉는 방법의 수를 구하시오.

2 오른쪽 그림과 같이 원을 5등분 한 각 영역을 서로 다른 5가지 색을 모두 사용하여 칠하는 방법의 수를 구하시오. (단, 한 영역에는 한 가지 색만 칠하고, 회전하여 일치하는 것은 같은 것으로 본다.)

2 다각형의 둘레에 배열하는 경우의 수

서로 다른 n개를 다각형의 둘레에 배열하는 경우의 수는 회전시켰을 때 겹치지 않는 자리가 존재하므로

$(n-1)! \times$ (회전시켰을 때 겹치지 않는 자리의 개수)

예 회전하여 일치하는 것을 같은 것으로 볼 때, 6명의 학생이 정삼각형 모양의 탁자에 둘러앉는 방법의 수를 구해 보자.
6명의 학생을 원형으로 배열하는 방법의 수는 $(6-1)! = 5! = 120$
이때 정삼각형 모양의 탁자에서는 원형으로 배열하는 한 가지 방법에 대하여 다음 그림과 같이 서로 다른 경우가 2가지씩 있다.

따라서 구하는 방법의 수는 $120 \times 2 = 240$

▶ 6명의 학생이 정삼각형 모양의 탁자에 둘러앉는 방법의 수는 다음과 같이 구할 수도 있다.

$$\frac{(6명이\ 일렬로\ 서는\ 경우의\ 수)}{(회전시켰을\ 때\ 겹치는\ 자리의\ 수)}$$
$$= \frac{6!}{3} = 240$$

3 오른쪽 그림과 같은 정사각형 모양의 탁자에 8명이 둘러앉는 방법의 수를 구하시오.
(단, 회전하여 일치하는 것은 같은 것으로 본다.)

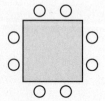

정답과 해설 1쪽

01
02

1 반장, 부반장을 포함한 학생 6명이 원탁에 둘러앉을 때, 다음을 구하시오.

(1) 반장, 부반장이 이웃하여 앉는 경우의 수
(2) 반장, 부반장이 마주 보고 앉는 경우의 수

2 우진이네 가족은 부모님을 포함하여 7명이다. 이 7명이 원탁에 둘러앉을 때, 부모님이 이웃하여 앉는 경우의 수를 a, 우진이 양 옆에 부모님이 앉는 경우의 수를 b라고 하자. 이때 $a+b$의 값은?

① 248   ② 260   ③ 272
④ 288   ⑤ 300

3 오른쪽 그림과 같이 정삼각형 4개로 이루어진 4개의 영역을 서로 다른 4가지 색을 모두 사용하여 칠하는 방법수를 구하시오. (단, 한 영역에는 한 가지 색만 칠하고, 회전하여 일치하는 것은 같은 것으로 본다.)

4 오른쪽 그림과 같이 원을 7등분 한 각 영역을 빨간색과 보라색을 포함한 서로 다른 7가지 색을 모두 사용하여 칠하려고 한다. 빨간색과 보라색이 이웃하도록 칠하는 방법의 수를 구하시오. (단, 한 영역에는 한 가지 색만 칠하고, 회전하여 일치하는 것은 같은 것으로 본다.)

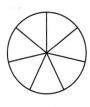

5 오른쪽 그림과 같은 직사각형 모양의 탁자에 6명이 둘러앉는 방법의 수를 구하시오. (단, 회전하여 일치하는 것은 같은 것으로 본다.)

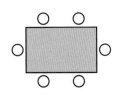

6 오른쪽 그림과 같은 정오각형 모양의 탁자에 10명이 둘러앉는 방법의 수를 $8! \times a$라고 할 때, a의 값은? (단, 회전하여 일치하는 것은 같은 것으로 본다.)

① 5   ② 9   ③ 18
④ 120   ⑤ 180

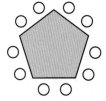

02강 중복순열과 같은 것이 있는 순열

1 중복순열

(1) 중복순열

서로 다른 n개에서 중복을 허용하여 r개를 택하여 일렬로 배열하는 것을 n개에서 r개를 택하는 **중복순열**이라 하고, 이 중복순열의 수를 기호 $_n\Pi_r$로 나타낸다.

$_n\Pi_r$

서로 다른 것의 개수　택하는 것의 개수

(2) 중복순열의 수

서로 다른 n개에서 r개를 택하는 중복순열의 수는

$$_n\Pi_r=\underbrace{n\times n\times\cdots\times n}_{r개}=n^r \quad \leftarrow \text{중복이 가능한 것을 } n\text{으로 놓는다.}$$

🌱참고 순열의 수 $_n\mathrm{P}_r$에서는 중복을 허용하지 않으므로 $r\le n$이어야 하지만 중복순열의 수 $_n\Pi_r$에서는 중복을 허용하므로 $r>n$일 수도 있다.

> 🌱 **내공 UP**
>
> ◎ 기호 $_n\Pi_r$에서 Π는 Product(곱)의 머리글자 P에 해당하는 그리스 문자로, '파이'라고 읽는다.
>
> ◎ **함수의 개수**
> 두 집합 X, Y의 원소의 개수가 각각 r, n일 때
> (1) X에서 Y로의 함수의 개수는
> $$_n\Pi_r=n^r$$
> (2) X에서 Y로의 일대일함수의 개수는
> $_n\mathrm{P}_r$ (단, $n\ge r$)

1 다음 값을 구하시오.

(1) $_3\Pi_2$　　　　　　　　　　(2) $_2\Pi_4$

2 3개의 문자 a, b, c에서 중복을 허용하여 4개를 뽑아 일렬로 배열하는 경우의 수를 구하시오.

2 같은 것이 있는 순열

n개 중에서 같은 것이 각각 p개, q개, $\cdots$, r개씩 있을 때, n개를 일렬로 배열하는 순열의 수는

$$\frac{n!}{p!\times q!\times\cdots\times r!} \quad (단, p+q+\cdots+r=n)$$

> 🌱 **내공 UP**
>
> ◎ 서로 다른 n개를 일렬로 배열할 때, 특정한 r개를 미리 정해진 순서대로 배열하는 경우의 수는 순서가 정해진 r개를 같은 문자로 생각하여 구한다.

3 7개의 숫자 1, 1, 2, 2, 2, 3, 3을 일렬로 배열하는 경우의 수를 구하시오.

4 오른쪽 그림과 같은 도로망이 있을 때, 지점 A에서 지점 B까지 가는 최단 경로의 수를 구하시오.

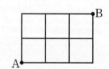

1 4개의 숫자 0, 1, 2, 3에서 중복을 허용하여 다섯 자리의 자연수를 만들 때, 짝수의 개수를 구하시오.

2 5개의 숫자 1, 2, 3, 4, 5에서 중복을 허용하여 세 자리의 자연수를 만들 때, 숫자 3을 반드시 포함하는 자연수의 개수를 구하시오.

3 집합 $X = \{a, b, c\}$에서 집합 $Y = \{1, 2, 3, 4\}$로의 함수에 대하여 다음을 구하시오.

(1) 함수의 개수

(2) 일대일함수의 개수

4 집합 $X = \{1, 2, 3, 4\}$에서 집합 $Y = \{a, b, c, d, e\}$로의 함수의 개수를 m, 일대일함수의 개수를 n이라고 할 때, $m - n$의 값을 구하시오.

5 7개의 숫자 1, 1, 2, 2, 3, 3, 4를 일렬로 배열할 때, 다음을 구하시오.

(1) 양 끝에 3이 오는 경우의 수

(2) 짝수 번째에 짝수가 오는 경우의 수

6 9개의 문자 E, X, C, E, L, L, E, N, T를 일렬로 배열할 때, 3개의 E가 모두 이웃하도록 배열하는 경우의 수를 구하시오.

7 오른쪽 그림과 같은 도로망이 있다. 지점 A에서 지점 C를 거쳐 지점 B까지 가는 최단 경로의 수를 구하시오.

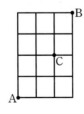

8 오른쪽 그림과 같은 도로망이 있다. 지점 P에서 지점 R를 거치지 않고 지점 Q까지 가는 최단 경로의 수를 구하시오.

➕ 원순열

 1 다음을 구하시오.

(1) 서로 다른 색의 초 5개를 케이크 위에 원형으로 꽂는 경우의 수

(2) 6명의 가족이 원탁에 둘러앉는 경우의 수

(3) 여학생 5명과 남학생 2명이 원탁에 둘러앉을 때, 남학생끼리 이웃하여 앉는 경우의 수

(4) 회장, 부회장을 포함한 8명의 회원이 원형으로 설 때, 회장과 부회장이 마주 보고 서는 경우의 수

 2 주어진 그림에서 한 영역에는 한 가지 색만 칠하고, 회전하여 일치하는 것은 같은 것으로 볼 때, 다음을 구하시오.

(1) 정사각형 4개로 이루어진 4개의 영역을 서로 다른 4가지 색을 모두 사용하여 칠하는 경우의 수

(2) 정삼각형 6개로 이루어진 6개의 영역을 서로 다른 6가지 색을 모두 사용하여 칠하는 경우의 수

(3) 두 정사각형이 겹쳐져서 이루어진 5개의 영역을 서로 다른 5가지 색을 모두 사용하여 칠하는 경우의 수

(4) 중심이 같은 두 원 사이를 6등분 하여 만든 7개의 영역을 서로 다른 7가지 색을 모두 사용하여 칠하는 경우의 수

➕ 다각형의 둘레에 배열하는 경우의 수

 3 주어진 그림에서 회전하여 일치하는 것은 같은 것으로 볼 때, 다음 경우의 수를 $a! \times b$ 꼴로 나타내시오.
(단, a는 자연수, b는 한 자리의 자연수)

(1) 정삼각형 모양의 탁자에 9명이 둘러앉는 경우의 수

(2) 정사각형 모양의 탁자에 12명이 둘러앉는 경우의 수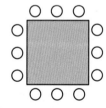

(3) 정오각형 모양의 탁자에 15명이 둘러앉는 경우의 수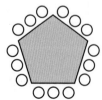

(4) 정육각형 모양의 탁자에 12명이 둘러앉는 경우의 수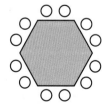

✚ **중복순열**

4 다음을 만족하는 자연수 n 또는 r의 값을 구하시오.

(1) $_n\Pi_4=81$

(2) $_n\Pi_3=125$

(3) $_4\Pi_r=64$

(4) $_6\Pi_r=216$

5 5개의 숫자 0, 1, 2, 3, 4에서 중복을 허용하여 자연수를 만들 때, 다음을 구하시오.

(1) 세 자리의 자연수의 개수

(2) 다섯 자리의 자연수의 개수

(3) 네 자리의 홀수의 개수

(4) 숫자 4를 포함하는 네 자리의 자연수의 개수

✚ **같은 것이 있는 순열**

6 다음을 구하시오.

(1) 6개의 숫자 1, 2, 2, 3, 3, 3을 일렬로 배열하는 경우의 수

(2) 7개의 문자 a, a, b, b, b, c, c를 일렬로 배열하는 경우의 수

(3) mathematics에 있는 11개의 문자를 일렬로 배열할 때, 양 끝에 m이 오는 경우의 수

(4) football에 있는 8개의 문자를 일렬로 배열할 때, 모음끼리 이웃하는 경우의 수

7 다음 그림과 같은 도로망이 있을 때, 지점 A에서 지점 B까지 가는 최단 경로의 수를 구하시오.

(1)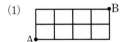

(2)

(3)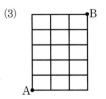

(4)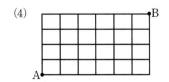

1 태권도부, 유도부, 합기도부, 검도부의 운동부 4곳에서 각각 학생 대표가 2명씩 모여 회의를 하려고 한다. 학생 대표 8명이 원탁에 둘러앉을 때, 같은 운동부 학생끼리 이웃하게 앉는 방법의 수를 구하시오.

출제유력
2 남학생 3명, 여학생 3명이 원탁에 둘러앉을 때, 남학생과 여학생이 교대로 앉는 방법의 수는?

① 6   ② 12   ③ 24
④ 36   ⑤ 72

3 3명의 어른과 5명의 아이가 원탁에 둘러앉을 때, 어른끼리 이웃하지 않게 앉는 방법의 수는?

① 1440   ② 1840   ③ 2080
④ 2440   ⑤ 2880

4 오른쪽 그림과 같은 정오각뿔의 각 면을 서로 다른 6가지 색을 모두 사용하여 칠하는 방법의 수를 구하시오. (단, 한 면에는 한 가지 색만 칠하고, 회전하여 일치하는 것은 같은 것으로 본다.)

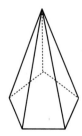

5 오른쪽 그림과 같이 중심이 같은 두 원을 각각 4등분 하여 만든 8개의 영역을 서로 다른 8가지 색을 모두 사용하여 칠하는 방법의 수는? (단, 한 영역에는 한 가지 색만 칠하고, 회전하여 일치하는 것은 같은 것으로 본다.)

① 5040   ② 6300   ③ 7560
④ 8820   ⑤ 10080

출제유력
6 오른쪽 그림과 같은 직사각형 모양의 탁자에 10명이 둘러앉는 방법의 수는? (단, 회전하여 일치하는 것은 같은 것으로 본다.)

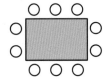

① $8! \times 5$ ② $9! \times 2$ ③ $9! \times 3$
④ $9! \times 5$ ⑤ $10! \times 2$

7 학생 4명이 3종류의 놀이기구 중에서 각각 한 개씩 골라 타는 방법의 수는?

① 27   ② 36   ③ 64
④ 72   ⑤ 81

8 빨간색, 노란색, 초록색 깃발이 각각 1개씩 있다. 깃발을 1번에 1개씩 들어 올릴 때, 이 깃발들을 합하여 3번 이하로 들어 올려서 만들 수 있는 서로 다른 신호의 개수는? (단, 깃발을 1개도 들어 올리지 않는 경우는 신호에서 제외한다.)

① 15   ② 27   ③ 39
④ 51   ⑤ 63

출제유력
9 4개의 숫자 0, 1, 2, 3에서 중복을 허용하여 다섯 자리의 자연수를 만들 때, 4의 배수의 개수를 구하시오.

10 학생 4명이 서로 다른 4인용 텐트 5개 중에서 각각 텐트를 한 개씩 택하여 캠핑을 하려고 한다. 적어도 두 사람이 같은 텐트에서 캠핑을 하는 경우의 수는?

① 243   ② 360   ③ 432
④ 505   ⑤ 625

11 3개의 문자 a, b, c에서 중복을 허용하여 4개를 뽑아 일렬로 나열하려고 한다. $aabc$, $caaa$와 같이 a를 연속하여 나열할 수 없을 때, 문자를 나열하는 경우의 수는?

① 24   ② 36   ③ 48
④ 60   ⑤ 72

출제유력
12 4개의 숫자 1, 2, 3, 4에서 중복을 허용하여 만들 수 있는 자연수를 크기가 작은 것부터 차례로 나열할 때, 90번째 수는?

① 1112   ② 1113   ③ 1114
④ 1121   ⑤ 1122

13 두 집합 $X=\{1, 2, 3, 4, 5\}$, $Y=\{a, b, c\}$에 대하여 함수 $f: X \longrightarrow Y$ 중에서 $f(3)=b$를 만족하는 함수의 개수는?

① 27   ② 81   ③ 243
④ 729   ⑤ 2187

14 7개의 문자 A, A, B, B, B, C, D를 일렬로 배열할 때, C, D가 이웃하지 않도록 배열하는 경우의 수는?

① 240   ② 300   ③ 360
④ 400   ⑤ 420

15 6개의 숫자 1, 1, 1, 2, 2, 5 중에서 4개를 택하여 네 자리의 정수를 만들 때, 5의 배수의 개수는?

① 7   ② 8   ③ 9

④ 10   ⑤ 11

16 interpret에 있는 9개의 문자를 일렬로 배열할 때, 양 끝에 모두 r가 오도록 배열하는 경우의 수는?

① 630   ② 1050   ③ 1260

④ 2100   ⑤ 2520

17 5개의 문자 D, R, E, A, M을 일렬로 배열할 때, D는 A보다 앞에 오고, M은 A보다 뒤에, R는 E보다 뒤에 오도록 배열하는 방법의 수는?

① 8   ② 10   ③ 16

④ 20   ⑤ 32

18 3개의 문자 A, B, C에서 중복을 허용하여 4개를 택하여 암호를 만들려고 한다. 각 문자를 적어도 한 개씩 택하고, 같은 문자끼리 이웃하지 않게 암호를 만드는 방법의 수를 구하시오.

19 오른쪽 그림과 같은 도로망이 있다. 지점 A에서 지점 B까지 가는 최단 경로의 수는?

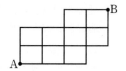

① 12   ② 18

③ 24   ④ 30

⑤ 36

20 다음 그림과 같은 도로망이 있다. 지점 A에서 지점 B까지 가는 최단 경로의 수를 구하시오.

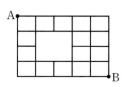

21 오른쪽 그림과 같이 크기가 같은 정육면체 40개를 쌓아 올려 직육면체를 만들었을 때, 정육면체의 모서리를 따라 꼭짓점 A에서 모서리 CD를 거치지 않고 꼭짓점 B까지 가는 최단 경로의 수는?

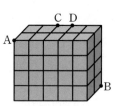

① 6660   ② 6750   ③ 6840

④ 6930   ⑤ 7020

만점! 도전 문제

22 오른쪽 그림과 같이 9개의 정사각형을 이어 붙인 도형이 있다. 서로 다른 9가지 색을 모두 사용하여 9개의 정사각형을 칠하는 방법의 수는? (단, 한 정사각형에는 한 가지 색만 칠하고, 회전하여 일치하는 것은 같은 것으로 본다.)

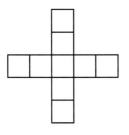

① $9 \times 6!$ ② $9 \times 7!$ ③ $18 \times 7!$
④ $2 \times 9!$ ⑤ $18 \times 9!$

23 5개의 자연수 2, 4, 6, 8, 10이 각각 적힌 공 5개를 서로 다른 가방 3개에 넣으려고 한다. 각 가방에 넣은 공에 적힌 수의 합이 모두 24 이하가 되도록 공을 가방에 넣는 방법의 수를 구하시오.
(단, 빈 가방인 경우에는 넣은 공에 적힌 수의 합을 0으로 한다.)

24 오른쪽 그림과 같이 크기가 같은 정육면체 6개를 면끼리 완전히 포개지도록 이어 붙였을 때, 꼭짓점 A에서 꼭짓점 B까지 가는 최단 경로의 수를 구하시오.

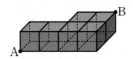

서술형 문제

25 3종류의 도형 ○, ★, ◇에서 중복을 허용하여 n개 이하를 택하여 신호를 만들려고 할 때, 다음 물음에 답하시오.

⑴ 3종류의 도형 중 n개를 택하여 만들 수 있는 신호의 개수를 n에 대한 식으로 나타내시오. (단, $n \geq 1$) [3점]

| 풀이 |

⑵ 3종류의 도형 중 2개 이상 5개 이하를 택하여 만들 수 있는 신호의 개수를 구하시오. [3점]

| 풀이 |

26 4개의 숫자 0, 2, 4, 6에서 중복을 허용하여 만들 수 있는 자연수를 크기가 작은 것부터 차례로 나열할 때, 2000은 몇 번째 수인지 구하시오. [7점]

| 풀이 |

27 7개의 문자 a, a, b, c, c, d, e를 일렬로 배열할 때, 같은 문자는 적어도 한 쌍이 이웃하도록 배열하는 방법의 수를 구하시오. [7점]

| 풀이 |

03강 중복조합

1 중복조합

(1) 중복조합

서로 다른 n개에서 중복을 허용하여 r개를 택하는 조합을 **중복조합**이라 하고, 이 중복조합의 수를 기호 $_n\mathrm{H}_r$로 나타낸다.

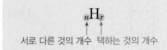

$$_n\mathrm{H}_r$$
서로 다른 것의 개수 택하는 것의 개수

(2) 중복조합의 수

서로 다른 n개에서 r개를 택하는 중복조합의 수는

$$_n\mathrm{H}_r = {}_{n+r-1}\mathrm{C}_r \quad \leftarrow \text{중복이 가능한 것을 } n\text{으로 놓는다.}$$

참고 조합의 수 $_n\mathrm{C}_r$에서는 중복을 허용하지 않으므로 $r \leq n$이어야 하지만 중복조합의 수 $_n\mathrm{H}_r$에서는 중복을 허용하므로 $r > n$일 수도 있다.

내공 UP

● 순열, 중복순열, 조합, 중복조합을 비교하면 다음 표와 같다.

	순서 생각	중복 허용
순열 $_n\mathrm{P}_r$	○	×
중복순열 $_n\Pi_r$	○	○
조합 $_n\mathrm{C}_r$	×	×
중복조합 $_n\mathrm{H}_r$	×	○

확인문제

1 다음 값을 구하시오.

(1) $_6\mathrm{H}_2$

(2) $_2\mathrm{H}_8$

2 5개의 문자 a, b, c, d, e에서 중복을 허용하여 5개의 문자를 택하는 경우의 수를 구하시오.

2 방정식의 해의 개수

방정식 $x_1 + x_2 + x_3 + \cdots + x_m = n$ (m, n은 자연수)에 대하여

(1) 음이 아닌 정수해의 개수

서로 다른 m개의 문자에서 n를 뽑는 중복조합의 수와 같다.

$$\Rightarrow {}_m\mathrm{H}_n$$

(2) 양의 정수해의 개수

주어진 조건을 음이 아닌 정수해로 변형하여 구한다.

예 방정식 $x + y + z = 5$의 양의 정수해의 개수를 구해 보자.

x, y, z는 양의 정수일 때, $X = x-1$, $Y = y-1$, $Z = z-1$로 놓으면 X, Y, Z는 음이 아닌 정수이다.

이때 $x = X+1$, $y = Y+1$, $z = Z+1$을 방정식 $x+y+z=5$에 대입하면

$$(X+1)+(Y+1)+(Z+1)=5 \quad \therefore X+Y+Z=2 \quad \cdots\cdots ㉠$$

따라서 구하는 양의 정수해의 개수는 방정식 ㉠의 음이 아닌 정수해의 개수와 같으므로

$$_3\mathrm{H}_2 = {}_{3+2-1}\mathrm{C}_2 = {}_4\mathrm{C}_2 = 6$$

내공 UP

● **부등식의 해의 개수**

조건을 만족하는 여러 개의 방정식으로 나누어 해의 개수를 구한다.

예 부등식 $x+y+z \leq 2$의 음이 아닌 정수해의 개수는 방정식

$x+y+z=0$ 또는 $x+y+z=1$

또는 $x+y+z=2$

의 음이 아닌 정수해의 개수를 모두 합한 것과 같다.

확인문제

3 방정식 $x+y+z=8$에 대하여 다음을 구하시오.

(1) 음이 아닌 정수해의 개수

(2) 양의 정수해의 개수

정답과 해설 8쪽

03
04

1 3명의 학생에게 같은 종류의 사탕 6개를 나누어 주는 경우의 수를 구하시오. (단, 사탕을 받지 못하는 학생이 있을 수 있다.)

2 모양이 서로 다른 8개의 접시에 같은 종류의 쿠키 4개를 나누어 담는 경우의 수는?

① 300   ② 310   ③ 320

④ 330   ⑤ 340

3 4명의 학생에게 같은 종류의 볼펜 10자루를 나누어 줄 때, 한 학생에게 적어도 한 자루씩 나누어 주는 경우의 수를 구하시오.

4 빨간 공, 노란 공, 파란 공이 각각 7개씩 들어 있는 주머니에서 7개의 공을 꺼낼 때, 각 색깔의 공이 적어도 한 개씩 포함되도록 꺼내는 경우의 수를 구하시오.

(단, 같은 색깔의 공은 서로 구별하지 않는다.)

5 다항식 $(x+y+z)^5$의 전개식에서 서로 다른 항의 개수를 구하시오.

6 다항식 $(a+b)^3(x+y+z)^4$의 전개식에서 서로 다른 항의 개수를 구하시오.

7 방정식 $x+y+z+w=15$에 대하여 다음을 구하시오.

(1) 음이 아닌 정수해의 개수

(2) 양의 정수해의 개수

8 방정식 $x+y+z=10$을 만족하는 음이 아닌 정수해의 개수를 a, 자연수인 해의 개수를 b라고 할 때, $a+b$의 값을 구하시오.

04강 이항정리

1 이항정리

n이 자연수일 때, $(a+b)^n$의 전개식은 다음과 같고, 이를 **이항정리**라고 한다.
$$(a+b)^n = {}_n\text{C}_0 a^n + {}_n\text{C}_1 a^{n-1}b + \cdots + {}_n\text{C}_r a^{n-r}b^r + \cdots + {}_n\text{C}_n b^n$$
이때 각 항의 계수 ${}_n\text{C}_0,\ {}_n\text{C}_1,\ \cdots,\ {}_n\text{C}_r,\ \cdots,\ {}_n\text{C}_n$을 **이항계수**라 하고, 항 ${}_n\text{C}_r a^{n-r}b^r$을 $(a+b)^n$의 전개식의 일반항이라고 한다.

내공 Up

◉ ${}_n\text{C}_r = {}_n\text{C}_{n-r}$이므로 $a^{n-r}b^r$의 계수와 $a^r b^{n-r}$의 계수는 서로 같다.

◉ n개의 인수 중 a를 n개 택하고 b를 하나도 택하지 않은 것을 $a^n b^0$으로 나타내고, $b \neq 0$일 때 $b^0 = 1$로 정한다.

 확인문제

1 이항정리를 이용하여 다음 식을 전개하시오.

(1) $(2a+b)^5$ (2) $(x-3y)^4$

2 이항정리의 활용

(1) 파스칼의 삼각형

n이 자연수일 때, $(a+b)^n$의 전개식에서 이항계수를 다음과 같이 차례로 배열하고 가장 위에 1을 놓아 삼각형 모양으로 만들 수 있다.

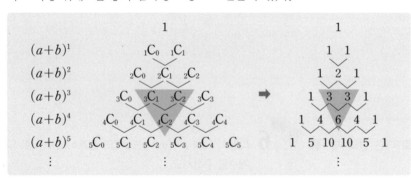

이와 같은 이항계수의 배열을 **파스칼의 삼각형**이라고 한다.

참고 ① ${}_n\text{C}_0 = 1$, ${}_n\text{C}_n = 1$이므로 각 단계의 양 끝에 있는 수는 모두 1이다.

② ${}_n\text{C}_r = {}_n\text{C}_{n-r}$이므로 각 단계의 수의 배열은 좌우 대칭이다.

③ ${}_{n-1}\text{C}_{r-1} + {}_{n-1}\text{C}_r = {}_n\text{C}_r$이므로 각 단계에서 이웃하는 두 수의 합은 그 두 수의 아래쪽 중앙에 있는 수와 같다.

(2) 이항계수의 성질

$$(1+x)^n = {}_n\text{C}_0 + {}_n\text{C}_1 x + {}_n\text{C}_2 x^2 + \cdots + {}_n\text{C}_n x^n \qquad \cdots\cdots \text{ⓐ}$$
임을 이용하여 다음과 같은 이항계수의 성질을 얻을 수 있다.

① ${}_n\text{C}_0 + {}_n\text{C}_1 + {}_n\text{C}_2 + \cdots + {}_n\text{C}_n = 2^n$ ← ⓐ의 양변에 $x=1$을 대입

② ${}_n\text{C}_0 - {}_n\text{C}_1 + {}_n\text{C}_2 - \cdots + (-1)^n {}_n\text{C}_n = 0$ ← ⓐ의 양변에 $x=-1$을 대입

③ ${}_n\text{C}_0 + {}_n\text{C}_2 + {}_n\text{C}_4 + \cdots = 2^{n-1}$ ← $\dfrac{①+②}{2}$

   ${}_n\text{C}_1 + {}_n\text{C}_3 + {}_n\text{C}_5 + \cdots = 2^{n-1}$ ← $\dfrac{①-②}{2}$

내공 Up

◉ 파스칼의 삼각형에서 다음과 같은 규칙을 확인할 수 있다.
$${}_1\text{C}_0 + {}_2\text{C}_1 + {}_3\text{C}_2 = {}_4\text{C}_2$$
$${}_1\text{C}_1 + {}_2\text{C}_1 + {}_3\text{C}_1 + {}_4\text{C}_1 = {}_5\text{C}_2$$

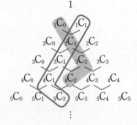

이와 같은 규칙의 모양이 마치 하키 스틱처럼 보인다고 하여 '하키 스틱 패턴'이라고 부른다.

◉ n이 홀수일 때,
$${}_n\text{C}_0 + {}_n\text{C}_2 + {}_n\text{C}_4 + \cdots + {}_n\text{C}_{n-1}$$
$$= {}_n\text{C}_1 + {}_n\text{C}_3 + {}_n\text{C}_5 + \cdots + {}_n\text{C}_n$$
$$= 2^{n-1}$$
n이 짝수일 때,
$${}_n\text{C}_0 + {}_n\text{C}_2 + {}_n\text{C}_4 + \cdots + {}_n\text{C}_n$$
$$= {}_n\text{C}_1 + {}_n\text{C}_3 + {}_n\text{C}_5 + \cdots + {}_n\text{C}_{n-1}$$
$$= 2^{n-1}$$

 확인문제

2 파스칼의 삼각형을 이용하여 다음 식을 전개하시오.

(1) $(x+y)^4$ (2) $(a-b)^6$

1 다음을 구하시오.

(1) $(3x+2y)^7$의 전개식에서 xy^6의 계수

(2) $\left(x-\dfrac{3}{x^3}\right)^4$의 전개식에서 상수항

2 $(4x-y)^5$의 전개식에서 x^2y^3의 계수를 a, $\left(x^2+\dfrac{5}{x}\right)^6$의 전개식에서 x^9의 계수를 b라고 할 때, $b-a$의 값을 구하시오.

3 다음을 구하시오.

(1) $(x+1)^3(x+2)^5$의 전개식에서 x^2의 계수

(2) $(x^2+1)\left(x-\dfrac{1}{x}\right)^4$의 전개식에서 상수항

4 $(x-1)^4(2x+1)^3$의 전개식에서 x^5의 계수는?

① 2   ② 6   ③ 10

④ 14   ⑤ 18

5 $_2C_2+_3C_2+_4C_2+\cdots+_8C_2$의 값을 구하시오.

6 다음 중 $_2C_0+_3C_1+_4C_2+\cdots+_9C_7$의 값과 같은 것은?

① $_9C_5$ ② $_9C_6$ ③ $_{10}C_5$

④ $_{10}C_6$ ⑤ $_{10}C_7$

7 다음을 구하시오.

(1) $_{10}C_0+_{10}C_1+_{10}C_2+\cdots+_{10}C_{10}$의 값

(2) $_{11}C_0+_{11}C_2+_{11}C_4+\cdots+_{11}C_{10}$의 값

(3) $_{15}C_1-_{15}C_2+_{15}C_3-_{15}C_4+\cdots-_{15}C_{14}$의 값

8 $2000<_nC_1+_nC_2+\cdots+_nC_n<3000$을 만족하는 자연수 n의 값은?

① 8   ② 9   ③ 10

④ 11   ⑤ 12

중복조합

 1 다음 등식을 만족하는 자연수 n 또는 r의 값을 구하시오.

(1) $_4\mathrm{H}_2 = {}_n\mathrm{C}_2$

(2) $_2\mathrm{H}_3 = {}_n\mathrm{C}_1$

(3) $_6\mathrm{H}_r = {}_9\mathrm{C}_4$

(4) $_3\mathrm{H}_r = {}_7\mathrm{C}_2$

(5) $_n\mathrm{H}_2 = 45$

(6) $_n\mathrm{H}_3 = 4$

 2 다음을 구하시오.

(1) 사과, 복숭아, 배만 파는 가게에서 과일 7개를 사는 경우의 수

(단, 같은 종류의 과일은 서로 구별하지 않는다.)

(2) 6명의 학생에게 같은 종류의 펜 4자루를 나누어 주는 경우의 수

(3) 모양이 서로 다른 5개의 상자에 같은 종류의 초콜릿 8개를 나누어 담을 때, 한 상자에 적어도 한 개씩 담는 경우의 수

(4) 어느 뷔페의 후식 코너에서 떡, 과자, 과일 중 9개를 골라 접시에 담을 때, 떡, 과자, 과일이 각각 적어도 한 개씩 포함되도록 담는 경우의 수 (단, 같은 종류의 후식은 서로 구별하지 않는다.)

 3 다음 식의 전개식에서 서로 다른 항의 개수를 구하시오.

(1) $(x+y+z)^6$

(2) $(a+b+c+d)^4$

(3) $(x+y)^3(a+b+c)^5$

(4) $(a+b)^4(x+y+z)^4$

방정식의 해의 개수

 4 다음 방정식의 음이 아닌 정수해의 개수를 m, 양의 정수해의 개수를 n이라고 할 때, $m+n$의 값을 구하시오.

(1) $x+y+z=6$

(2) $x+y+z=7$

(3) $x+y+z+w=11$

(4) $x+y+z+w=12$

03
04

 이항정리

5 이항정리를 이용하여 다음 식을 전개하시오.

(1) $(a-b)^3$

(2) $(x+1)^4$

(3) $(x+2y)^4$

(4) $(3a-b)^5$

(5) $\left(a+\dfrac{1}{a}\right)^5$

(6) $\left(x-\dfrac{2}{x}\right)^4$

6 다음을 구하시오.

(1) $(x+y)^5$의 전개식에서 x^3y^2의 계수

(2) $(2x-y)^6$의 전개식에서 x^2y^4의 계수

(3) $\left(x-\dfrac{3}{x}\right)^4$의 전개식에서 상수항

(4) $\left(x^2+\dfrac{1}{x}\right)^5$의 전개식에서 x^4의 계수

 이항정리의 활용

7 다음 식의 값을 구하시오.

(1) $_1C_0+{_2}C_1+{_3}C_2+{_4}C_3+{_5}C_4+{_6}C_5$

(2) $_2C_2+{_4}C_3+{_5}C_3+{_6}C_3+{_7}C_3+{_8}C_3$

(3) $_5C_0+{_5}C_1+{_5}C_2+{_5}C_3+{_5}C_4+{_5}C_5$

(4) $_6C_0-{_6}C_1+{_6}C_2-{_6}C_3+{_6}C_4-{_6}C_5+{_6}C_6$

(5) $_7C_1+{_7}C_3+{_7}C_5+{_7}C_7$

(6) $_8C_0+{_8}C_2+{_8}C_4+{_8}C_6+{_8}C_8$

1 3명의 동아리 회장 후보가 출마한 선거에서 동아리 학생 10명이 한 명의 후보에게 각각 투표할 때, 무기명으로 투표하는 경우의 수는? (단, 기권이나 무효표는 없다.)

① 60 ② 62 ③ 64
④ 66 ⑤ 68

출제유력
2 4명의 학생에게 같은 종류의 사인펜 6자루를 나누어 줄 때, 각 학생에게 적어도 한 자루의 사인펜을 나누어 주는 방법의 수는?

① 6 ② 8 ③ 10
④ 12 ⑤ 14

3 감, 귤, 자두 중에서 14개의 과일을 고를 때, 각 과일이 3개 이상씩 포함되도록 고르는 경우의 수는?
　　　　　(단, 같은 종류의 과일은 서로 구별하지 않는다.)

① 17 ② 19 ③ 21
④ 23 ⑤ 25

4 규빈이는 해변에서 15개의 조약돌을 주워 네 개의 통 A, B, C, D에 나누어 담으려고 한다. A에는 2개 이상, B에는 3개 이상의 조약돌을 담는 방법의 수는? (단, 조약돌은 서로 구별하지 않고, 조약돌을 담지 않는 통이 있을 수 있다.)

① 286 ② 288 ③ 290
④ 292 ⑤ 294

출제유력
5 다항식 $(x+y)^4(a+b+c)^7$의 전개식에서 서로 다른 항의 개수는?

① 172 ② 174 ③ 176
④ 178 ⑤ 180

6 다항식 $(x+y+z)^n$의 전개식에서 서로 다른 항의 개수가 15일 때, 자연수 n의 값을 구하시오.

7 방정식 $x+y+z=12$를 만족하는 음이 아닌 정수 x, y, z의 순서쌍 (x, y, z)의 개수를 a, 자연수 x, y, z의 순서쌍 (x, y, z)의 개수를 b라고 할 때, $a+b$의 값을 구하시오.

8 $a \geq 1$, $b \geq 2$, $c \geq 3$일 때, 방정식 $a+b+c=10$의 정수해의 개수를 구하시오.

✦출제유력
9 다항식 $(ax+y)^7$의 전개식에서 x^3y^4의 계수가 -280일 때, x^2y^5의 계수는? (단, a는 실수)

① 70 　　② 84 　　③ 140
④ 168 　　⑤ 336

10 다항식 $\left(x^3 + \dfrac{3}{x^2}\right)^n$의 전개식에서 상수항이 존재하도록 하는 자연수 n의 최솟값을 구하시오.

11 다항식 $x(x+a)(x+3)^5$의 전개식에서 x^4의 계수가 90일 때, 실수 a의 값은?

① -4 　　② -3 　　③ -2
④ 2 　　⑤ 3

12 다음 중 아래 그림과 같은 파스칼의 삼각형에서 색칠한 부분에 있는 모든 수의 합과 같은 것은?

$$1$$
$$_1C_0 \quad _1C_1$$
$$_2C_0 \quad _2C_1 \quad _2C_2$$
$$_3C_0 \quad _3C_1 \quad _3C_2 \quad _3C_3$$
$$_4C_0 \quad _4C_1 \quad _4C_2 \quad _4C_3 \quad _4C_4$$
$$_5C_0 \quad _5C_1 \quad _5C_2 \quad _5C_3 \quad _5C_4 \quad _5C_5$$

① $_6C_1$ 　　② $_6C_3$ 　　③ $_6C_4$
④ $_7C_1$ 　　⑤ $_7C_3$

✦출제유력
13 다음 그림과 같은 파스칼의 삼각형에서 색칠한 부분에 있는 모든 수의 합을 구하시오.

$$1$$
$$_1C_0 \quad _1C_1$$
$$_2C_0 \quad _2C_1 \quad _2C_2$$
$$_3C_0 \quad _3C_1 \quad _3C_2 \quad _3C_3$$
$$\vdots$$
$$_{12}C_0 \quad _{12}C_1 \quad _{12}C_2 \quad \cdots \quad _{12}C_{11} \quad _{12}C_{12}$$

14 $(1+x)+(1+x)^2+(1+x)^3+\cdots+(1+x)^{11}$의 전개식에서 x^2의 계수는?

① 200 　　② 205 　　③ 210
④ 215 　　⑤ 220

15 다음 등식을 만족하는 자연수 n, r에 대하여 $n-r$의 값을 구하시오.

$$_2C_0+_3C_1+_4C_2+_5C_3+\cdots+_{20}C_{18}=_nC_{18}$$
$$_3C_3+_4C_3+_5C_3+_6C_3+\cdots+_{15}C_3=_{16}C_r \quad (단, 8<r<16)$$

출제유력
16 $_nC_1+_nC_2+_nC_3+\cdots+_nC_n=255$를 만족하는 자연수 n의 값을 구하시오.

17 $\dfrac{_{16}C_0+_{16}C_2+_{16}C_4+\cdots+_{16}C_{16}}{_9C_0+_9C_1+_9C_2+_9C_3+_9C_4}=2^n$을 만족하는 자연수 n의 값은?

① 4　　　　② 5　　　　③ 6
④ 7　　　　⑤ 8

18 집합 $A=\{x\,|\,x$는 10 이하의 자연수$\}$의 부분집합 중 원소의 개수가 홀수인 것의 개수를 구하시오.

출제유력
19 다음 보기 중 옳은 것만을 있는 대로 고른 것은?

보기
ㄱ. $_{14}C_0+_{14}C_1+_{14}C_2+\cdots+_{14}C_{13}=2^{14}-1$
ㄴ. $_{11}C_6+_{11}C_7+_{11}C_8+\cdots+_{11}C_{11}=2^{10}$
ㄷ. $_{3n}C_0+_{3n}C_1+_{3n}C_2+\cdots+_{3n}C_{3n}=4^n$

① ㄱ　　　　② ㄴ　　　　③ ㄱ, ㄴ
④ ㄴ, ㄷ　　　　⑤ ㄱ, ㄴ, ㄷ

20 다음 식을 간단히 하면?

$$_{50}C_0\times9+_{50}C_1\times9^2+_{50}C_2\times9^3+\cdots+_{50}C_{50}\times9^{51}$$

① 10^{49}　　　　② 9×10^{49}　　　　③ 10^{50}
④ 9×10^{50}　　　　⑤ 10^{51}

21 15^{12}을 13으로 나누었을 때의 나머지는?

① 1　　　　② 2　　　　③ 3
④ 4　　　　⑤ 5

✤ 만점! 도전 문제

22 다음 조건을 만족하는 세 자연수 a, b, c의 순서쌍 (a, b, c)의 개수를 구하시오.

> ㈎ $a+b+c$의 값은 홀수이다.
> ㈏ $a \le b \le c \le 9$

23 1부터 5까지의 자연수가 각각 적힌 5장의 카드가 들어 있는 상자에서 카드 한 장을 뽑아 카드에 적힌 숫자를 확인한 다음 다시 상자에 넣기를 5번 반복할 때, k번째에 뽑은 카드에 적힌 숫자를 $x_k (k=1, 2, 3, 4, 5)$라고 하자. 이때 $x_1 < x_2 \le x_3 \le x_4 < x_5$인 경우의 수는?

① 20   ② 21   ③ 22
④ 23   ⑤ 24

24 11^{12}의 백의 자리의 숫자를 a, 십의 자리의 숫자를 b, 일의 자리의 숫자를 c라고 할 때, $a+b+c$의 값은?

① 6   ② 7   ③ 8
④ 9   ⑤ 10

✤ 서술형 문제

25 부등식 $x+y+z \le 2$를 만족하는 음이 아닌 정수해의 개수를 구하시오. [7점]

| 풀이 |

26 집합 $X=\{1, 2, 3\}$에서 집합 $Y=\{1, 2, 3, 4\}$로의 함수 f에 대하여 다음을 구하시오. (단, $i \in X$, $j \in X$)

(1) $i < j$이면 $f(i) < f(j)$인 함수 f의 개수 [3점]

| 풀이 |

(2) $i < j$이면 $f(i) \le f(j)$인 함수 f의 개수 [3점]

| 풀이 |

27 $(-2x+1)^4(x+1)^6$의 전개식에서 x^2의 계수를 구하시오. [7점]

| 풀이 |

05강 확률의 뜻

1 시행과 사건

+ 내공 UP

(1) **시행과 사건**

① **시행**: 주사위나 동전을 던지는 것처럼 같은 조건에서 여러 번 반복할 수 있고 그 결과가 우연에 의하여 결정되는 실험이나 관찰

② **표본공간**: 어떤 시행에서 일어날 수 있는 모든 결과의 집합

③ **사건**: 어떤 시행에 의하여 나타나는 결과

④ **근원사건**: 표본공간의 부분집합 중에서 한 개의 원소로 이루어진 사건

(2) 표본공간 S의 두 사건 A, B에 대하여

① **합사건**: A 또는 B가 일어나는 사건 ➡ $A \cup B$

② **곱사건**: A와 B가 동시에 일어나는 사건 ➡ $A \cap B$

③ **배반사건**: A와 B가 동시에 일어나지 않을 때, 즉 $A \cap B = \varnothing$일 때, A와 B는 서로 배반이라 하고, 이 두 사건을 서로 **배반사건**이라고 한다.

④ **여사건**: A가 일어나지 않는 사건을 A의 **여사건**이라고 한다. ➡ A^C

참고 $A \cap A^C = \varnothing$이므로 두 사건 A, A^C은 서로 배반사건이다.

◉ 사건은 표본공간의 부분집합이다.

◉ **사건을 벤다이어그램으로 나타내는 방법**

① 합사건 　② 곱사건

③ 배반사건 　④ 여사건

 확인문제

1 주사위 한 개를 던지는 시행에서 표본공간과 근원사건을 구하시오.

2 주사위 한 개를 던지는 시행에서 2의 배수의 눈이 나오는 사건을 A, 3의 배수의 눈이 나오는 사건을 B라고 할 때, 다음을 구하시오.

(1) $A \cup B$　　　　(2) $A \cap B$　　　　(3) A^C

2 수학적 확률과 통계적 확률

+ 내공 UP

(1) $\mathrm{P}(A)$: 어떤 시행에서 사건 A가 일어날 확률

(2) **수학적 확률**: 어떤 시행의 표본공간 S가 유한개의 근원사건으로 이루어져 있고, 각 근원사건이 일어날 가능성이 모두 같을 때, 사건 A가 일어날 **수학적 확률**은

$$\mathrm{P}(A) = \frac{n(A)}{n(S)} = \frac{(\text{사건 } A\text{가 일어나는 경우의 수})}{(\text{일어날 수 있는 모든 경우의 수})}$$

(3) **통계적 확률**: 어떤 시행을 n번 반복하여 사건 A가 일어난 횟수를 r_n이라고 할 때, n을 한없이 크게 함에 따라 상대도수 $\dfrac{r_n}{n}$이 일정한 값 p에 가까워지면 p를 사건 A가 일어날 **통계적 확률**이라고 한다.

◉ **기하적 확률**

표본공간의 영역 S 안에서 각각의 점을 택할 가능성이 같은 정도로 기대될 때, 영역 S에 포함되어 있는 영역 A에 대하여 영역 S에서 임의로 택한 점이 영역 A에 속할 확률은

$$\mathrm{P}(A) = \frac{(\text{영역 } A\text{의 크기})}{(\text{영역 } S\text{의 크기})}$$

◉ **예** 오른쪽 그림과 같이 한 변의 길이가 3인 정사각형을 9등분 한 과녁에 화살을 쏠 때, 색칠한 부분을 맞힐 확률은

$$\frac{(\text{색칠한 부분의 넓이})}{(\text{전체 도형의 넓이})} = \frac{5}{9}$$

 확인문제

3 다음을 구하시오.

(1) 서로 다른 두 개의 주사위를 동시에 던질 때, 서로 같은 수의 눈이 나올 확률

(2) 윷짝 한 개를 700번 던졌더니 평평한 면이 284번 나왔다고 할 때, 이 윷짝을 한 번 던져서 평평한 면이 나올 확률

1 1부터 8까지의 자연수가 각각 적힌 8개의 공이 들어 있는 상자에서 임의로 한 개의 공을 꺼내는 시행을 할 때, 나오는 공에 적힌 수가 홀수인 사건을 A, 짝수인 사건을 B, 소수인 사건을 C라고 하자. 이때 A, B, C 중 서로 배반인 사건을 말하시오.

2 주사위 한 개를 던지는 시행을 할 때, 다음 보기 중 서로 배반사건인 것끼리 짝 지은 것은?

> 보기
>
> ㄱ. 나오는 눈의 수가 홀수인 사건
> ㄴ. 나오는 눈의 수가 소수인 사건
> ㄷ. 나오는 눈의 수가 4의 약수인 사건
> ㄹ. 나오는 눈의 수가 5 이상인 사건

① ㄱ, ㄴ ② ㄱ, ㄷ ③ ㄴ, ㄷ
④ ㄴ, ㄹ ⑤ ㄷ, ㄹ

3 서로 다른 두 개의 주사위를 동시에 던질 때, 나오는 두 눈의 수의 합이 홀수일 확률을 구하시오.

4 서로 다른 두 개의 주사위를 동시에 던질 때, 나오는 두 눈의 수의 차가 4 이상일 확률을 구하시오.

5 5개의 문자 A, B, C, D, E에 대하여 다음을 구하시오.

(1) 5개의 문자를 일렬로 배열할 때, C, D가 이웃할 확률
(2) 5개의 문자 중에서 3개를 택할 때, A는 택하고 D는 택하지 않을 확률

6 흰 공 5개와 검은 공 2개가 들어 있는 주머니에서 임의로 3개의 공을 동시에 꺼낼 때, 흰 공 2개와 검은 공 1개를 꺼낼 확률을 구하시오.

7 오른쪽 표는 2017년 경기도, 충청도, 전라도, 경상도의 사과 생산량을 조사하여 나타낸 것이다. 이 네 지역에서 생산된 사과 중에서 임의로 한 개를 택하였을 때, 그 사과가 충청도에서 생산되었을 확률을 구하시오.

(단위: 천 톤)

지역	사과 생산량
경기도	2
충청도	96
전라도	48
경상도	391
합계	537

8 오른쪽 그림은 진서네 학교 학생 150명을 대상으로 등교하는 방법을 조사하여 그래프로 나타낸 것이다. 이 학생 중에서 임의로 한 명을 택할 때, 버스로 등교하는 학생일 확률을 구하시오.

06강 확률의 성질

1 확률의 기본 성질

내공 UP

표본공간이 S인 어떤 시행에서

(1) 임의의 사건 A에 대하여　　　$0 \leq P(A) \leq 1$

(2) 반드시 일어나는 사건 S에 대하여　　　$P(S)=1$

(3) 절대로 일어나지 않는 사건 $\varnothing$에 대하여　　　$P(\varnothing)=0$

전사건과 공사건
① 전사건: 어떤 시행에서 반드시 일어나는 사건, 즉 표본공간 S
② 공사건: 어떤 시행에서 절대로 일어나지 않는 사건, 즉 공집합 $\varnothing$

 1 주사위 한 개를 던지는 시행에서 홀수 또는 짝수의 눈이 나오는 사건을 A, 7의 눈이 나오는 사건을 B라고 할 때, 다음을 구하시오.

(1) $P(A)$　　　　　　　　　　　(2) $P(B)$

2 확률의 덧셈정리

(1) 표본공간 S의 두 사건 A, B에 대하여
$$P(A \cup B)=P(A)+P(B)-P(A \cap B)$$

(2) 두 사건 A, B가 서로 배반사건이면
$$P(A \cup B)=P(A)+P(B) \quad \leftarrow A \cap B = \varnothing 이므로 \ P(A \cap B)=0$$

세 사건 A, B, C에 대하여
$$P(A \cup B \cup C)$$
$$=P(A)+P(B)+P(C)$$
$$\quad -P(A \cap B)-P(B \cap C)$$
$$\quad -P(C \cap A)+P(A \cap B \cap C)$$

 2 두 사건 A, B에 대하여 다음을 구하시오.

(1) $P(A)=0.3$, $P(B)=0.4$, $P(A \cap B)=0.1$일 때, $P(A \cup B)$

(2) A, B가 서로 배반사건이고, $P(A)=\dfrac{1}{2}$, $P(A \cup B)=\dfrac{3}{4}$일 때, $P(B)$

3 주사위 한 개를 던질 때, 다음을 구하시오.

(1) 2의 배수 또는 3의 배수의 눈이 나올 확률

(2) 2의 배수 또는 5의 배수의 눈이 나올 확률

3 여사건의 확률

사건 A에 대한 여사건 A^c의 확률은
$$P(A^c)=1-P(A)$$

예 사건 A의 확률이 0.7일 때, A의 여사건 A^c의 확률은　$P(A^c)=1-P(A)=1-0.7=0.3$

'적어도 ~인', '~ 이상인', '~ 미만인' 등의 확률을 구할 때는 여사건의 확률을 이용하면 편리하다.

 4 서로 다른 두 개의 동전을 동시에 던지는 시행에서 두 개 모두 뒷면이 나오는 사건을 A라고 할 때, 다음을 구하시오.

(1) $P(A)$　　　　　　　　(2) 적어도 한 개는 앞면이 나올 확률

1 서로 다른 두 개의 주사위를 동시에 던질 때, 나오는 두 눈의 수의 합이 6이거나 차가 4일 확률을 구하시오.

2 1부터 10까지의 자연수가 각각 적힌 10장의 카드 중에서 임의로 3장의 카드를 동시에 뽑을 때, 3 또는 5가 적힌 카드가 나올 확률을 구하시오.

3 빨간 구슬 5개와 흰 구슬 4개가 들어 있는 주머니에서 임의로 3개의 구슬을 동시에 꺼낼 때, 3개 모두 같은 색 구슬일 확률을 구하시오.

4 1학년 학생 3명과 2학년 학생 5명 중에서 임의로 2명의 대표를 뽑을 때, 2명이 같은 학년일 확률을 구하시오.

5 흰 장갑 5켤레, 파란 장갑 8켤레가 들어 있는 가방에서 임의로 3켤레의 장갑을 동시에 꺼낼 때, 적어도 한 켤레는 흰 장갑일 확률을 구하시오.

6 taste에 있는 5개의 문자를 일렬로 배열할 때, 적어도 한쪽 끝에 t가 올 확률을 구하시오.

7 5개의 숫자 1, 2, 3, 4, 5가 각각 적힌 5장의 카드 중에서 임의로 3장의 카드를 택하여 세 자리의 자연수를 만들 때, 만든 자연수가 400보다 작을 확률을 구하시오.

8 당첨 제비 5개를 포함한 12개의 제비가 들어 있는 상자에서 임의로 4개의 제비를 동시에 꺼낼 때, 꺼낸 제비 중에서 당첨 제비가 2개 이상일 확률을 구하시오.

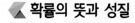

 시행과 사건

 1 주사위 한 개를 던지는 시행에서 3의 약수의 눈이 나오는 사건을 A, 6의 약수의 눈이 나오는 사건을 B, 4의 배수의 눈이 나오는 사건을 C라고 할 때, 다음을 구하시오.

(1) $A \cap B$

(2) $A \cup C$

(3) B^c

(4) $A^c \cap B$

(5) A, B, C 중 서로 배반인 두 사건

(6) A와 서로 배반인 사건의 개수

수학적 확률과 통계적 확률

2 다음을 구하시오.

(1) 서로 다른 두 개의 주사위를 동시에 던질 때, 나오는 두 눈의 수의 합이 3 이하일 확률

(2) 남학생 3명과 여학생 4명이 일렬로 줄을 서서 등산을 할 때, 맨 앞과 맨 뒤에 남학생이 서게 될 확률

(3) 5명의 학생 건우, 송이, 태웅, 영선, 다비가 원탁에 둘러앉을 때, 건우와 송이가 이웃하여 앉을 확률

(4) 4개의 숫자 1, 2, 3, 4에서 중복을 허용하여 3개를 뽑아 세 자리의 자연수를 만들 때, 만든 수가 짝수일 확률

(5) 6개의 문자 G, O, O, G, O, L을 일렬로 배열할 때, G끼리 이웃할 확률

(6) 빨간 공 3개와 파란 공 6개가 들어 있는 상자에서 임의로 5개의 공을 동시에 꺼낼 때, 빨간 공 2개와 파란 공 3개를 꺼낼 확률

(7) 방정식 $x+y+z=10$의 음이 아닌 정수해가 $x=3$을 만족할 확률

(8) 어느 공장에서 생산된 제품 1000개를 조사한 결과 불량품이 2개 발견되었을 때, 생산된 제품 중에서 임의로 택한 1개가 불량품일 확률

➕ 확률의 덧셈정리

3 두 사건 A, B에 대하여 다음을 구하시오.

(1) $P(A)=\dfrac{2}{3}$, $P(B)=\dfrac{1}{2}$, $P(A\cap B)=\dfrac{1}{6}$일 때, $P(A\cup B)$

(2) $P(A)=0.4$, $P(B)=0.6$, $P(A\cup B)=0.8$일 때, $P(A\cap B)$

(3) A, B가 서로 배반사건이고, $P(A)=\dfrac{1}{2}$, $P(A\cup B)=\dfrac{5}{6}$일 때, $P(B)$

(4) A, B가 서로 배반사건이고, $P(B)=0.3$, $P(A\cup B)=0.8$일 때, $P(A)$

4 1부터 12까지의 자연수가 각각 적힌 12개의 공이 들어 있는 상자에서 임의로 한 개의 공을 꺼낼 때, 다음을 구하시오.

(1) 3의 배수 또는 4의 배수가 적힌 공이 나올 확률

(2) 5의 배수 또는 7의 배수가 적힌 공이 나올 확률

➕ 여사건의 확률

5 두 사건 A, B에 대하여 다음을 구하시오.

(1) $P(A^{C})=0.3$일 때, $P(A)$

(2) $P(A)=\dfrac{7}{12}$, $P(A\cup B)=\dfrac{5}{6}$, $P(A\cap B)=\dfrac{1}{4}$일 때, $P(B^{C})$

(3) A, B가 서로 배반사건이고, $P(A)=0.1$, $P(A\cup B)=0.7$일 때, $P(B^{C})$

(4) A, B가 서로 배반사건이고, $P(A^{C})=\dfrac{5}{6}$, $P(B^{C})=\dfrac{3}{4}$일 때, $P(A\cup B)$

6 서로 다른 두 개의 주사위를 동시에 던질 때, 다음을 구하시오.

(1) 서로 다른 눈의 수가 나올 확률

(2) 나오는 두 눈의 수의 곱이 짝수일 확률

✦출제유력
1 1부터 10까지의 자연수가 각각 적힌 10장의 카드 중에서 임의로 한 장의 카드를 뽑을 때, 뽑은 카드에 적힌 수가 4의 배수인 사건을 A, 소수인 사건을 B, 6의 약수인 사건을 C라고 하자. 다음 보기 중 서로 배반사건인 것만을 있는 대로 고른 것은?

> **보기**
> ㄱ. A와 B　　　ㄴ. B와 C　　　ㄷ. A와 C

① ㄱ　　　　② ㄴ　　　　③ ㄷ
④ ㄱ, ㄴ　　　⑤ ㄱ, ㄷ

2 주사위 한 개를 두 번 던지는 시행에서 나오는 눈의 수를 차례로 a, b라고 할 때, $2a+b$가 5의 배수일 확률을 구하시오.

✦출제유력
3 어느 극장에서 개봉 예정인 영화 중에서 액션 영화 3편과 스릴러 영화 3편의 포스터 6장을 일렬로 붙이려고 한다. 액션 영화 포스터와 스릴러 영화 포스터를 번갈아 붙일 확률은?

① $\dfrac{1}{10}$　　　② $\dfrac{1}{5}$　　　③ $\dfrac{2}{5}$
④ $\dfrac{3}{5}$　　　⑤ $\dfrac{9}{10}$

4 education에 있는 9개의 문자를 일렬로 배열할 때, 양 끝에 자음이 올 확률은?

① $\dfrac{1}{12}$　　　② $\dfrac{1}{6}$　　　③ $\dfrac{1}{4}$
④ $\dfrac{1}{3}$　　　⑤ $\dfrac{5}{12}$

5 오른쪽 그림과 같이 9개의 글자 '내, 공, 의, 힘, 확, 률, 과, 통, 계'를 원 위에 일정한 간격으로 배열하는 디자인을 하려고 한다. '내, 공, 의, 힘'의 네 글자를 이웃하게 배열할 확률은?

① $\dfrac{1}{14}$　　　② $\dfrac{1}{7}$　　　③ $\dfrac{3}{14}$
④ $\dfrac{2}{7}$　　　⑤ $\dfrac{5}{14}$

6 지연이는 서로 다른 노래 3곡을 서로 다른 4개의 라디오 프로그램에 신청하는데, 한 개의 곡을 여러 프로그램에 신청할 수 없고 여러 곡을 한 프로그램에 신청할 수 있다. 노래 3곡을 모두 다른 프로그램에 신청할 확률은?

① $\dfrac{4}{27}$　　　② $\dfrac{3}{16}$　　　③ $\dfrac{8}{27}$
④ $\dfrac{3}{8}$　　　⑤ $\dfrac{4}{9}$

7 다음 그림과 같은 도로망이 있다. 학교에서 독서실까지 최단 경로를 택하여 이동할 때, 편의점을 거쳐서 갈 확률은?

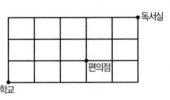

① $\dfrac{5}{14}$　　　② $\dfrac{3}{7}$　　　③ $\dfrac{1}{2}$
④ $\dfrac{4}{7}$　　　⑤ $\dfrac{9}{14}$

8 어느 마트에서 일주일 중 임의로 4일을 골라 할인 행사를 진행하기로 하였다. 할인 행사일에 토요일과 일요일이 모두 포함될 확률은?

① $\dfrac{1}{7}$ ② $\dfrac{1}{5}$ ③ $\dfrac{2}{7}$

④ $\dfrac{12}{35}$ ⑤ $\dfrac{5}{7}$

출제유력
9 오른쪽 그림과 같이 원 위에 같은 간격으로 놓인 6개의 점 중에서 임의로 3개의 점을 택하여 삼각형을 만들 때, 만든 삼각형이 이등변삼각형일 확률을 구하시오.

10 하늘색, 보라색, 연두색 리본 중에서 임의로 10개의 리본을 고를 때, 하늘색, 보라색, 연두색 리본이 적어도 한 개씩 포함될 확률을 구하시오.
(단, 같은 색 리본은 서로 구별하지 않는다.)

11 두 집합 $X=\{2,\ 4,\ 6\}$, $Y=\{x\,|\,x$는 10의 약수$\}$에 대하여 함수 $f:X\longrightarrow Y$가 다음 조건을 만족시킬 확률을 구하시오.

> $a\in X$, $b\in X$일 때, $a<b$이면 $f(a)\leq f(b)$

출제유력
12 빨간 공과 파란 공을 합하여 10개의 공이 들어 있는 상자에서 임의로 3개의 공을 동시에 꺼내 색을 확인하고 다시 넣는 시행을 여러 번 반복하였더니 15번에 7번꼴로 꺼낸 3개가 모두 파란 공이었다. 이때 상자 안에는 몇 개의 파란 공이 들어 있다고 볼 수 있는지 구하시오.

13 오른쪽 그림과 같이 반지름의 길이가 각각 4, 8, 12이고 중심이 같은 세 원으로 이루어진 과녁이 있다. 이 과녁에 화살을 한 번 쏠 때, 색칠한 부분을 맞힐 확률은? (단, 화살은 과녁을 벗어나지 않고, 경계선에 맞지 않는다.)

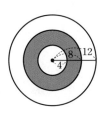

① $\dfrac{1}{9}$ ② $\dfrac{2}{9}$ ③ $\dfrac{1}{3}$

④ $\dfrac{5}{9}$ ⑤ $\dfrac{2}{3}$

14 표본공간 S의 두 사건 A, B에 대하여 다음 보기 중 옳은 것만을 있는 대로 고르시오.

> **보기**
> ㄱ. $0\leq \mathrm{P}(A)\mathrm{P}(B)\leq 1$
> ㄴ. $0\leq \mathrm{P}(A\cup B)\leq 1$
> ㄷ. $\mathrm{P}(S)\leq \mathrm{P}(A)+\mathrm{P}(B)$
> ㄹ. $\mathrm{P}(A)+\mathrm{P}(B)=1$이면 A와 B는 서로 배반사건이다.

15 두 사건 A, B에 대하여 $P(A)=0.4$, $P(B)=0.5$, $P(A\cup B)=0.6$일 때, $P(A^c\cup B^c)$은?

① 0.3 ② 0.4 ③ 0.5
④ 0.7 ⑤ 0.9

16 동전 한 개와 주사위 한 개를 동시에 던질 때, 동전의 앞면이 나오거나 주사위의 눈의 수가 짝수가 나올 확률은?

① $\dfrac{1}{4}$ ② $\dfrac{1}{3}$ ③ $\dfrac{1}{2}$
④ $\dfrac{2}{3}$ ⑤ $\dfrac{3}{4}$

17 세준이네 반 학생 중에서 여름 방학에 계곡 또는 바다에 다녀온 학생은 전체의 80 %이고, 바다에 다녀온 학생은 전체의 40 %이다. 또 계곡과 바다에 모두 다녀온 학생은 전체의 30 %이다. 세준이네 반에서 임의로 학생 1명을 택할 때, 그 학생이 여름 방학에 계곡에 다녀왔을 확률을 구하시오.

18 오른쪽 표는 어느 고등학교 2학년 학생 30명을 대상으로 과학 선택과목을 조사한 것이다. 이 중에서 임의로 2명의 학생을 택할 때, 두 학생의 선택과목이 같을 확률을 구하시오.

선택과목	학생 수(명)
물리학	4
화학	10
생명과학	11
지구과학	5
합계	30

19 1부터 12까지의 자연수가 각각 적힌 12장의 카드 중에서 임의로 3장의 카드를 동시에 뽑을 때, 뽑힌 카드에 적힌 세 수의 곱이 짝수일 확률은?

① $\dfrac{1}{12}$ ② $\dfrac{1}{11}$ ③ $\dfrac{1}{2}$
④ $\dfrac{10}{11}$ ⑤ $\dfrac{11}{12}$

20 당첨 제비 4개를 포함한 10개의 제비가 들어 있는 상자에서 임의로 3개의 제비를 동시에 꺼낼 때, 적어도 1개는 당첨 제비가 아닐 확률은?

① $\dfrac{5}{6}$ ② $\dfrac{13}{15}$ ③ $\dfrac{9}{10}$
④ $\dfrac{14}{15}$ ⑤ $\dfrac{29}{30}$

21 오른쪽 그림과 같이 한 변의 길이가 1인 정팔각형의 8개의 꼭짓점 중에서 임의로 2개의 꼭짓점을 택하여 선분을 그을 때, 선분의 길이가 1보다 길 확률은?

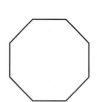

① $\dfrac{2}{7}$ ② $\dfrac{3}{7}$
③ $\dfrac{4}{7}$ ④ $\dfrac{5}{7}$
⑤ $\dfrac{6}{7}$

⚜ 만점! 도전 문제

22 키가 서로 다른 네 사람이 일렬로 줄을 서려고 한다. 앞에서 세 번째에 서는 사람이 자신과 이웃한 두 사람보다 키가 클 확률을 구하시오.

23 3명의 학생이 가위바위보를 한 번 할 때, 승부가 날 확률은?

① $\frac{1}{6}$ ② $\frac{1}{3}$ ③ $\frac{1}{2}$

④ $\frac{2}{3}$ ⑤ $\frac{5}{6}$

24 1부터 10까지의 자연수가 각각 적힌 10장의 카드가 들어 있는 상자에서 임의로 3장의 카드를 동시에 꺼낼 때, 3장의 카드에 적힌 수 중에서 연속인 자연수가 없을 확률은?

① $\frac{7}{15}$ ② $\frac{8}{15}$ ③ $\frac{3}{5}$

④ $\frac{2}{3}$ ⑤ $\frac{11}{15}$

❤ 서술형 문제

25 6개의 숫자 0, 1, 2, 3, 4, 5에서 중복을 허용하여 5개를 뽑아 다섯 자리의 자연수를 만들 때, 만든 수가 5의 배수일 확률을 구하시오. [6점]

| 풀이 |

26 분홍색 구슬과 노란색 구슬을 합하여 10개의 구슬이 들어 있는 주머니에서 임의로 2개의 구슬을 동시에 꺼낼 때, 분홍색 구슬과 노란색 구슬이 각각 한 개씩 나올 확률이 최대가 되도록 하는 분홍색 구슬의 개수를 구하시오.

[7점]

| 풀이 |

27 1부터 100까지의 자연수가 각각 적힌 100장의 카드 중에서 임의로 한 장의 카드를 뽑을 때, 15와 서로소인 수가 적힌 카드가 나올 확률을 구하시오. [7점]

| 풀이 |

07강 조건부확률

1 조건부확률

(1) **조건부확률**: 확률이 0이 아닌 사건 A에 대하여 사건 A가 일어났다는 조건 아래에서 사건 B가 일어날 확률을 사건 A가 일어났을 때의 사건 B의 **조건부확률**이라 하고, 기호 $\mathrm{P}(B\,|\,A)$로 나타낸다.

(2) 사건 A가 일어났을 때의 사건 B의 조건부확률 $\mathrm{P}(B\,|\,A)$는

$$\mathrm{P}(B\,|\,A)=\frac{\mathrm{P}(A\cap B)}{\mathrm{P}(A)}\ (\text{단},\ \mathrm{P}(A)>0)$$

예 두 사건 A, B에 대하여 $\mathrm{P}(A)=0.4$, $\mathrm{P}(B)=0.5$, $\mathrm{P}(A\cap B)=0.3$일 때,

$$\mathrm{P}(B\,|\,A)=\frac{\mathrm{P}(A\cap B)}{\mathrm{P}(A)}=\frac{0.3}{0.4}=\frac{3}{4},$$

$$\mathrm{P}(A\,|\,B)=\frac{\mathrm{P}(A\cap B)}{\mathrm{P}(B)}=\frac{0.3}{0.5}=\frac{3}{5}$$

참고 $\mathrm{P}(A\cap B)$와 $\mathrm{P}(B\,|\,A)$의 비교

$\mathrm{P}(A\cap B)$	$\mathrm{P}(B\,|\,A)$
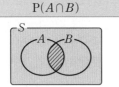	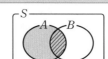
표본공간 S에서 사건 $A\cap B$가 일어날 확률	사건 A를 표본공간으로 생각하고, A 안에서 사건 $A\cap B$가 일어날 확률

◗ 일반적으로
$\mathrm{P}(B\,|\,A)\neq\mathrm{P}(A\,|\,B)$이다.

◗ $\mathrm{P}(B\,|\,A)=\dfrac{n(A\cap B)}{n(A)}$
$=\dfrac{\frac{n(A\cap B)}{n(S)}}{\frac{n(A)}{n(S)}}$
$=\dfrac{\mathrm{P}(A\cap B)}{\mathrm{P}(A)}$

확인문제 **1** 두 사건 A, B에 대하여 사건 A가 일어날 확률이 0.8이고, 두 사건 A, B가 동시에 일어날 확률이 0.5라고 한다. 사건 A가 일어났을 때의 사건 B가 일어날 확률을 구하시오.

2 주사위 한 개를 던지는 시행에서 홀수의 눈이 나오는 사건을 A, 소수의 눈이 나오는 사건을 B라고 할 때, 다음을 구하시오.
(1) $\mathrm{P}(A\cap B)$　　　　　　(2) $\mathrm{P}(B\,|\,A)$

2 확률의 곱셈정리

두 사건 A, B가 동시에 일어날 확률은
$$\mathrm{P}(A\cap B)=\mathrm{P}(A)\mathrm{P}(B\,|\,A)$$
$$=\mathrm{P}(B)\mathrm{P}(A\,|\,B)\ (\text{단},\ \mathrm{P}(A)>0,\ \mathrm{P}(B)>0)$$

◗ $\mathrm{P}(B\,|\,A)=\dfrac{\mathrm{P}(A\cap B)}{\mathrm{P}(A)}$의 양변에 $\mathrm{P}(A)$
를 곱하면
$\mathrm{P}(A\cap B)=\mathrm{P}(A)\mathrm{P}(B\,|\,A)$

확인문제 **3** 두 사건 A, B에 대하여 $\mathrm{P}(A)=\dfrac{1}{5}$, $\mathrm{P}(B\,|\,A)=\dfrac{1}{3}$일 때, $\mathrm{P}(A\cap B)$를 구하시오.

1 두 사건 A, B에 대하여 $P(A)=0.3$, $P(B)=0.5$, $P(A^c \cap B)=0.3$일 때, $P(B|A)$를 구하시오.

2 두 사건 A, B에 대하여 $P(A)=\dfrac{1}{2}$, $P(B)=\dfrac{1}{4}$, $P(A \cup B)=\dfrac{3}{5}$일 때, $P(A^c|B)$를 구하시오.

3 어느 고등학교 학생들의 통학 수단을 조사하였더니 버스를 이용하는 학생은 전체의 65%, 버스를 이용하는 남학생은 전체의 30%이었다. 이 고등학교 학생 중에서 임의로 뽑은 학생 한 명이 버스를 이용하여 통학하는 학생이었을 때, 그 학생이 남학생일 확률을 구하시오.

4 오른쪽 표는 어느 회사에서 생산하는 두 종류의 옷 A, B 의 제조국별 생산량을 나타낸 것이다. 이 중에서 임의로 택한 옷 한 벌이 B였을 때, 그 옷이 중국에서 생산되었을 확률을 구하시오.

(단위: 벌)

	한국	중국	합계
A	950	150	1100
B	120	780	900
합계	1070	930	2000

5 당첨 제비 5개를 포함한 15개의 제비가 들어 있는 상자에서 갑, 을 두 사람이 차례로 제비를 한 개씩 뽑을 때, 다음을 구하시오. (단, 뽑은 제비는 다시 넣지 않는다.)

(1) 갑, 을 모두 당첨 제비를 뽑을 확률

(2) 을만 당첨 제비를 뽑을 확률

(3) 갑, 을 모두 당첨 제비를 뽑지 못할 확률

6 빨간 공 7개와 노란 공 5개가 들어 있는 주머니에서 공을 한 개씩 두 번 꺼낼 때, 꺼낸 공 2개가 모두 노란 공일 확률을 a, 꺼낸 공 2개의 색이 다를 확률을 b라고 하자. 이때 $a+b$의 값을 구하시오. (단, 꺼낸 공은 다시 넣지 않는다.)

7 노란 주머니에는 흰 구슬 5개, 검은 구슬 6개가 들어 있고, 파란 주머니에는 흰 구슬 3개, 검은 구슬 7개가 들어 있다. 두 주머니 중 하나를 임의로 택하여 구슬 2개를 동시에 꺼낼 때, 다음을 구하시오.

(1) 2개 모두 흰 구슬이 나올 확률

(2) 2개 모두 흰 구슬이 나왔을 때, 그 구슬이 노란 주머니에 들어 있던 구슬일 확률

8 어느 병원은 두 회사 A, B에서 각각 전체 혈압계의 60%, 40%를 공급받는데, 불량률이 각각 5%, 3%라고 한다. 두 회사에서 공급받은 제품 중에서 임의로 뽑은 제품 한 개가 불량품일 때, 그 제품이 A 회사에서 공급받은 제품일 확률을 구하시오.

08강 사건의 독립과 종속

1 사건의 독립과 종속

(1) 사건의 독립과 종속

① **독립**: 두 사건 A, B에 대하여 사건 A가 일어나거나 일어나지 않는 것이 사건 B가 일어날 확률에 영향을 주지 않을 때, 즉

$$\mathrm{P}(B|A)=\mathrm{P}(B|A^c)=\mathrm{P}(B)$$

일 때, 두 사건 A, B는 서로 **독립**이라고 한다.

② **종속**: 두 사건 A, B가 서로 독립이 아닐 때, 즉

$$\mathrm{P}(B|A)\neq\mathrm{P}(B|A^c) \text{ 또는 } \mathrm{P}(B|A)\neq\mathrm{P}(B)$$

일 때, 두 사건 A, B는 서로 **종속**이라고 한다.

(2) 두 사건 A, B가 서로 독립이기 위한 필요충분조건은

$$\mathrm{P}(A\cap B)=\mathrm{P}(A)\mathrm{P}(B) \text{ (단, } \mathrm{P}(A)>0,\ \mathrm{P}(B)>0)$$

참고 배반사건과 독립사건의 비교

배반사건	독립사건
두 사건 A, B가 동시에 일어나지 않는다. 즉, $A\cap B=\varnothing$	두 사건 A, B가 서로의 확률에 영향을 미치지 않는다.
$\mathrm{P}(A\cup B)=\mathrm{P}(A)+\mathrm{P}(B)$	$\mathrm{P}(A\cap B)=\mathrm{P}(A)\mathrm{P}(B)$

내공 UP

● 두 사건 A, B가 서로 독립
  $\Longleftrightarrow$ A^c과 B가 서로 독립
  $\Longleftrightarrow$ A와 B^c이 서로 독립
  $\Longleftrightarrow$ A^c과 B^c이 서로 독립

● 두 사건 A, B가 서로 종속이면 사건 A가 일어나거나 일어나지 않는 것이 사건 B가 일어날 확률에 영향을 미친다.

확인문제

1 두 사건 A, B가 서로 독립이고, $\mathrm{P}(A)=0.5$, $\mathrm{P}(B)=0.9$일 때, 다음을 구하시오.

(1) $\mathrm{P}(A\cap B)$ (2) $\mathrm{P}(A|B^c)$ (3) $\mathrm{P}(B^c|A)$

2 두 볼링 선수 A, B가 스트라이크를 칠 확률이 각각 0.8, 0.7일 때, 한 번의 투구에서 두 선수 모두 스트라이크를 칠 확률을 구하시오.

2 독립시행의 확률

(1) 독립시행: 동전이나 주사위 등을 여러 번 반복하여 던지는 경우와 같이 어떤 시행을 반복할 때, 각 시행마다 일어나는 사건이 서로 독립이면 이와 같은 시행을 **독립시행**이라고 한다.

(2) 독립시행의 확률

어떤 시행에서 사건 A가 일어날 확률이 p일 때, 이 시행을 n번 반복하는 독립시행에서 사건 A가 r번 일어날 확률은

$$_nC_r\,p^r(1-p)^{n-r} \text{ (단, } r=0,\ 1,\ 2,\ \cdots,\ n)$$

내공 UP

● $p\neq0$일 때, $p^0=1$로 정의한다.

확인문제

3 동전 한 개를 5번 던질 때, 다음을 구하시오.

(1) 앞면이 2번 나오는 경우의 수

(2) 앞면이 2번 나올 확률

1 1부터 20까지의 자연수가 각각 적힌 20장의 카드 중 임의로 한 장의 카드를 뽑는 시행에서 카드에 적힌 수가 짝수인 사건을 A, 3의 배수인 사건을 B, 5의 배수인 사건을 C라고 할 때, 다음 두 사건이 서로 독립인지 종속인지 말하시오.

⑴ A와 B ⑵ B와 C

⑶ A와 C^C

2 주사위 한 개를 던지는 시행에서 홀수의 눈이 나오는 사건을 A, 소수의 눈이 나오는 사건을 B, 6의 약수의 눈이 나오는 사건을 C라고 하자. 다음 보기 중 서로 독립인 사건만을 있는 대로 고르시오.

보기
ㄱ. A와 B ㄴ. B와 C ㄷ. A^c과 C

3 흰 공 3개와 검은 공 7개가 들어 있는 주머니에서 임의로 공을 한 개씩 두 번 꺼낼 때, 다음의 경우에 두 번 모두 흰 공이 나올 확률을 구하시오.

⑴ 꺼낸 공을 다시 넣는 경우

⑵ 꺼낸 공을 다시 넣지 않는 경우

4 흰 구슬 6개와 빨간 구슬 4개가 들어 있는 통에서 임의로 구슬을 한 개씩 두 번 꺼낸다고 하자. 꺼낸 구슬을 다시 넣는 경우에 두 번 모두 빨간 구슬이 나올 확률을 p, 꺼낸 구슬을 다시 넣지 않는 경우에 두 번 모두 빨간 구슬이 나올 확률을 q라고 할 때, $p-q$의 값을 구하시오.

5 세 학생 A, B, C가 어느 자격시험에 합격할 확률이 각각 $\dfrac{1}{5}$, $\dfrac{3}{4}$, $\dfrac{2}{7}$일 때, 다음을 구하시오.

⑴ 세 학생 모두 합격할 확률

⑵ 두 학생만 합격할 확률

⑶ 적어도 한 학생이 합격할 확률

6 명중률이 각각 0.4, 0.7, 0.9인 세 사격 선수 A, B, C가 표적을 향해 총을 한 발씩 쏘았을 때, 적어도 한 선수가 명중시킬 확률을 구하시오.

7 어느 농구 선수가 자유투를 성공할 확률은 $\dfrac{4}{5}$라고 한다. 이 선수가 자유투를 3번 던졌을 때, 다음을 구하시오.

⑴ 두 번 성공할 확률

⑵ 적어도 한 번 성공할 확률

8 어느 의약품의 완치율은 $\dfrac{3}{4}$이라고 한다. 5명의 환자가 이 약을 복용할 때, 네 명 이상이 완치될 확률을 구하시오.

1 두 사건 A, B에 대하여

$$\mathrm{P}(A)=\frac{1}{2}, \mathrm{P}(B)=\frac{1}{3}, \mathrm{P}(B|A)=\frac{1}{4}$$

일 때, $\mathrm{P}(A|B)$를 구하시오.

2 다음 표는 어느 고등학교의 남학생 50명과 여학생 30명의 혈액형을 조사하여 나타낸 것이다. 이 학교 학생 중에서 임의로 택한 학생 한 명이 여학생이었을 때, 그 여학생이 B형일 확률은?

(단위: 명)

	A형	B형	O형	AB형	합계
남학생	16	14	13	7	50
여학생	12	8	8	2	30
합계	28	22	21	9	80

① $\dfrac{1}{10}$ ② $\dfrac{4}{15}$ ③ $\dfrac{11}{40}$

④ $\dfrac{3}{8}$ ⑤ $\dfrac{6}{11}$

3 두 등산 동호회 A, B의 회원 수의 합은 60명이고, 두 동호회 A, B 각각의 여자 회원의 비율은 40 %, 30 %이다. 두 동호회의 전체 회원 중에서 임의로 뽑은 회원 한 명이 여자 회원일 때, 그 회원이 A 동호회 회원일 확률은 $\dfrac{2}{5}$이다. 이때 A 동호회 회원은 총 몇 명인가?

① 20명   ② 25명   ③ 30명
④ 35명   ⑤ 40명

4 주사위 한 개를 두 번 던지는 시행에서 나오는 눈의 수의 합이 5의 배수였을 때, 두 번 모두 소수일 확률을 구하시오.

5 3개의 불량품을 포함한 10개의 USB가 들어 있는 상자에서 3개의 불량품을 모두 발견할 때까지 제품을 한 개씩 꺼내어 차례로 검사를 할 때, 다섯 번 만에 불량품 3개를 모두 찾아낼 확률을 구하시오. (단, 꺼낸 USB는 다시 넣지 않는다.)

6 주황색 탁구공 6개와 연두색 탁구공 n개가 들어 있는 상자에서 임의로 탁구공을 한 개씩 두 번 꺼낼 때, 첫 번째는 주황색 탁구공, 두 번째는 연두색 탁구공을 꺼낼 확률이 $\dfrac{4}{15}$이다. 이때 n의 값을 구하시오. (단, 꺼낸 탁구공은 다시 넣지 않는다.)

7 1부터 20까지의 자연수가 각각 적힌 20장의 카드가 들어 있는 상자에서 민준이와 소리가 차례로 카드를 한 장씩 뽑을 때, 소리가 3의 배수가 적힌 카드를 뽑을 확률은? (단, 뽑은 카드는 다시 넣지 않는다.)

① $\dfrac{1}{5}$ ② $\dfrac{4}{19}$ ③ $\dfrac{5}{19}$

④ $\dfrac{3}{10}$ ⑤ $\dfrac{29}{95}$

출제유력
8 주머니 A에는 흰 공 3개와 검은 공 4개가 들어 있고, 주머니 B에는 흰 공 4개와 검은 공 2개가 들어 있다. 주머니 A에서 임의로 2개의 공을 동시에 꺼내어 주머니 B에 넣은 다음 주머니 B에서 임의로 1개의 공을 꺼낼 때, 그 공이 흰 공일 확률을 구하시오.

9 교사 임용 시험 합격자 중에서 80 %는 사범대 졸업생이고, 20 %는 비사범대 졸업생이며 사범대 졸업생의 40 %, 비사범대 졸업생의 20 %가 고등학교로 발령이 난다. 합격자 중에서 임의로 택한 한 명이 고등학교로 발령이 났을 때, 그 사람이 사범대 졸업생일 확률을 구하시오.

10 민수네 팀을 포함한 5개의 배드민턴 팀이 오른쪽과 같은 토너먼트 방식으로 시합을 하려고 한다. 이때 민수네 팀은 다른 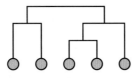 어떤 팀과 시합을 해도 이길 확률이 $\dfrac{2}{3}$이다. 민수네 팀이 우승했을 때, 2승으로 우승했을 확률을 구하시오.
(단, 서로 비기는 경우는 없다.)

11 비가 온 날의 다음 날에 비가 다시 올 확률은 60 %, 비가 오지 않은 날의 다음 날에 비가 올 확률은 20 %라고 한다. 이번 주 화요일에 비가 왔을 때, 이번 주 금요일에 비가 올 확률은?

① 21.6 % ② 26.4 % ③ 31.2 %
④ 32.8 % ⑤ 37.6 %

12 어느 정수기 관리사는 고객의 집을 방문하면서 5번에 한 번꼴로 고객의 집에 볼펜을 두고 온다고 한다. 3명의 고객 A, B, C의 집을 차례로 방문하고 사무실로 돌아와서 볼펜을 두고 온 것을 알았을 때, A 고객의 집에 두고 왔을 확률은?

① $\dfrac{15}{61}$ ② $\dfrac{20}{61}$ ③ $\dfrac{25}{61}$
④ $\dfrac{30}{61}$ ⑤ $\dfrac{35}{61}$

출제유력
13 100원짜리 동전 1개, 500원짜리 동전 1개를 동시에 던지는 시행에서 100원짜리 동전이 앞면이 나오는 사건을 A, 500원짜리 동전이 앞면이 나오는 사건을 B, 동전 2개가 서로 다른 면이 나오는 사건을 C라고 하자. 다음 보기 중 서로 독립인 사건만을 있는 대로 고른 것은?

보기
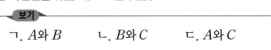
ㄱ. A와 B ㄴ. B와 C ㄷ. A와 C

① ㄱ ② ㄴ ③ ㄷ
④ ㄱ, ㄴ ⑤ ㄱ, ㄴ, ㄷ

14 세 사건 A, B, C에 대하여 A와 B는 서로 독립이고, A와 C는 서로 배반사건이다.
$$\mathrm{P}(A \cap B) = \dfrac{1}{8},\ \mathrm{P}(A \cup C) = \dfrac{5}{8},\ \mathrm{P}(B) = \dfrac{5}{16}$$
일 때, $\mathrm{P}(C)$는?

① $\dfrac{1}{8}$ ② $\dfrac{3}{20}$ ③ $\dfrac{7}{40}$
④ $\dfrac{1}{5}$ ⑤ $\dfrac{9}{40}$

15 두 사건 A, B에 대하여 다음 보기 중 옳은 것만을 있는 대로 고른 것은? (단, $P(A)P(B) \neq 0$)

보기

ㄱ. A와 B가 서로 배반사건이면 $P(A|B)=0$이다.
ㄴ. A와 B가 서로 배반사건이면 A와 B는 독립이다.
ㄷ. A와 B가 서로 독립이면 $P(A|B)=P(B|A)$이다.
ㄹ. A와 B가 서로 독립이면
$\{1-P(A)\}\{1-P(B)\}=1-P(A \cup B)$이다.

① ㄱ ② ㄱ, ㄴ ③ ㄱ, ㄹ
④ ㄴ, ㄷ ⑤ ㄴ, ㄷ, ㄹ

16 어느 스마트폰의 4개의 주요 부품 LCD, CPU, GPU, RAM이 2년 이내에 고장이 날 확률은 각각 $\frac{1}{4}$, $\frac{1}{5}$, $\frac{1}{6}$, $\frac{1}{7}$이고, 그 외의 다른 부품은 고장이 나지 않는다고 할 때, 2년 이내에 스마트폰이 고장이 나지 않을 확률은?

① $\frac{1}{4}$ ② $\frac{2}{7}$ ③ $\frac{1}{3}$
④ $\frac{3}{7}$ ⑤ $\frac{1}{2}$

✧출제유력
17 어느 대학 입학사정관 전형에서 민영, 선주, 예림이가 서류 평가에 통과할 확률이 각각 0.7, 0.8, 0.6일 때, 3명 중에서 한 명만 서류 평가에 통과할 확률은?

① 0.186 ② 0.188 ③ 0.192
④ 0.194 ⑤ 0.196

18 어느 빌딩에는 3개의 자가 발전기가 설치되어 있는데, 이 3개 중에서 한 개만 작동해도 전기가 공급된다고 한다. 각 발전기는 독립적으로 작동하고 각각의 발전기가 멈출 확률은 0.01이라고 할 때, 빌딩에 전기가 공급될 확률은?

① 0.999991 ② 0.999993 ③ 0.999995
④ 0.999997 ⑤ 0.999999

✧출제유력
19 지우와 유진이가 5번의 시합 중에서 3번을 먼저 이기는 사람이 승리하는 게임을 하려고 한다. 한 번의 시합에서 지우가 유진이를 이길 확률은 $\frac{3}{4}$일 때, 지우가 승리할 확률은?

(단, 서로 비기는 경우는 없다.)

① $\frac{459}{512}$ ② $\frac{115}{128}$ ③ $\frac{461}{512}$
④ $\frac{231}{256}$ ⑤ $\frac{463}{512}$

20 1회의 시행에서 사건 A가 일어날 확률이 $\frac{1}{3}$이라고 한다. 50회의 독립시행에서 사건 A가 x회 일어날 확률을 $P(x)$로 나타낼 때, $\frac{P(26)}{P(25)}$의 값을 구하시오.

21 한 개의 동전을 던져서 앞면이 나오면 주사위 한 개를 3번 던지고, 뒷면이 나오면 주사위 한 개를 2번 던진다. 이때 소수의 눈이 2번 나올 확률을 구하시오.

🔷 만점! 도전 문제

22 양면이 모두 빨간색인 카드 2장, 양면이 모두 검은색인 카드 3장, 한 면은 빨간색이고 다른 면은 검은색인 카드 2장이 들어 있는 상자에서 임의로 한 장의 카드를 꺼내어 바닥에 놓았더니 그 카드의 윗면이 검은색이었을 때, 다른 면은 빨간색일 확률을 구하시오.

23 다음 그림과 같이 연결된 회로에서 4개의 스위치 A, B, C, D는 독립적으로 작동하고, 각 스위치가 닫힐 확률은 0.5, 0.3, 0.2, 0.2라고 한다. 이때 전구에 불이 켜질 확률을 구하시오.

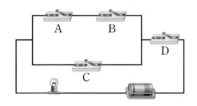

24 오른쪽 그림과 같이 한 변의 길이가 1인 정사각형 ABCD의 꼭짓점 A에서 출발하여 변을 따라 시계 반대 방향으로 움직이는 점 P가 있다. 이때 점 P는 주사위를 한 번 던져서 5의 약수의 눈이 나오면 3만큼, 그 외의 눈이 나오면 1만큼 움직인다. 주사위를 4번 던질 때, 점 P가 처음 출발점인 꼭짓점 A로 다시 돌아올 확률을 구하시오.

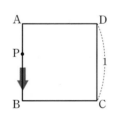

🔶 서술형 문제

25 두 사건 A, B에 대하여
$$P(A)=\frac{1}{2},\ P(B)=\frac{3}{4},\ P(A^c \cap B^c)=\frac{1}{6}$$
일 때, $P(A|B)$, $P(B|A)$를 구하시오. [6점]
| 풀이 |

26 어느 농장에서는 생산하는 토마토를 '최상 등급', '1등급', '그 외 등급'의 세 등급으로 나눈다고 한다. 세 등급의 비율은 각각 전체 토마토의 50%, 30%, 20%이고, 각 등급에서 90%, 80%, 20%는 A 마트에서 판매할 때, 다음 물음에 답하시오.
(단, A 마트에서는 이 농장에서 생산한 토마토만 판매한다.)

(1) 이 농장에서 생산한 토마토 한 개를 임의로 골랐을 때, 이 토마토를 A 마트에서 판매할 확률을 구하시오. [4점]
| 풀이 |

(2) A 마트에서 판매하는 토마토 중에서 임의로 고른 한 개가 '최상 등급'이 아닐 확률을 구하시오. [3점]
| 풀이 |

27 새봄이는 수학 시험에서 평균적으로 5문제 중 2문제의 정답을 맞힌다고 한다. 새봄이가 수학 시험에서 4문제 중 3문제 이상의 정답을 맞힐 확률을 구하시오. [6점]
| 풀이 |

09강 **확률변수와 확률분포**

---

1 확률변수

내공 **UP**

어떤 시행에서 표본공간의 각 원소에 하나의 실수를 대응시키는 관계를 **확률변수**라 하고, 확률변수 X가 어떤 값 x를 가질 확률을 기호 $\mathrm{P}(X=x)$로 나타낸다.

(1) **이산확률변수**: 가지는 값이 유한개이거나 무한히 많더라도 자연수와 같이 일일이 셀 수 있는 확률변수

(2) **연속확률변수**: 어떤 범위에 속한 모든 실수의 값을 가지는 확률변수

참고 확률변수는 표본공간을 정의역으로 하고 실수의 집합을 공역으로 하는 함수이면서 변수의 역할도 한다.

● 확률변수는 보통 영어 알파벳 대문자 X, Y, Z, …로 나타내고, 확률변수가 가지는 값은 소문자 x, y, z, …로 나타낸다.

1 다음 확률변수가 이산확률변수인지 연속확률변수인지 말하시오.

(1) 주사위 한 개를 200번 던질 때, 5의 눈이 나오는 횟수

(2) 배차 간격이 5분인 버스를 타기 위해 기다리는 시간

(3) 어느 관광지의 여행자 500명 중 박물관에 입장한 여행자 수

---

2 이산확률변수의 확률분포

내공 **UP**

(1) **이산확률변수의 확률분포**

이산확률변수 X가 가질 수 있는 모든 값이 x_1, x_2, x_3, …, x_n이고 X가 이 값들을 가질 확률을 각각 p_1, p_2, p_3, …, p_n이라고 할 때, x_1, x_2, x_3, …, x_n과 p_1, p_2, p_3, …, p_n의 대응 관계를 X의 **확률분포**라 하고, 이 대응 관계를 나타내는 함수

$$\mathrm{P}(X=x_i)=p_i \ (i=1, 2, 3, \cdots, n)$$

를 X의 확률질량함수라고 한다.

(2) **확률질량함수의 성질**

이산확률변수 X가 가질 수 있는 모든 값이 x_1, x_2, x_3, …, x_n이고 확률질량함수가 $\mathrm{P}(X=x_i)=p_i\,(i=1, 2, 3, \cdots, n)$일 때

① $0 \leq p_i \leq 1$ ← 확률은 0부터 1까지의 값을 갖는다.

② $p_1+p_2+p_3+\cdots+p_n=1$ ← 확률의 총합은 1이다.

③ $\mathrm{P}(x_i \leq X \leq x_j)=p_i+p_{i+1}+p_{i+2}+\cdots+p_j$ (단, $i \leq j$, $j=1, 2, 3, \cdots, n$)

● 이산확률변수 X의 값은 자연수처럼 무한히 많을 수 있지만 여기서는 유한한 경우만 다룬다.

● 확률변수 X가 a 이상 b 이하인 값을 가질 확률을 $\mathrm{P}(a \leq X \leq b)$와 같이 나타낸다.

2 서로 다른 두 개의 동전을 동시에 던질 때, 앞면이 나오는 동전의 개수를 확률변수 X라고 하자. 이때 X의 확률분포를 나타낸 다음 표를 완성하시오.

X	0		2	합계
$\mathrm{P}(X=x)$		$\dfrac{1}{2}$		1

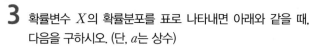

1 동전 한 개를 5번 던질 때, 앞면이 나오는 횟수를 확률변수 X라고 하자. 다음 물음에 답하시오.

(1) X의 확률질량함수를 구하시오.

(2) X의 확률분포를 표로 나타내시오.

(3) $P(X \leq 2)$를 구하시오.

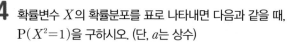

2 남학생 6명과 여학생 4명 중에서 임의로 대표 3명을 뽑을 때, 뽑힌 남학생의 수를 확률변수 X라고 하자. 이때 $P(X \geq 1)$을 구하시오.

3 확률변수 X의 확률분포를 표로 나타내면 아래와 같을 때, 다음을 구하시오. (단, a는 상수)

X	0	1	2	3	합계
$P(X=x)$	$\dfrac{3}{7}$	$\dfrac{1}{7}$	a	$\dfrac{2}{7}$	1

(1) a의 값

(2) $P(X>1)$

4 확률변수 X의 확률분포를 표로 나타내면 다음과 같을 때, $P(X^2=1)$을 구하시오. (단, a는 상수)

X	-1	0	1	2	합계
$P(X=x)$	$2a$	$3a$	a	$2a$	1

5 확률변수 X의 확률질량함수가

$$P(X=x)=\frac{ax}{12} \ (x=1,\ 2,\ 3,\ 4)$$

일 때, 다음을 구하시오. (단, a는 상수)

(1) a의 값

(2) $P(X \geq 3)$

6 확률변수 X의 확률질량함수가

$$P(X=x)=\frac{k}{x(x+1)} \ (x=1,\ 2,\ 3,\ 4)$$

일 때, $P(2 \leq X \leq 3)$을 구하시오. (단, k는 상수)

10강 이산확률변수의 기댓값과 표준편차

1 이산확률변수의 기댓값(평균), 분산, 표준편차

➕ 내공 UP

이산확률변수 X의 확률질량함수가 $\mathrm{P}(X=x_i)=p_i\,(i=1,\,2,\,3,\,\cdots,\,n)$일 때, X의 기댓값(평균), 분산, 표준편차는 다음과 같다.

(1) 기댓값(평균): $\mathrm{E}(X)=x_1p_1+x_2p_2+x_3p_3+\cdots+x_np_n$

(2) 분산: $\mathrm{E}(X)=m$일 때,

$$\mathrm{V}(X)=\mathrm{E}((X-m)^2) \leftarrow (X-m)^2\text{의 평균}$$
$$=(x_1-m)^2p_1+(x_2-m)^2p_2+(x_3-m)^2p_3+\cdots+(x_n-m)^2p_n$$
$$=\mathrm{E}(X^2)-\{\mathrm{E}(X)\}^2 \leftarrow (\text{제곱의 평균})-(\text{평균의 제곱})$$

(3) 표준편차: $\sigma(X)=\sqrt{\mathrm{V}(X)}$

> 분산을 구할 때는 $\mathrm{V}(X)=\mathrm{E}(X^2)-\{\mathrm{E}(X)\}^2$을 이용하면 편리하다.

> 참고 $\mathrm{V}(X)=\mathrm{E}((X-m)^2)=(x_1-m)^2p_1+(x_2-m)^2p_2+\cdots+(x_n-m)^2p_n$
> $$=(x_1^2p_1+x_2^2p_2+\cdots+x_n^2p_n)-2m\underbrace{(x_1p_1+x_2p_2+\cdots+x_np_n)}_{=m}+m^2\underbrace{(p_1+p_2+\cdots+p_n)}_{=1}$$
> $$=(x_1^2p_1+x_2^2p_2+\cdots+x_n^2p_n)-m^2$$
> $$=\mathrm{E}(X^2)-\{\mathrm{E}(X)\}^2$$

 1 확률변수 X의 확률분포를 표로 나타내면 아래와 같을 때, 다음을 구하시오.

X	0	1	2	3	합계
$\mathrm{P}(X=x)$	$\dfrac{1}{3}$	$\dfrac{1}{9}$	$\dfrac{4}{9}$	$\dfrac{1}{9}$	1

(1) $\mathrm{E}(X)$　　　　　(2) $\mathrm{V}(X)$　　　　　(3) $\sigma(X)$

2 이산확률변수 $aX+b$의 기댓값(평균), 분산, 표준편차

➕ 내공 UP

이산확률변수 X와 두 상수 $a,\,b\,(a\neq0)$에 대하여

(1) $\mathrm{E}(aX+b)=a\mathrm{E}(X)+b$

(2) $\mathrm{V}(aX+b)=a^2\mathrm{V}(X)$

(3) $\sigma(aX+b)=|a|\sigma(X)$

> 왼쪽의 성질은 이산확률변수뿐만 아니라 모든 확률변수에 대해서도 성립한다.

> 참고 (1) $\mathrm{E}(aX+b)=(ax_1+b)p_1+(ax_2+b)p_2+\cdots+(ax_n+b)p_n$
> $$=a(x_1p_1+x_2p_2+\cdots+x_np_n)+b(p_1+p_2+\cdots+p_n)=a\mathrm{E}(X)+b$$
> (2) $\mathrm{V}(aX+b)=[(ax_1+b)-\{a\mathrm{E}(X)+b\}]^2p_1+[(ax_2+b)-\{a\mathrm{E}(X)+b\}]^2p_2$
> $$+\cdots+[(ax_n+b)-\{a\mathrm{E}(X)+b\}]^2p_n$$
> $$=a^2[\{x_1-\mathrm{E}(X)\}^2p_1+\{x_2-\mathrm{E}(X)\}^2p_2+\cdots+\{x_n-\mathrm{E}(X)\}^2p_n]$$
> $$=a^2\mathrm{V}(X)$$
> (3) $\sigma(aX+b)=\sqrt{\mathrm{V}(aX+b)}=\sqrt{a^2\mathrm{V}(X)}=|a|\sigma(X)$

 2 확률변수 X에 대하여 $\mathrm{E}(X)=6$, $\mathrm{V}(X)=25$일 때, 다음 확률변수의 평균, 분산을 구하시오.

(1) $5X$　　　　　(2) $X+3$　　　　　(3) $2X-10$

1 확률변수 X의 확률분포를 표로 나타내면 아래와 같을 때, 다음을 구하시오. (단, a는 상수)

X	1	2	3	4	합계
$P(X=x)$	$\frac{1}{10}$	$\frac{1}{5}$	a	$\frac{2}{5}$	1

(1) a의 값

(2) X의 평균, 분산, 표준편차

2 확률변수 X의 확률분포를 표로 나타내면 다음과 같을 때, X의 분산을 구하시오. (단, a는 상수)

X	-1	0	1	2	합계
$P(X=x)$	$\frac{1}{6}$	$\frac{1}{4}$	$\frac{1}{3}$	a	1

3 어느 자전거 대여소에 놓여 있는 자전거 15대 중에서 3대는 고장이 났다고 한다. 자전거 15대 중에서 임의로 2대를 동시에 택할 때, 택한 자전거 중 고장난 자전거의 대수를 확률변수 X라고 하자. 다음 물음에 답하시오.

(1) X의 확률분포를 표로 나타내시오.

(2) X의 평균, 분산, 표준편차를 구하시오.

4 1부터 10까지의 숫자가 각각 적힌 10개의 공이 들어 있는 상자에서 임의로 3개의 공을 동시에 꺼낼 때, 꺼낸 공 중에서 짝수가 적힌 공의 개수를 확률변수 X라고 하자. 이때 $\sigma(X)$를 구하시오.

5 별 모양이 그려진 카드 10장과 꽃 모양이 그려진 카드 15장이 들어 있는 주머니에서 임의로 2장의 카드를 동시에 꺼낼 때, 별 모양이 그려진 카드 1개당 1500원, 꽃 모양이 그려진 카드 1개당 500원의 상금을 받는다고 한다. 이때 상금의 기댓값을 구하시오.

6 흰 공 3개와 검은 공 4개가 들어 있는 주머니에서 임의로 2개의 공을 동시에 꺼낼 때, 흰 공 1개당 700원, 검은 공 1개당 1400원의 상금을 받는다고 한다. 이때 상금의 기댓값을 구하시오.

7 확률변수 X의 확률분포를 표로 나타내면 다음과 같을 때, 확률변수 $Y=7X+2$의 평균, 표준편차를 구하시오.

X	0	1	2	3	합계
$P(X=x)$	$\frac{2}{7}$	$\frac{3}{7}$	$\frac{1}{7}$	$\frac{1}{7}$	1

8 확률변수 X의 확률분포를 표로 나타내면 다음과 같을 때, $V(15X-6)$을 구하시오.

X	-1	0	1	2	합계
$P(X=x)$	$\frac{1}{5}$	$\frac{4}{15}$	$\frac{1}{3}$	$\frac{1}{5}$	1

1 확률변수 X의 확률분포를 표로 나타내면 아래와 같을 때, 다음을 구하시오. (단, a는 상수)

X	1	2	3	4	5	합계
$\mathrm{P}(X=x)$	$\dfrac{1}{15}$	$\dfrac{2}{15}$	$\dfrac{1}{5}$	a	$\dfrac{1}{3}$	1

(1) a의 값

(2) $\mathrm{P}(2 \leq X \leq 4)$

(3) $\mathrm{P}(X \leq 5a)$

(4) X의 평균, 분산, 표준편차

(5) $9X$의 평균, 분산, 표준편차

(6) $3X+2$의 평균, 분산, 표준편차

2 확률변수 X의 확률질량함수가

$$\mathrm{P}(X=x) = \frac{ax}{8} \ (x=1, \, 2, \, 3, \, 4)$$

일 때, 다음 물음에 답하시오. (단, a는 상수)

(1) a의 값을 구하시오.

(2) X의 확률분포를 표로 나타내시오.

(3) $\mathrm{P}\!\left(X \geq \dfrac{5}{2}a\right)$를 구하시오.

(4) X의 평균, 분산, 표준편차를 구하시오.

(5) $\dfrac{1}{2}X$의 평균, 분산, 표준편차를 구하시오.

(6) $-X+4$의 평균, 분산, 표준편차를 구하시오.

3 3개의 불량품을 포함한 12개의 제품 중에서 임의로 2개의 제품을 동시에 꺼낼 때, 꺼낸 제품 중에서 불량품의 개수를 확률변수 X라고 하자. 다음 물음에 답하시오.

(1) X의 확률질량함수를 구하시오.

(2) X의 확률분포를 표로 나타내시오.

(3) $P(X=0$ 또는 $X=2)$를 구하시오.

(4) $P(X \geq 1)$을 구하시오.

(5) X의 평균, 분산, 표준편차를 구하시오.

(6) $2X+5$의 평균, 분산, 표준편차를 구하시오.

09
10

4 남학생 3명과 여학생 5명으로 구성된 수학 동아리에서 임의로 대표 3명을 뽑을 때, 뽑힌 여학생의 수를 확률변수 X라고 하자. 다음 물음에 답하시오.

(1) X의 확률질량함수를 구하시오.

(2) X의 확률분포를 표로 나타내시오.

(3) $P(2 \leq X \leq 3)$을 구하시오.

(4) $P(X < 3)$을 구하시오.

(5) X의 평균, 분산, 표준편차를 구하시오.

(6) $-4X+9$의 평균, 분산, 표준편차를 구하시오.

1 확률변수 X의 확률질량함수가

$$P(X=x)=\dfrac{a}{\sqrt{x}+\sqrt{x+1}} \ (x=1,\ 2,\ 3,\ \cdots,\ 35)$$

일 때, 상수 a의 값은?

① $\dfrac{1}{5}$ ② $\dfrac{2}{5}$ ③ $\dfrac{3}{5}$

④ $\dfrac{4}{5}$ ⑤ 1

2 확률변수 X의 확률질량함수가

$$P(X=x)=\begin{cases} \dfrac{k}{6}x & (x=1,\ 2) \\[2mm] k-\dfrac{x}{3} & (x=3,\ 4) \end{cases}$$

일 때, $P(2\le X\le 3)$을 구하시오. (단, k는 상수)

출제유력

3 확률변수 X의 확률분포를 표로 나타내면 다음과 같다.

X	-1	0	1	합계
$P(X=x)$	$2a$	a	b	1

$P(X=1)=\dfrac{1}{2}P(X=-1)$일 때, $P(0\le X\le 1)$은?

① $\dfrac{1}{4}$ ② $\dfrac{1}{3}$ ③ $\dfrac{2}{5}$

④ $\dfrac{1}{2}$ ⑤ $\dfrac{2}{3}$

4 확률변수 X의 확률분포를 표로 나타내면 다음과 같을 때, $P(2X^2-7X+3<0)$을 구하시오. (단, a는 상수)

X	1	2	3	4	합계
$P(X=x)$	a^2	$\dfrac{3}{8}$	$\dfrac{1}{4}$	$\dfrac{a}{4}$	1

5 5개의 귤과 4개의 한라봉이 들어 있는 바구니에서 임의로 3개를 동시에 꺼낼 때, 꺼낸 한라봉의 개수를 확률변수 X라고 하자. 이때 $P(1\le X\le 2)$는?

① $\dfrac{5}{7}$ ② $\dfrac{16}{21}$ ③ $\dfrac{5}{6}$

④ $\dfrac{19}{21}$ ⑤ $\dfrac{20}{21}$

출제유력

6 4개의 숫자 1, 2, 3, 4가 각 면에 적힌 정사면체를 두 번 던질 때, 바닥에 닿는 면에 적힌 두 수의 합을 확률변수 X라고 하자. 이때 $P(X=3$ 또는 $X=5)$는?

① $\dfrac{1}{8}$ ② $\dfrac{1}{4}$ ③ $\dfrac{3}{8}$

④ $\dfrac{1}{2}$ ⑤ $\dfrac{5}{8}$

출제유력

7 100원짜리 동전 한 개와 500원짜리 동전 두 개를 동시에 던지는 시행에서 앞면이 나오는 동전의 금액을 상금으로 받는다고 할 때, 상금의 기댓값은?

① 500원 ② 550원 ③ 600원
④ 650원 ⑤ 700원

8 '당첨'이 적힌 제비 6개와 '꽝'이 적힌 제비 x개가 들어 있는 상자에서 제비 한 개를 뽑아 '당첨'이 적힌 제비이면 5000원을 받고, '꽝'이 적힌 제비이면 1000원을 내는 게임을 하려고 한다. 이 게임에서 받을 수 있는 금액의 기댓값이 1000원일 때, 자연수 x의 값을 구하시오.

9 확률변수 X의 확률분포를 표로 나타내면 다음과 같고, $\mathrm{E}(X)=\dfrac{11}{4}$일 때, 상수 a, b에 대하여 $a-b$의 값은?

X	0	2	4	6	합계
$\mathrm{P}(X=x)$	$\dfrac{1}{4}$	a	$\dfrac{1}{8}$	b	1

① $\dfrac{1}{16}$ ② $\dfrac{1}{8}$ ③ $\dfrac{3}{16}$
④ $\dfrac{1}{4}$ ⑤ $\dfrac{5}{16}$

10 확률변수 X의 확률질량함수가

$$\mathrm{P}(X=x)=\dfrac{3x-2}{12}\ (x=1,\ 2,\ 3)$$

일 때, $\mathrm{V}(X)$는?

① $\dfrac{1}{3}$ ② $\dfrac{5}{12}$ ③ $\dfrac{1}{2}$
④ $\dfrac{7}{12}$ ⑤ $\dfrac{2}{3}$

출제유력

11 1학년 학생 4명, 2학년 학생 5명, 3학년 학생 1명으로 구성된 모임에서 임의로 대표 3명을 뽑을 때, 뽑힌 1학년 학생의 수를 확률변수 X라고 하자. 이때 X의 분산은?

① $\dfrac{14}{25}$ ② $\dfrac{3}{5}$ ③ $\dfrac{16}{25}$
④ $\dfrac{17}{25}$ ⑤ $\dfrac{18}{25}$

12 확률변수 X의 확률분포를 표로 나타내면 다음과 같을 때, X의 분산이 최대가 되도록 하는 상수 a, b에 대하여 ab의 값을 구하시오.

X	0	1	2	합계
$\mathrm{P}(X=x)$	a	$\dfrac{1}{3}$	b	1

09
10

13 확률변수 X에 대하여 $\mathrm{E}(X)=5$, $\mathrm{E}(X^2)=125$이다. 이때 확률변수 $Y=\dfrac{2}{5}X+40$에 대하여 $\sigma(Y)$는?

① 3   ② 4   ③ 5

④ 6   ⑤ 7

14 어느 시험에서 전체 응시자의 시험 점수 X의 평균이 m이고, 표준편차가 σ일 때, $T=20\times\dfrac{X-m}{\sigma}+100$을 표준 점수라고 한다. 이때 $\mathrm{E}(T)+\sigma(T)$의 값을 구하시오.

15 어느 농가에서 생산하는 양파의 월별 1 kg당 직거래 가격을 확률변수 X라고 할 때, X의 평균은 770원, 표준편차는 70원이라고 한다. 이 농가에서 대형 마트로 납품한 양파의 월별 1 kg당 가격을 확률변수 Y라고 하면 $Y=\dfrac{8}{7}X+160$일 때, $\dfrac{\mathrm{E}(Y)}{\sigma(Y)}$의 값은?

① 12   ② $\dfrac{49}{4}$ ③ $\dfrac{25}{2}$

④ $\dfrac{51}{4}$ ⑤ 13

16 확률변수 X에 대하여 $Y=4X-2$라고 할 때, $\mathrm{E}(Y)=6$, $\mathrm{E}(Y^2)=60$이다. 이때 $\mathrm{E}(X)+\mathrm{V}(X)$의 값을 구하시오.

17 확률변수 X의 확률분포를 표로 나타내면 다음과 같고, $\mathrm{E}(X)=1$, $\mathrm{V}(X)=\dfrac{1}{3}$일 때, $\mathrm{E}(2aX+b)$를 구하시오.

(단, a, b, c는 상수)

X	0	1	2	합계
$\mathrm{P}(X=x)$	a	b	c	1

18 확률변수 X의 확률질량함수가
$$\mathrm{P}(X=x)=kx^2 \ (x=1,\,2,\,3,\,4)$$
일 때, $\mathrm{E}(6X-5)$는? (단, k는 상수)

① 5   ② 10   ③ 15

④ 20   ⑤ 25

19 4개의 숫자 1, 3, 5, 7이 각 면에 적힌 정사면체를 한 번 던질 때, 바닥에 닿는 면을 제외한 나머지 세 면에 적힌 숫자의 합을 확률변수 X라고 하자. 이때 $\mathrm{V}(2X+4)$는?

① 16   ② 20   ③ 24

④ 28   ⑤ 32

만점! 도전 문제

20 주사위 한 개를 세 번 던질 때, 다음 규칙에 따라 얻은 점수를 확률변수 X라고 하자. 이때 X의 표준편차는?

- 짝수와 홀수가 교대로 나오면 0점
- 짝수 또는 홀수가 연속해서 2회 나오면 2점
- 짝수 또는 홀수가 연속해서 3회 나오면 4점

① $\sqrt{2}$ ② 2   ③ $\sqrt{5}$

④ 3   ⑤ 4

21 크기가 다른 정사각형 모양의 색종이가 여러 장 놓여 있다. 이 색종이의 둘레의 길이의 평균이 30, 분산이 20일 때, 색종이의 넓이의 평균을 구하시오.

22 한 모서리의 길이가 1인 정육면체에서 임의로 서로 다른 두 꼭짓점을 택할 때, 두 꼭짓점 사이의 거리를 확률변수 X라고 하자. 이때 $\mathrm{E}(14X^2)$은?

① 12   ② 16   ③ 20

④ 24   ⑤ 28

서술형 문제

23 확률변수 X의 확률분포를 표로 나타내면 아래와 같을 때, 다음을 구하시오. (단, a는 상수)

X	-1	0	1	합계
$\mathrm{P}(X=x)$	a	$2a$	$3a$	1

(1) a의 값 [2점]

| 풀이 |

(2) $\mathrm{P}(X^2=1)$ [4점]

| 풀이 |

24 4개의 숫자 1, 2, 3, 4가 각각 적힌 4장의 카드가 들어 있는 주머니에서 임의로 두 장의 카드를 동시에 꺼낼 때, 카드에 적힌 수 중에서 작은 수를 확률변수 X라고 하자. 이때 X의 평균을 구하시오. [7점]

| 풀이 |

25 확률변수 X의 평균이 m, X^2의 평균이 $4m+5$일 때, $\sigma(-2X+5)$의 최댓값을 구하시오. [6점]

| 풀이 |

11강 이항분포

1 이항분포

한 번의 시행에서 사건 A가 일어날 확률이 p일 때, n번의 독립시행에서 사건 A가 일어나는 횟수를 확률변수 X라고 하면 X의 확률질량함수는 독립시행의 확률에 의하여 다음과 같다.

$$\mathrm{P}(X=x)={}_nC_x\,p^x q^{n-x} \text{ (단, } q=1-p,\ x=0,\ 1,\ 2,\ \cdots,\ n)$$

이와 같은 확률질량함수를 갖는 확률분포를 **이항분포**라 하고, 기호 $\mathbf{B}(\boldsymbol{n},\ \boldsymbol{p})$로 나타낸다.

$$\mathrm{B}(n,\ p)$$
시행 횟수   확률

● $\mathrm{B}(n,\ p)$의 B는 Binomial distribution (이항분포)의 머리글자이다.

● 확률변수 X의 확률분포가 이항분포일 때, X는 이항분포를 따른다고 한다.

● ${}_nC_0\,p^0 q^n+{}_nC_1\,p^1 q^{n-1}+\cdots+{}_nC_n\,p^n q^0$
$=(p+q)^n=1$

 1 명중률이 0.8인 양궁 선수가 화살을 10발 쏠 때, 과녁에 명중하는 화살의 개수를 확률변수 X라고 하자. 이때 X의 확률분포를 $\mathrm{B}(n,\ p)$ 꼴로 나타내시오.

2 이항분포의 평균, 분산, 표준편차

확률변수 X가 이항분포 $\mathrm{B}(n,\ p)$를 따를 때

(1) $\mathrm{E}(X)=np$

(2) $\mathrm{V}(X)=npq$ (단, $q=1-p$)

(3) $\sigma(X)=\sqrt{npq}$

● $\sigma(X)=\sqrt{\mathrm{V}(X)}=\sqrt{npq}$

 2 확률변수 X가 이항분포 $\mathrm{B}\left(15,\ \dfrac{1}{3}\right)$을 따를 때, 다음을 구하시오.

(1) $\mathrm{E}(X)$　　　　　　(2) $\mathrm{V}(X)$　　　　　　(3) $\sigma(X)$

3 큰수의 법칙

어떤 시행에서 사건 A가 일어날 수학적 확률이 p일 때, n번의 독립시행에서 사건 A가 일어나는 횟수를 확률변수 X라고 하면 상대도수 $\dfrac{X}{n}$는 n이 한없이 커질수록 p에 가까워진다. 이것을 **큰수의 법칙**이라고 한다.

● 자연 현상이나 사회 현상에서 수학적 확률을 구하기 어려운 경우에는 통계적 확률을 이용할 수 있다.

 3 주사위 한 개를 n번 던지는 시행에서 1의 눈이 나오는 횟수를 확률변수 X라고 할 때, 상대도수 $\dfrac{X}{n}$는 n이 커질수록 어느 값에 가까워지겠는지 말하시오.

1 어느 질병이 치유될 확률이 $\frac{1}{3}$인 주사를 맞은 6명의 환자 중에서 치유되는 환자의 수를 확률변수 X라고 할 때, 다음을 구하시오.

(1) X의 확률질량함수
(2) $P(X=4)$

2 당첨될 확률이 $\frac{2}{5}$인 어느 이벤트에 응모한 10명 중에서 당첨되는 사람의 수를 확률변수 X라고 할 때, $P(X\geq1)$은?

① $\left(\frac{2}{5}\right)^{10}$ ② $\left(\frac{2}{5}\right)^{11}$ ③ $1-\left(\frac{2}{5}\right)^{9}$

④ $1-\left(\frac{3}{5}\right)^{10}$ ⑤ $1-\left(\frac{3}{5}\right)^{11}$

3 자유투 성공률이 20%인 어느 농구 선수가 10개의 자유투를 던질 때, 성공한 횟수가 한 번 이하일 확률을 구하시오.
(단, $0.8^9=0.134$, $0.8^{10}=0.107$로 계산한다.)

4 10문항이 모두 ○, ×로 출제된 어느 시험에서 문항당 점수는 5점이고, 시험 점수가 45점 이상이면 합격이라고 한다. 모든 문항의 답을 임의로 고른다고 할 때, 합격할 확률을 구하시오.

5 확률변수 X의 확률질량함수가
$$P(X=x)={}_{36}C_x\left(\frac{2}{3}\right)^x\left(\frac{1}{3}\right)^{36-x} (x=0, 1, 2, \cdots, 36)$$
일 때, X의 평균과 표준편차를 구하시오.

6 확률변수 X의 확률질량함수가
$$P(X=x)={}_{20}C_x\,p^x(1-p)^{20-x} (x=0, 1, 2, \cdots, 20)$$
일 때, X의 평균이 4이다. 이때 X^2의 평균을 구하시오.

7 예약 취소율이 5%인 어느 여행사의 관광 상품이 있다. 예약 고객 60명 중에서 예약을 취소하는 고객의 수를 확률변수 X라고 할 때, X의 평균과 분산을 구하시오.

8 불량품 4개를 포함한 10개의 제품이 들어 있는 상자에서 제품을 한 개씩 꺼내어 확인하고 다시 넣는 시행을 50회 반복할 때, 불량품이 나오는 횟수를 확률변수 X라고 하자. 이때 $E(X)+V(X)$의 값을 구하시오.

12강 정규분포

1 연속확률변수의 확률분포

$\alpha \leq X \leq \beta$에서 모든 실수의 값을 가질 수 있는 연속확률변수 X에 대하여 $\alpha \leq x \leq \beta$에서 정의된 함수 $f(x)$가 다음 세 가지 성질을 만족할 때, 함수 $f(x)$를 확률변수 X의 확률밀도함수라고 한다.

(1) $f(x) \geq 0$

(2) 함수 $y=f(x)$의 그래프와 x축 및 두 직선 $x=\alpha$, $x=\beta$로 둘러싸인 도형의 넓이는 1이다.

(3) $P(a \leq X \leq b)$는 함수 $y=f(x)$의 그래프와 x축 및 두 직선 $x=a$, $x=b$로 둘러싸인 도형의 넓이와 같다. (단, $\alpha \leq a \leq b \leq \beta$)

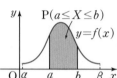

내공 UP

◉ 연속확률변수 X가 어느 특정한 값 x를 가질 확률은 $P(X=x)=0$이므로
$$P(a \leq X \leq b)=P(a \leq X < b)$$
$$=P(a < X \leq b)$$
$$=P(a < X < b)$$

확인문제 **1** 확률변수 X의 확률밀도함수 $y=f(x)$ $(0 \leq x \leq 2)$의 그래프가 오른쪽 그림과 같을 때, $P(0 \leq X \leq 1)$을 구하시오.

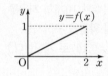

2 정규분포

(1) 정규분포

연속확률변수 X의 확률밀도함수 $f(x)$가

$$f(x)=\frac{1}{\sqrt{2\pi}\sigma}e^{-\frac{(x-m)^2}{2\sigma^2}}$$

(x는 모든 실수, m은 상수, σ는 양수, e는 $2.71828\cdots$인 무리수)

일 때, X의 확률분포를 **정규분포**라 하고, 기호 $\mathrm{N}(m, \sigma^2)$으로 나타낸다.

$$\mathrm{N}(\underset{\text{평균}}{m}, \underset{\text{분산}}{\sigma^2})$$

(2) 정규분포 곡선의 성질 ← 정규분포의 확률밀도함수의 그래프를 정규분포 곡선이라고 한다.

① 직선 $x=m$에 대하여 대칭인 종 모양의 곡선이고, 점근선은 x축이다.

② 곡선과 x축 사이의 넓이는 1이다.

③ σ의 값이 일정할 때, m의 값이 변하면 대칭축의 위치는 변하지만 곡선의 모양은 변하지 않는다.

④ m의 값이 일정할 때, σ의 값이 커지면 곡선은 가운데 부분의 높이는 낮아지고 양쪽으로 넓게 퍼진 모양이 된다.

$$f(x)=\frac{1}{\sqrt{2\pi}\sigma}e^{-\frac{(x-m)^2}{2\sigma^2}}$$

내공 UP

◉ $\mathrm{N}(m, \sigma^2)$의 N은 Normal distribution (정규분포)의 머리글자이다.

◉ 확률변수 X의 확률분포가 정규분포일 때, X는 정규분포를 따른다고 한다.

◉ **정규분포 곡선의 성질**
③ σ의 값이 일정

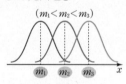
($m_1 < m_2 < m_3$)

④ m의 값이 일정

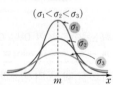
($\sigma_1 < \sigma_2 < \sigma_3$)

확인문제 **2** 확률변수 X의 평균과 분산이 다음과 같을 때, X가 따르는 정규분포를 $\mathrm{N}(m, \sigma^2)$ 꼴로 나타내시오.

(1) $\mathrm{E}(X)=6$, $\mathrm{V}(X)=4$

(2) $\mathrm{E}(X)=-3$, $\mathrm{V}(X)=9$

정답과 해설 39쪽

1 $0 \le x \le 3$에서 정의된 확률변수 X의 확률밀도함수 $y=f(x)$의 그래프가 오른쪽 그림과 같을 때, 상수 a의 값을 구하시오.

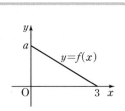

실전

2 확률변수 X의 확률밀도함수가
$$f(x)=a(x+2) \ (0 \le x \le 4)$$
일 때, 상수 a의 값을 구하시오.

3 $0 \le x \le 5$에서 정의된 확률변수 X의 확률밀도함수 $y=f(x)$의 그래프가 다음 그림과 같을 때, $P(1 \le X \le 5)$를 구하시오.
(단, a는 상수)

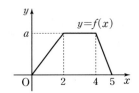

실전

4 확률변수 X의 확률밀도함수가
$$f(x)=a|x-2| \ (0 \le x \le 4)$$
일 때, $P(1 \le X \le 3)$은? (단, a는 상수)

① $\dfrac{1}{7}$ ② $\dfrac{1}{6}$ ③ $\dfrac{1}{5}$

④ $\dfrac{1}{4}$ ⑤ $\dfrac{1}{3}$

5 아래 그림에서 세 곡선 A, B, C는 각각 정규분포 $N(m_1, \sigma_1)$, $N(m_2, \sigma_2)$, $N(m_3, \sigma_3)$을 따르는 확률변수의 확률밀도함수의 그래프이다. 다음 세 값의 대소를 비교하시오.

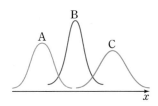

(1) m_1, m_2, m_3

(2) σ_1, σ_2, σ_3

실전

6 오른쪽 그림의 두 곡선 $y=f(x)$, $y=g(x)$는 각각 정규분포를 따르는 두 확률변수 X_1, X_2의 확률밀도함수의 그래프이다. 다음 보기 중 옳은 것만을 있는 대로 고르시오.

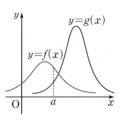

보기

ㄱ. $E(X_1) < E(X_2)$

ㄴ. $\sigma(X_2) < \sigma(X_1)$

ㄷ. $P(X_1 \ge a) = P(X_2 \ge a)$

13강 표준정규분포

1 표준정규분포

내공 U̶P̶

(1) 표준정규분포

평균이 0이고, 표준편차가 1인 정규분포 $\mathrm{N}(0, 1)$을
표준정규분포라 하고, 확률변수 Z가 표준정규분포
$\mathrm{N}(0, 1)$을 따를 때, Z의 확률밀도함수는

$$f(z)=\frac{1}{\sqrt{2\pi}}e^{-\frac{z^2}{2}}$$

(z는 모든 실수, e는 2.71828…인 무리수)

이때 양수 a에 대하여 확률 $\mathrm{P}(0\leq Z\leq a)$는 위의 그림에서 색칠한 부분의 넓이
와 같다.

(2) 표준정규분포에서의 확률

확률변수 Z가 표준정규분포를 따를 때, $0<a<b$인 상수 a, b에 대하여

① $\mathrm{P}(Z\geq 0)=\mathrm{P}(Z\leq 0)=0.5$

② $\mathrm{P}(-a\leq Z\leq 0)=\mathrm{P}(0\leq Z\leq a)$

③ $\mathrm{P}(Z\geq a)=\mathrm{P}(Z\geq 0)-\mathrm{P}(0\leq Z\leq a)=0.5-\mathrm{P}(0\leq Z\leq a)$

④ $\mathrm{P}(Z\leq a)=\mathrm{P}(Z\leq 0)+\mathrm{P}(0\leq Z\leq a)=0.5+\mathrm{P}(0\leq Z\leq a)$

⑤ $\mathrm{P}(a\leq Z\leq b)=\mathrm{P}(0\leq Z\leq b)-\mathrm{P}(0\leq Z\leq a)$

⑥ $\mathrm{P}(-a\leq Z\leq b)=\mathrm{P}(-a\leq Z\leq 0)+\mathrm{P}(0\leq Z\leq b)=\mathrm{P}(0\leq Z\leq a)+\mathrm{P}(0\leq Z\leq b)$

(3) 정규분포의 표준화

확률변수 X가 정규분포 $\mathrm{N}(m, \sigma^2)$을 따를 때, 확률변수 $Z=\dfrac{X-m}{\sigma}$ 은 표준
정규분포 $\mathrm{N}(0, 1)$을 따른다.

이와 같이 정규분포 $\mathrm{N}(m, \sigma^2)$을 따르는 확률변수 X를 표준정규분포 $\mathrm{N}(0, 1)$
을 따르는 확률변수 Z로 바꾸는 것을 표준화라고 한다.

> ● 확률밀도함수 $f(z)$의 그래프는 직선 $z=0$
> 에 대하여 대칭이다.

> ● 확률변수 X가 정규분포 $\mathrm{N}(m, \sigma^2)$을 따
> 를 때, $\mathrm{P}(a\leq X\leq b)$는
> $$\mathrm{P}\!\left(\frac{a-m}{\sigma}\leq Z\leq \frac{b-m}{\sigma}\right)$$
> 과 같이 확률변수 X를 Z로 표준화한 후 표
> 준정규분포표를 이용하여 구한다.

1 확률변수 Z가 표준정규분포 $\mathrm{N}(0, 1)$을 따를 때, 오른쪽
표준정규분포표를 이용하여 다음을 구하시오.

(1) $\mathrm{P}(Z\geq 1.5)$

(2) $\mathrm{P}(Z\leq 1)$

(3) $\mathrm{P}(-2\leq Z\leq 0.5)$

z	$\mathrm{P}(0\leq Z\leq z)$
0.5	0.1915
1.0	0.3413
1.5	0.4332
2.0	0.4772

2 이항분포와 정규분포의 관계

내공 U̶P̶

확률변수 X가 이항분포 $\mathrm{B}(n, p)$를 따를 때, n이 충분히 크면 X는 근사적으로
정규분포 $\mathrm{N}(np, npq)$를 따른다. (단, $q=1-p$)

> ● 이항분포 $\mathrm{B}(n, p)$에서 $np\geq 5$, $nq\geq 5$를
> 만족하면 n을 충분히 큰 값으로 생각한다.

2 확률변수 X가 이항분포 $\mathrm{B}\!\left(400, \dfrac{1}{2}\right)$을 따를 때, X가 근사적으로 따르는 정규분
포를 기호로 나타내시오.

1 확률변수 X가 정규분포 $N(60, 10^2)$을 따를 때, 오른쪽 표준정규분포표를 이용하여 다음을 구하시오.

(1) $P(55 \leq X \leq 65)$

(2) $P(X \geq 75)$

z	$P(0 \leq Z \leq z)$
0.5	0.1915
1.0	0.3413
1.5	0.4332
2.0	0.4772

2 확률변수 X가 정규분포 $N(44, 8^2)$을 따를 때, 오른쪽 표준정규분포표를 이용하여 $P(36 \leq X \leq 48)$을 구하시오.

z	$P(0 \leq Z \leq z)$
0.5	0.1915
1.0	0.3413
1.5	0.4332
2.0	0.4772

3 어느 회사의 입사 시험에서 전체 지원자 6000명의 점수는 평균 420점, 표준편차 12점인 정규분포를 따른다고 할 때, 오른쪽 표준정규분포표를 이용하여 다음 물음에 답하시오.

z	$P(0 \leq Z \leq z)$
0.5	0.1915
1.0	0.3413
1.5	0.4332
2.0	0.4772

(1) 점수가 402점 이상 432점 이하인 지원자는 전체의 몇 %인지 구하시오.

(2) 점수가 426점 이상인 지원자는 몇 명인지 구하시오.

4 어느 고등학교 신입생 10000명의 키는 평균 165 cm, 표준편차 4 cm인 정규분포를 따른다고 할 때, 오른쪽 표준정규분포표를 이용하여 키가 171 cm 이하인 신입생은 몇 명인지 구하시오.

z	$P(0 \leq Z \leq z)$
1.0	0.3413
1.5	0.4332
2.0	0.4772
2.5	0.4938

5 어느 뮤지컬 공연에서 초대권으로 입장한 관람객의 비율이 20 %라고 한다. 관람객 중에서 400명을 임의로 뽑을 때, 오른쪽 표준정규분포표를 이용하여 초대권으로 입장한 관람객이 96명 이상일 확률을 구하시오.

z	$P(0 \leq Z \leq z)$
1.0	0.3413
1.5	0.4332
2.0	0.4772
2.5	0.4938

6 어느 고등학교는 혈액형이 O형인 학생의 비율이 40 %라고 한다. 이 고등학교에서 학생 600명을 임의로 뽑을 때, 오른쪽 표준정규분포표를 이용하여 O형인 학생이 246명 이상 258명 이하일 확률을 구하시오.

z	$P(0 \leq Z \leq z)$
0.5	0.1915
1.0	0.3413
1.5	0.4332
2.0	0.4772

1 어느 사격 선수의 명중률은 40%라고 한다. 이 선수가 5발을 쏠 때, 4발 이상 명중시킬 확률은?

① $\dfrac{54}{625}$　　② $\dfrac{271}{3125}$　　③ $\dfrac{272}{3125}$

④ $\dfrac{273}{3125}$　　⑤ $\dfrac{274}{3125}$

2 이항분포 $\mathrm{B}(18,\ p)$를 따르는 확률변수 X의 평균이 6일 때, X^2의 평균을 구하시오.

3 확률변수 X의 확률질량함수가

$$\mathrm{P}(X=x)={}_{80}\mathrm{C}_x \frac{3^x}{4^{80}}\ (x=0,\ 1,\ 2,\ \cdots,\ 80)$$

일 때, $\mathrm{E}(X)$를 구하시오.

4 어느 볼링 선수가 스트라이크를 칠 확률은 0.8이라고 한다. 이 선수가 20번의 투구에서 스트라이크를 친 횟수를 확률변수 X라고 할 때, X의 분산은?

① 3　　② 3.2　　③ 3.4

④ 3.6　　⑤ 3.8

5 어느 공장에서는 2종류의 목걸이와 3종류의 반지를 생산한다. 이 5종류의 액세서리 중에서 임의로 2종류를 택하는 시행을 100회 반복하여 100개의 선물 세트를 만들었을 때, 목걸이로만 구성된 선물 세트의 수를 확률변수 X라고 하자. 이때 $\sigma(X)$는?

① $2\sqrt{2}$　　② 3　　③ $\sqrt{10}$

④ $\sqrt{11}$　　⑤ $2\sqrt{3}$

6 동전 한 개를 던져서 앞면이 나오면 3점을 얻고, 뒷면이 나오면 1점을 잃는 게임이 있다. 동전을 20번 던질 때, 총점의 기댓값은?

① 19점　　② 20점　　③ 21점

④ 22점　　⑤ 23점

7 $-2\le x\le 0$에서 정의된 다음 보기의 함수 중 확률밀도함수가 될 수 있는 것만을 있는 대로 고르시오.

> **보기**
>
> ㄱ. $f(x)=x+1$　　　ㄴ. $g(x)=\dfrac{1}{2}$
>
> ㄷ. $h(x)=|x|$　　　ㄹ. $i(x)=x+2$
>
> ㅁ. $j(x)=\dfrac{1}{2}x+1$

8 $0 \leq x \leq 6$에서 정의된 확률변수 X의 확률밀도함수 $y=f(x)$의 그래프가 오른쪽 그림과 같을 때, $P(X \leq k) = \dfrac{4}{5}$를 만족하는 상수 k의 값을 구하시오. (단, a는 상수)

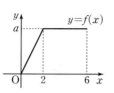

9 확률변수 X가 정규분포 $N(m, \sigma^2)$을 따를 때, 다음 보기 중 옳은 것만을 있는 대로 고른 것은?

> **보기**
> ㄱ. $P(X \geq m) = 0.5$
> ㄴ. $P(X \leq a) + P(X \geq a) = 1$
> ㄷ. $P(a \leq X \leq b) = P(X \leq b) - P(X \leq a)$ (단, $a < b$)

① ㄱ ② ㄴ ③ ㄱ, ㄴ
④ ㄴ, ㄷ ⑤ ㄱ, ㄴ, ㄷ

10 확률변수 X가 정규분포 $N(8, 2^2)$을 따를 때, $P(a \leq X \leq a+4)$가 최대가 되도록 하는 상수 a의 값은?

① 4 ② $\dfrac{9}{2}$ ③ 5
④ $\dfrac{11}{2}$ ⑤ 6

11 확률변수 X가 정규분포 $N(m, \sigma^2)$을 따를 때, $P(X \leq m-2\sigma) = 0.0228$이다. X의 평균이 25, 표준편차가 10일 때, $P(X \leq k) = 0.9772$를 만족하는 상수 k의 값을 구하시오.

12 두 확률변수 X, Y가 각각 정규분포 $N(45, 6^2)$, $N(56, 10^2)$을 따를 때,
$$P(33 \leq X \leq k) = P(66 \leq Y \leq 76)$$
을 만족하는 상수 k의 값을 구하시오.

13 다음 표는 화영이의 1학기 중간고사, 1학기 기말고사, 2학기 중간고사, 2학기 기말고사의 수학 시험 점수와 반 전체 학생의 수학 시험 점수의 평균과 표준편차를 나타낸 것이다. 4번의 수학 시험 점수는 모두 각각의 정규분포를 따른다고 할 때, 화영이가 반 학생들과 비교하여 상대적으로 성적이 가장 높은 시험과 가장 낮은 시험을 차례로 나열하면?

(단위: 점)

	1학기		2학기	
	중간	기말	중간	기말
화영이의 점수	72	80	95	86
반 평균	45	50	60	56
반 표준편차	12	15	20	16

① 1학기 중간고사, 1학기 기말고사
② 1학기 중간고사, 2학기 중간고사
③ 1학기 기말고사, 2학기 기말고사
④ 2학기 중간고사, 1학기 중간고사
⑤ 2학기 기말고사, 2학기 중간고사

11
12
13

14 어느 농장에서 생산한 감귤 한 개의 무게는 평균 100 g, 표준편차 20 g인 정규분포를 따른다고 한다. 이 농장에서 생산한 감귤 중에서 임의로 한 개를 택할 때, 오른쪽 표준정규분포표를 이용하여 택한 감귤의 무게가 80 g 이하일 확률을 구하면?

z	$P(0 \le Z \le z)$
0.5	0.1915
1.0	0.3413
1.5	0.4332
2.0	0.4772

① 0.0228 ② 0.0668 ③ 0.1587

④ 0.3085 ⑤ 0.6915

★출제유력

15 어느 중학교 학생 2000명의 몸무게는 평균 62 kg, 표준편차 6 kg인 정규분포를 따른다고 할 때, 오른쪽 표준정규분포표를 이용하여 몸무게가 56 kg 이상 74 kg 이하인 학생 수를 구하시오.

z	$P(0 \le Z \le z)$
1.0	0.3413
1.5	0.4332
2.0	0.4772
2.5	0.4938

16 어느 회사의 입사 시험에서 지원자 10000명의 점수는 평균 60점, 표준편차 20점인 정규분포를 따른다고 한다. 점수가 높은 순서대로 3500명만 이 회사에 입사할 수 있다고 할 때, 오른쪽 표준정규분포표를 이용하여 입사 가능한 최저 점수를 구하시오.

z	$P(0 \le Z \le z)$
0.39	0.15
0.71	0.26
1.04	0.35
1.35	0.41

★출제유력

17 확률변수 X가 이항분포 $B\left(450, \dfrac{2}{3}\right)$를 따를 때, 오른쪽 표준정규분포표를 이용하여 $P(X \le 280)$을 구하면?

z	$P(0 \le Z \le z)$
1.5	0.4332
2.0	0.4772
2.5	0.4938
3.0	0.4987

① 0.0228 ② 0.0668

③ 0.0896 ④ 0.1587

⑤ 0.2219

18 오른쪽 표는 상영 예정인 네 영화 A, B, C, D에 대한 대중들의 선호도이다. 관객 400명이 각각 네 영화 중 선호하는 영화를 한 편씩 예매한다고 할 때, 이 중에서 영화 B를 예매하는 관객이 72명 이상일 확률은?
(단, $P(0 \le Z \le 1) = 0.3413$)

영화	선호도(%)
A	17
B	20
C	42
D	21
합계	100

① 0.8185 ② 0.8413 ③ 0.9759

④ 0.9772 ⑤ 0.9987

19 투호 놀이에서 찬우가 화살 한 개를 던져서 항아리에 넣을 확률이 $\dfrac{1}{4}$이고, 이 시행을 108번 반복하였을 때 성공한 횟수가 k번 이상일 확률이 0.023이라고 한다. 이때 상수 k의 값을 구하시오. (단, $P(0 \le Z \le 2) = 0.477$)

🌸 만점! 도전 문제

20 어느 농장에서 생산하는 딸기의 당도가 12브릭스 이상일 확률이 0.95라고 한다. 이 농장에서는 한 팩당 딸기를 20알씩 담아 포장하여 판매하는데, 한 팩에서 당도가 12브릭스 미만 인 딸기가 2알 이상 있으면 딸기 값을 받지 않는다고 한다. 어떤 사람이 이 농장에서 생산한 딸기 2팩을 구입하였을 때, 그 중에서 한 팩은 딸기 값을 지불하지 않을 확률을 구하시오.
(단, $0.95^{19}=0.38$, $0.95^{20}=0.36$으로 계산한다.)

21 정규분포 $N(m, \sigma^2)$을 따르는 확률변수 X가 다음 조건을 만족할 때, 오른쪽 표준정규분포표를 이용하여 $P(72 \le X \le 84)$를 구하시오.

z	$P(0 \le Z \le z)$
1.0	0.3413
1.5	0.4332
2.0	0.4772

㈎ 확률밀도함수가 $f(x)$일 때, 모든 실수 x에 대하여 $f(80-x)=f(80+x)$이다.
㈏ $P(m-6 \le X \le m+6)=0.8664$

22 어느 회사에서 생산하는 치약 한 개의 무게는 평균 160 g, 표준편차 5 g인 정규분포를 따른다고 한다. 이 회사에서는 무게가 150 g 이하인 치약은 출고하지 않는다고 할 때, 오른쪽 표준정규분포표를 이용하여 생산한 치약 2500개 중에서 출고하지 않은 치약이 57개 이상일 확률을 구하시오.

z	$P(0 \le Z \le z)$
1.0	0.34
1.5	0.43
2.0	0.48
2.5	0.49

🌱 서술형 문제

23 $0 \le x \le 3$에서 정의된 확률변수 X의 확률밀도함수 $y=f(x)$의 그래프가 오른쪽 그림과 같을 때, 다음을 구하시오.
(단, k는 상수)

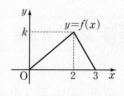

(1) k의 값 [3점]
| 풀이 |

(2) $P(1 \le X \le 3)$ [3점]
| 풀이 |

24 어느 공장에서 생산하는 배터리의 충전 후 사용 가능 시간은 평균 48시간인 정규분포를 따른다고 한다. 이 공장에서 생산한 배터리 6개 중에서 충전 후 사용 가능 시간이 48시간 이상인 배터리가 5개 이상일 확률을 구하시오. [7점]
| 풀이 |

25 어느 고등학교 학생 300명의 영어 점수는 평균 68점, 표준편차 10점인 정규분포를 따른다고 한다. 상위 10 % 이내에 속하려면 최소 몇 점 이상이어야 하는지 구하시오.
(단, $P(0 \le Z \le 1.3)=0.4$) [7점]
| 풀이 |

14강 표본평균의 분포

1 모집단과 표본

내공 Up

(1) **전수조사**: 조사의 대상이 되는 집단 전체를 조사하는 것 **예** 인구조사

(2) **표본조사**: 집단 전체에서 일부분만을 택하여 조사하는 것 **예** 시청률 조사

(3) **모집단**: 조사의 대상이 되는 집단 전체

(4) **표본**: 모집단에서 뽑은 일부분

(5) **임의추출**: 모집단의 각 대상이 같은 확률로 추출되도록 하는 방법

● 모집단에서 표본을 뽑는 것을 추출이라 하고, 추출한 표본의 개수를 표본의 크기라고 한다.

● 한 번 추출된 대상을 되돌려 놓은 후 다시 추출하는 것을 복원추출, 되돌려 놓지 않고 다시 추출하는 것을 비복원추출이라고 한다. 이때 모집단의 크기가 충분히 크면 비복원추출도 복원추출로 볼 수 있다.

확인 문제

1 다음 조사가 전수조사인지 표본조사인지를 말하시오.

(1) 배터리의 평균 수명 조사　　　　　(2) 어느 통신사의 한 달 매출 조사

2 표본평균의 분포

내공 Up

(1) 모평균과 표본평균

① 모집단에서 확률변수 X의 평균, 분산, 표준편차를 각각 **모평균**, **모분산**, **모표준편차**라 하고, 각각 기호 m, σ^2, σ로 나타낸다.

② 모집단에서 임의추출한 크기가 n인 표본을 X_1, X_2, X_3, $\cdots$, X_n이라고 할 때, 이들의 평균, 분산, 표준편차를 각각 **표본평균**, **표본분산**, **표본표준편차**라 하고, 각각 기호 $\overline{X}$, S^2, S로 나타낸다.

이때 $\overline{X}$, S^2, S를 다음과 같이 정의한다.

$$\overline{X}=\frac{1}{n}(X_1+X_2+\cdots+X_n)$$

$$S^2=\frac{1}{n-1}\{(X_1-\overline{X})^2+(X_2-\overline{X})^2+\cdots+(X_n-\overline{X})^2\}$$

$$S=\sqrt{S^2}$$

● 표본분산을 정의할 때는 모분산과의 차이를 줄이기 위해 n이 아닌 $n-1$로 나눈다.

(2) 표본평균의 평균, 분산, 표준편차

모평균이 m, 모분산이 σ^2인 모집단에서 크기가 n인 표본을 임의추출할 때, 표본평균 $\overline{X}$에 대하여

$$\mathrm{E}(\overline{X})=m,\ \mathrm{V}(\overline{X})=\frac{\sigma^2}{n},\ \sigma(\overline{X})=\frac{\sigma}{\sqrt{n}}$$

● 표본평균 $\overline{X}$는 추출한 표본에 따라 여러 가지 값을 가지므로 확률변수이다.

(3) 표본평균의 분포

모평균이 m, 모표준편차가 σ인 모집단에서 크기가 n인 표본을 임의추출할 때

① 모집단이 정규분포 $\mathrm{N}(m,\ \sigma^2)$을 따르면 표본평균 $\overline{X}$는 정규분포 $\mathrm{N}\!\left(m,\ \dfrac{\sigma^2}{n}\right)$을 따른다.

② 모집단이 정규분포를 따르지 않아도 n이 충분히 크면 표본평균 $\overline{X}$는 근사적으로 정규분포 $\mathrm{N}\!\left(m,\ \dfrac{\sigma^2}{n}\right)$을 따른다.

● $n\geq30$을 만족하면 n을 충분히 큰 값으로 생각한다.

확인 문제

2 모평균이 8, 모분산이 16인 모집단에서 크기가 16인 표본을 임의추출할 때, 표본평균 $\overline{X}$의 평균과 분산을 구하시오.

1 정규분포 $N(5, 3^2)$을 따르는 모집단에서 크기가 25인 표본을 임의추출할 때, 표본평균 $\overline{X}$의 평균과 표준편차를 구하시오.

2 정규분포 $N(10, 6^2)$을 따르는 모집단에서 크기가 9인 표본을 임의추출할 때, 표본평균 $\overline{X}$에 대하여 $E(\overline{X}^2)$을 구하시오.

3 모집단의 확률변수 X의 확률분포를 표로 나타내면 다음과 같다. 이 모집단에서 크기가 109인 표본을 임의추출할 때, 표본평균 $\overline{X}$의 평균과 분산을 구하시오.

X	0	1	2	3	합계
$P(X=x)$	$\frac{1}{10}$	$\frac{3}{10}$	$\frac{1}{5}$	$\frac{2}{5}$	1

4 3, 3, 5, 5, 5, 7, 7이 각각 적힌 7장의 카드가 들어 있는 상자가 있다. 이 상자를 모집단으로 생각하고 크기가 3인 표본을 복원추출할 때, 카드에 적힌 숫자의 평균을 $\overline{X}$라고 하자. 이때 $E(\overline{X})$와 $V(\overline{X})$를 구하시오.

5 어느 음식점에서 음식 배달 시간은 평균이 27분, 표준편차가 9분인 정규분포를 따른다고 한다. 이 음식점에서 음식을 주문하여 배달 시간을 9번 측정하였을 때, 오른쪽 표준정규분포표를 이용하여 다음을 구하시오.

z	$P(0 \le Z \le z)$
0.5	0.1915
1.0	0.3413
1.5	0.4332
2.0	0.4772

⑴ 평균 배달 시간이 33분 이상일 확률

⑵ 평균 배달 시간이 30분 이상 33분 이하일 확률

6 어느 양계장에서 생산하는 달걀 한 개의 무게는 평균이 55 g, 표준편차가 8 g인 정규분포를 따른다고 한다. 이 양계장에서 생산한 달걀 16개의 무게를 측정하였을 때, 오른쪽 표준정규분포표를 이용하여 달걀 한 개의 평균 무게가 53 g 이상 60 g 이하일 확률을 구하시오.

z	$P(0 \le Z \le z)$
1.0	0.3413
1.5	0.4332
2.0	0.4772
2.5	0.4938

15강 모평균의 추정

1 모평균의 추정

(1) 추정

표본에서 얻은 정보를 이용하여 모평균, 모표준편차와 같은 모집단의 특성을 나타내는 값을 추측하는 것을 **추정**이라고 한다.

(2) 모평균의 신뢰구간

모집단이 정규분포 $N(m, \sigma^2)$을 따를 때, 크기가 n인 표본으로부터 얻은 표본평균 $\overline{X}$의 값이 $\overline{x}$이면 **신뢰도**에 따른 모평균 m에 대한 **신뢰구간**은 다음과 같다.

① 신뢰도 95 %의 신뢰구간

$$\overline{x}-1.96\frac{\sigma}{\sqrt{n}}\leq m\leq \overline{x}+1.96\frac{\sigma}{\sqrt{n}}$$

② 신뢰도 99 %의 신뢰구간

$$\overline{x}-2.58\frac{\sigma}{\sqrt{n}}\leq m\leq \overline{x}+2.58\frac{\sigma}{\sqrt{n}}$$

참고 신뢰도 95 %의 신뢰구간은 크기가 n인 표본을 여러 번 추출하여 신뢰구간을 만들 때, 이들 중에서 95 % 정도는 모평균 m을 포함할 것으로 기대된다는 뜻이다.

❂ 모표준편차를 모를 때, 표본의 크기 n이 충분히 크면 모표준편차 σ 대신 표본표준편차 S의 값을 이용하여 모평균의 신뢰구간을 구할 수 있다.

확인문제 1 정규분포 $N(m, 3^2)$을 따르는 모집단에서 크기가 100인 표본을 임의추출하였더니 표본평균이 70이었다. 이때 모평균 m에 대한 신뢰도 95 %의 신뢰구간을 구하시오.

(단, $P(|Z|\leq 1.96)=0.95$)

2 모평균의 신뢰구간의 길이

정규분포 $N(m, \sigma^2)$을 따르는 모집단에서 크기가 n인 표본을 임의추출할 때, 모평균 m에 대한 신뢰구간의 길이는 다음과 같다.

(1) 신뢰도 95 %의 신뢰구간의 길이

$$2\times 1.96\frac{\sigma}{\sqrt{n}}$$

(2) 신뢰도 99 %의 신뢰구간의 길이

$$2\times 2.58\frac{\sigma}{\sqrt{n}}$$

❂ 표본의 크기 n이 일정할 때 신뢰도가 높을수록 신뢰구간의 길이가 길어지고, 신뢰도가 일정할 때 표본의 크기 n이 커질수록 신뢰구간의 길이는 짧아진다.

확인문제 2 정규분포 $N(m, 5^2)$을 따르는 모집단에서 크기가 25인 표본을 임의추출할 때, 다음과 같은 신뢰도로 추정한 모평균의 신뢰구간의 길이를 구하시오.

(단, $P(|Z|\leq 1.96)=0.95$, $P(|Z|\leq 2.58)=0.99$)

(1) 신뢰도 95 %　　　　　　　　(2) 신뢰도 99 %

1 어느 농장에서 생산하는 수박 한 개의 무게는 평균이 m g, 표준편차가 30 g인 정규분포를 따른다고 한다. 이 농장에서 생산한 수박 400개를 임의추출하여 그 무게를 조사하였더니 평균이 1200 g이었을 때, 이 농장에서 생산한 전체 수박의 평균 무게 m에 대하여 다음을 구하시오.

(단, $P(|Z| \le 1.96) = 0.95$, $P(|Z| \le 2.58) = 0.99$)

(1) 신뢰도 95 %의 신뢰구간

(2) 신뢰도 99 %의 신뢰구간

실전 + 2 어느 회사에서 생산하는 전구 한 개의 수명은 평균이 m시간, 표준편차가 40시간인 정규분포를 따른다고 한다. 이 회사에서 생산한 전구 100개를 임의추출하여 그 수명을 조사하였더니 평균이 1000시간이었을 때, 이 회사에서 생산한 전구의 수명의 모평균 m에 대한 신뢰도 95 %의 신뢰구간을 구하시오. (단, $P(|Z| \le 1.96) = 0.95$)

3 어느 고등학교 학생 100명을 임의추출하여 키를 조사하였더니 평균이 170 cm, 표준편차가 16 cm이었다. 이 고등학교 학생의 키는 정규분포를 따른다고 할 때, 이 학교 전체 학생의 평균 키 m에 대하여 다음을 구하시오.

(단, $P(|Z| \le 1.96) = 0.95$, $P(|Z| \le 2.58) = 0.99$)

(1) 신뢰도 95 %의 신뢰구간

(2) 신뢰도 99 %의 신뢰구간

실전 + 4 어느 피자 가게에서 만든 피자 한 판의 열량은 정규분포를 따른다고 한다. 이 가게에서 만든 피자 400판을 임의추출하여 열량을 조사하였더니 평균이 1200 kcal, 표준편차가 40 kcal이었다. 이 가게에서 만든 전체 피자의 열량의 평균 m에 대한 신뢰도 99 %의 신뢰구간을 구하시오.

(단, $P(|Z| \le 2.58) = 0.99$)

5 어느 영화에 대한 관람객의 평점은 표준편차가 2점인 정규분포를 따른다고 한다. 이 영화의 관람객 중에서 400명을 임의추출할 때, 다음과 같은 신뢰도로 추정한 평점의 모평균의 신뢰구간의 길이를 구하시오.

(단, $P(|Z| \le 1.96) = 0.95$, $P(|Z| \le 2.58) = 0.99$)

(1) 신뢰도 95 %
(2) 신뢰도 99 %

실전 + 6 어느 회사에서 생산하는 제품의 무게는 표준편차가 7 g인 정규분포를 따른다고 한다. 이 회사에서 생산하는 제품 중에서 196개를 임의추출하여 생산한 제품의 무게의 모평균을 신뢰도 95 %, 99 %로 추정한 신뢰구간의 길이를 각각 a, b라고 할 때, $b-a$의 값을 구하시오.

(단, $P(|Z| \le 1.96) = 0.95$, $P(|Z| \le 2.58) = 0.99$)

1 정규분포 $N(30, 4^2)$을 따르는 모집단에서 크기가 n인 표본을 임의추출할 때, 표본평균 $\overline{X}$에 대하여 $E(\overline{X})=m$, $V(\overline{X})=\frac{1}{2}$이다. 이때 $m+n$의 값은?

① 60   ② 62   ③ 64

④ 66   ⑤ 68

2 모표준편차가 18인 모집단에서 크기가 n인 표본을 임의추출할 때, 표본평균 $\overline{X}$의 표준편차가 3 이하가 되도록 하는 n의 최솟값은?

① 30   ② 32   ③ 34

④ 36   ⑤ 38

출제유력
3 -1, 1, 3이 각각 적힌 구슬이 2개, 3개, 1개씩 들어 있는 상자가 있다. 이 상자를 모집단으로 생각하고 이 중에서 크기가 3인 표본을 임의추출할 때, 구슬에 적힌 숫자의 평균을 $\overline{X}$라고 하자. 이때 $E(\overline{X}^2)$은?

① $\frac{29}{27}$ ② $\frac{10}{9}$ ③ $\frac{31}{27}$

④ $\frac{32}{27}$ ⑤ $\frac{11}{9}$

4 모집단의 확률변수 X의 확률분포를 표로 나타내면 다음과 같다. 이 모집단에서 크기가 n인 표본을 임의추출할 때, 표본평균 $\overline{X}$의 분산이 $\frac{49}{900}$이다. 이때 n의 값을 구하시오.

X	0	1	2	합계
$P(X=x)$	$\frac{1}{5}$	$\frac{1}{2}$	$\frac{3}{10}$	1

출제유력
5 어느 화장품 회사에서 제조하는 로션 한 개의 용량은 평균이 200 mL, 표준편차가 4 mL인 정규분포를 따른다고 한다. 이 회사에서 제조한 로션 64개를 임의추출할 때, 오른쪽 표준정규분포표를 이용하여 로션의 평균 용량이 199 mL 이상 201 mL 이하일 확률을 구하면?

z	$P(0 \le Z \le z)$
1.5	0.4332
2.0	0.4772
2.5	0.4938
3.0	0.4987

① 0.6826   ② 0.7745   ③ 0.8664

④ 0.8185   ⑤ 0.9544

6 정규분포 $N(80, 10^2)$을 따르는 모집단에서 크기가 n인 표본을 임의추출할 때, 표본평균 $\overline{X}$에 대하여 $P(\overline{X} \le 75)=0.1587$이다. 이때 오른쪽 표준정규분포표를 이용하여 n의 값을 구하시오.

z	$P(0 \le Z \le z)$
0.5	0.1915
1.0	0.3413
1.5	0.4332
2.0	0.4772

7 정규분포 $N(m, 20^2)$을 따르는 모집단에서 크기가 25인 표본을 임의추출할 때, 표본평균 $\overline{X}$에 대하여 $P(|\overline{X}-m| \leq 4)$를 오른쪽 표준정규분포표를 이용하여 구하면?

z	$P(0 \leq Z \leq z)$
1.0	0.3413
1.5	0.4332
2.0	0.4772
2.5	0.4938

① 0.6826 　　② 0.7745 　　③ 0.8186

④ 0.8352 　　⑤ 0.9104

8 서울에서 부산까지 고속버스로 이동하는 데 걸리는 시간은 평균이 4시간 30분, 표준편차가 30분인 정규분포를 따른다고 한다. 이 고속버스를 타고 이동하는 데 걸리는 시간을 n번 측정하였을 때, 평균 시간이 5시간 이상일 확률이 0.0013이었다. 이때 n의 값을 구하시오. (단, $P(0 \leq Z \leq 3)=0.4987$)

9 어느 고등학교 학생들의 몸무게는 평균이 m kg, 표준편차가 15 kg인 정규분포를 따른다고 한다. 이 고등학교 학생 중에서 25명을 임의추출하여 몸무게를 조사하였더니 평균이 60 kg이었을 때, 이 고등학교 학생의 몸무게의 모평균 m에 대한 신뢰도 95 %의 신뢰구간을 구하시오.

(단, $P(|Z| \leq 1.96)=0.95$)

10 어느 병원에서 태어난 신생아 400명을 임의추출하여 키를 조사하였더니 평균이 50 cm, 표준편차가 15 cm이었다. 우리나라 신생아의 키는 정규분포를 따른다고 할 때, 전체 신생아의 평균 키 m에 대한 신뢰도 95 %의 신뢰구간에 속하는 정수의 개수는? (단, $P(|Z| \leq 1.96)=0.95$)

① 2 　　② 3 　　③ 4

④ 5 　　⑤ 6

11 어느 고등학교 학생의 연간 독서량은 표준편차가 4권인 정규분포를 따른다고 한다. 이 고등학교 학생 n명을 임의추출하여 연간 독서량을 조사하였더니 평균이 27권이었다. 이 고등학교 전체 학생의 연간 평균 독서량 m에 대한 신뢰도 99 %의 신뢰구간이 $26.14 \leq m \leq 27.86$일 때, n의 값은?

(단, $P(|Z| \leq 2.58)=0.99$)

① 143 　　② 144 　　③ 145

④ 146 　　⑤ 147

12 어느 과수원에서 수확한 사과의 무게는 평균이 m g, 표준편차가 5 g인 정규분포를 따른다고 한다. 이 사과 중에서 n개를 임의추출하여 그 무게를 조사하였더니 평균이 $\overline{x}$ g이었다. 이 과수원에서 수확한 사과의 무게의 모평균 m을 신뢰도 95 %로 추정한 신뢰구간이 $199.3 \leq m \leq 200.7$일 때, $n+\overline{x}$의 값을 구하시오. (단, $P(|Z| \leq 1.96)=0.95$)

14
15

13 어느 회사에서 생산한 건전지 900개를 임의추출하여 그 수명을 조사하였더니 표준편차가 2시간이었다. 이 회사에서 생산한 전체 건전지의 수명은 정규분포를 따른다고 할 때, 전체 건전지의 평균 수명 m에 대한 신뢰도 99 %의 신뢰구간의 길이는? (단, $\mathrm{P}(|Z| \le 2.58) = 0.99$)

① 0.344   ② 0.345   ③ 0.346

④ 0.347   ⑤ 0.348

14 정규분포 $\mathrm{N}(m, \sigma^2)$을 따르는 모집단에서 크기가 n인 표본을 임의추출하여 모평균 m을 신뢰도 α %로 추정할 때, 다음 중 신뢰구간의 길이가 가장 긴 것은?

① $n=100,\ \alpha=90$ ② $n=100,\ \alpha=95$

③ $n=100,\ \alpha=99$ ④ $n=400,\ \alpha=95$

⑤ $n=400,\ \alpha=99$

15 정규분포를 따르는 모집단에서 크기가 100인 표본을 임의추출하여 모평균을 추정하였더니 신뢰구간의 길이가 16이었다. 같은 신뢰도로 모평균을 추정할 때, 신뢰구간의 길이가 8이 되게 하려면 표본의 크기를 얼마로 해야 하는지 구하시오.

16 모표준편차가 10인 정규분포를 따르는 모집단에서 크기가 n인 표본을 임의추출할 때, 모평균 m에 대한 신뢰도 95 %의 신뢰구간의 길이가 0.98 이하가 되도록 하는 n의 최솟값은? (단, $\mathrm{P}(|Z| \le 1.96) = 0.95$)

① 625   ② 900   ③ 1024

④ 1600   ⑤ 2500

17 정규분포 $\mathrm{N}(m, 30^2)$을 따르는 모집단의 평균을 신뢰도 95 %로 추정할 때, 모평균 m과 표본평균 $\overline{x}$의 차가 6 이하가 되도록 하려면 최소 몇 개의 표본을 조사해야 하는가?

(단, $\mathrm{P}(|Z| \le 2) = 0.95$)

① 36개   ② 49개   ③ 64개

④ 81개   ⑤ 100개

18 정규분포를 따르는 모집단에서 표본을 임의추출하여 모평균을 추정할 때, 다음 보기 중 옳은 것만을 있는 대로 고른 것은?

> **보기**
>
> ㄱ. 신뢰도가 일정할 때, 표본의 크기가 커질수록 신뢰구간의 길이는 짧아진다.
> ㄴ. 표본의 크기가 일정할 때, 신뢰도를 높일수록 신뢰구간의 길이는 길어진다.
> ㄷ. 신뢰도를 높이고 표본의 크기를 크게 하면 신뢰구간의 길이는 짧아진다.

① ㄱ   ② ㄴ   ③ ㄱ, ㄴ

④ ㄴ, ㄷ   ⑤ ㄱ, ㄴ, ㄷ

✤ **만점! 도전 문제**

19 어느 제과점에서 만드는 초콜 릿 한 개의 무게는 평균이 6 g, 표 준편차가 1 g인 정규분포를 따른 다고 한다. 이 초콜릿을 4개씩 포 장하여 세트로 판매하는데 세트 한 개의 무게가 20 g 이하인 것은

z	$P(0 \leq Z \leq z)$
1.0	0.3413
1.5	0.4332
2.0	0.4772
2.5	0.4938

중량 미달로 판매하지 않는다고 할 때, 위의 표준정규분포표 를 이용하여 이 제과점의 초콜릿 세트가 중량 미달로 판매되지 못할 확률을 구하시오.

20 어느 대학의 입학 시험에서 전체 수험생의 논술 고사 점수는 표준편차가 10점인 정규분포를 따 른다고 한다. 수험생 100명을 임 의추출하여 논술 고사 점수를 조

z	$P(0 \leq Z \leq z)$
1.55	0.44
1.65	0.45
1.75	0.46

사하였더니 평균이 70점이었을 때, 전체 수험생의 평균 점수 m에 대한 신뢰도 $\alpha \%$의 신뢰구간이 $68.35 \leq m \leq 71.65$이 었다. 이때 위의 표준정규분포표를 이용하여 α의 값을 구하 시오.

21 정규분포를 따르는 모집단에서 크기가 100인 표본을 임 의추출하여 신뢰도 99 %로 추정한 모평균 m에 대한 신뢰구 간은 $a \leq m \leq b$이고, 크기가 n인 표본을 임의추출하여 동일 한 신뢰도로 추정한 모평균 m에 대한 신뢰구간은 $c \leq m \leq d$ 이다. $d-c=2(b-a)$일 때, n의 값을 구하시오.

(단, $P(|Z| \leq 2.58)=0.99$)

✦ **서술형** 문제

22 1, 2, 2, 3, 3, 3이 각각 적힌 6개의 공이 들어 있는 주 머니에서 4개의 공을 임의추출할 때, 공에 적힌 숫자의 평 균을 $\overline{X}$라고 하자. 이때 $E(3\overline{X}-1)+V(6\overline{X})$를 구하시 오. [6점]

| 풀이 |

23 어느 농장의 감나무 한 그루에 달린 감의 개수는 평균 이 200개, 표준편차가 50개인 정규분포를 따른다고 한다. 이 농장의 감나무 n그루를 임의추출할 때, 감나무에 달린 감의 평균 개수를 $\overline{X}$라고 하자. 이때 $P(\overline{X} \geq 200+8\sqrt{n}) \leq 0.1$을 만족하는 n의 최솟값을 구하 시오. (단, $P(0 \leq Z \leq 1.28)=0.4$) [7점]

| 풀이 |

24 표준편차가 σ인 정규분포를 따르는 모집단에서 크기 가 n인 표본을 임의추출하여 추정한 모평균 m에 대한 신 뢰도 99 %의 신뢰구간이 $19.68 \leq m \leq 40.32$이다. 같은 표본을 이용하여 추정한 모평균 m에 대한 신뢰도 95 % 의 신뢰구간을 구하시오.

(단, $P(|Z| \leq 1.96)=0.95$, $P(|Z| \leq 2.58)=0.99$) [7점]

| 풀이 |

14
15

내공 점검

01~02강 내공 점검

• 원순열
• 중복순열과 같은 것이 있는 순열

1 A, B를 포함한 n명의 학생이 원탁에 둘러앉을 때, A, B가 이웃하게 앉는 경우의 수가 240이다. 이때 n의 값은? [7점]

① 4 　　② 5 　　③ 6
④ 7 　　⑤ 8

2 1부터 10까지의 자연수를 원형으로 배열할 때, 이웃한 두 수의 곱이 짝수가 되도록 배열하는 방법의 수는? [7점]

① 2080 　　② 2480 　　③ 2880
④ 3280 　　⑤ 3680

3 오른쪽 그림과 같이 정육각형과 합동인 6개의 반원으로 이루어진 도형의 7개의 영역을 칠하려고 한다. 빨간색과 파란색을 포함한 서로 다른 7가지 색을 모두 사용하여 칠할 때, 정육각형 모양의 영역에 빨간색 또는 파란색을 칠하는 방법의 수는? (단, 한 영역에서는 한 가지 색만 칠하고, 회전하여 일치하는 것은 같은 것으로 본다.) [7점]

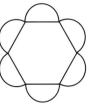

① 120 　　② 240 　　③ 360
④ 720 　　⑤ 800

4 오른쪽 그림과 같은 직사각형 모양의 탁자에 8명이 둘러앉는 방법의 수는? (단, 회전하여 일치하는 것은 같은 것으로 본다.) [7점]

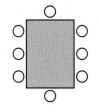

① $6! \times 4$ 　　② $7! \times 3$
③ $7! \times 4$ 　　④ $8! \times 3$
⑤ $8! \times 4$

5 일렬로 나열된 전구 4개를 각각 켜거나 꺼서 만들 수 있는 서로 다른 신호의 개수를 구하시오. (단, 모든 전구는 동시에 작동하고, 전구가 모두 꺼진 경우는 신호에서 제외한다.) [7점]

6 4개의 숫자 0, 1, 3, 5에서 중복을 허용하여 만들 수 있는 자연수를 크기가 작은 것부터 차례로 나열할 때, 1000은 몇 번째 수인가? [7점]

① 40 　　② 48 　　③ 56
④ 64 　　⑤ 72

7 두 집합 $X=\{1, 2, 3\}$, $Y=\{1, 3, 5, 7, 9\}$에 대하여 X에서 Y로의 함수 f 중에서 $f(2) \neq 5$를 만족하는 함수의 개수를 구하시오. [7점]

8 일곱 자리의 자연수 중에서 각 자리의 숫자를 재배열하였을 때, 1112233과 같은 자연수의 개수는? (단, 1112233은 제외한다.) [7점]

① 200   ② 203   ③ 206

④ 209   ⑤ 212

9 textbook에 있는 8개의 문자를 일렬로 배열할 때, 양 끝에 서로 다른 문자를 배열하는 경우의 수는? [7점]

① 9360   ② 9540   ③ 9720

④ 9900   ⑤ 10080

10 다음 그림과 같은 도로망이 있을 때, 지점 A에서 지점 B 까지 가는 최단 경로의 수는? [7점]

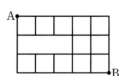

① 34   ② 36   ③ 38

④ 40   ⑤ 42

11 성호, 윤주를 포함한 8명의 학생이 원탁에 둘러앉을 때, 성호, 윤주가 마주 보도록 앉는 방법의 수를 구하시오. [10점]

〔풀이〕

12 3개의 숫자 0, 1, 2에서 중복을 허용하여 여섯 자리의 정수를 만들 때, 5의 배수의 개수를 구하시오. [10점]

〔풀이〕

13 6개의 문자 a, a, a, b, b, c 중에서 4개를 택하여 일렬로 배열하는 방법의 수를 구하시오. [10점]

〔풀이〕

정답과 해설 51쪽

03~04강 내공 점검
- 중복조합
- 이항정리

점수 ／100점

1 3종류의 빵 크로켓, 도넛, 바게트 중에서 8개의 빵을 사는 방법의 수는? (단, 같은 종류의 빵은 서로 구별하지 않는다.) [7점]

① 33   ② 36   ③ 39
④ 42   ⑤ 45

2 사과, 포도, 딸기, 배가 각각 8개씩 들어 있는 주머니에서 8개의 과일을 꺼낼 때, 각 과일이 적어도 한 개씩은 포함되도록 꺼내는 경우의 수는?
(단, 같은 종류의 과일은 서로 구별하지 않는다.) [7점]

① 23   ② 26   ③ 29
④ 32   ⑤ 35

3 $(a+b+c)(x+y+z)^5$의 전개식에서 서로 다른 항의 개수는? [7점]

① 21   ② 42   ③ 63
④ 84   ⑤ 105

4 네 정수 x, y, z, w에 대하여 다음 조건을 만족하는 순서쌍 (x, y, z, w)의 개수를 구하시오. [7점]

(가) $x+y+z+w=10$
(나) $x \geq -1$, $y \geq 0$, $z \geq 1$, $w \geq 2$

5 집합 $X=\{1, 2, 3\}$에서 집합 $Y=\{1, 2, 3, 4, 5\}$로의 함수 f 중에서 $f(1) \leq f(2) \leq f(3)$을 만족하는 함수의 개수는? [7점]

① 15   ② 20   ③ 25
④ 30   ⑤ 35

6 다항식 $(x+ay)^6$의 전개식에서 x^2y^4의 계수와 x^3y^3의 계수가 같을 때, 양수 a의 값을 구하시오. [7점]

7 $\dfrac{(x+1)^6-x^4}{x}$의 전개식에서 x^3의 계수는? [7점]

① 12   ② 13   ③ 14
④ 15   ⑤ 16

8 $(1+x)^5(a+x)^3$의 전개식에서 x의 계수가 8일 때, 실수 a의 값을 구하시오. [7점]

9 다음 중 $_1C_0+_2C_1+_3C_2+\cdots+_7C_6$의 값과 같은 것은? [7점]

① $_8C_4$ ② $_8C_5$ ③ $_8C_6$

④ $_9C_5$ ⑤ $_9C_6$

10 $(1+2x)+(1+2x)^2+(1+2x)^3+\cdots+(1+2x)^{10}$의 전개식에서 x^3의 계수는? [7점]

① 2620   ② 2630   ③ 2640

④ 2650   ⑤ 2660

11 $_{2n}C_1+_{2n}C_3+_{2n}C_5+\cdots+_{2n}C_{2n-1}=128$을 만족하는 자연수 n의 값은? [7점]

① 2   ② 3   ③ 4

④ 5   ⑤ 6

12 4명의 학생 A, B, C, D가 1부터 8까지의 자연수 중에서 한 개씩 택한 자연수를 각각 a, b, c, d라고 할 때, $a \le b \le c < d$ 인 경우의 수를 구하시오. [8점]

〔풀이〕

13 $(x-4)\left(x-\dfrac{a}{x}\right)^5$의 전개식에서 x^2의 계수와 x^3의 계수가 같을 때, 양수 a의 값을 구하시오. [8점]

〔풀이〕

14 부등식 $2000<_nC_1+_nC_2+_nC_3+\cdots+_nC_n<3000$을 만족하는 자연수 n의 값을 구하시오. [7점]

〔풀이〕

05~06강 내공 점검
• 확률의 뜻
• 확률의 성질

점수 ／100점

1 서로 다른 두 개의 주사위를 동시에 던질 때, 다음 보기의 네 사건 A, B, C, D 중 서로 배반사건인 것은? [7점]

보기

A: 나오는 눈의 수의 합이 6인 사건
B: 나오는 눈의 수의 곱이 8인 사건
C: 나오는 눈의 수가 모두 짝수인 사건
D: 나오는 눈의 수가 서로 같은 사건

① A와 B　　　② A와 C　　　③ B와 C
④ B와 D　　　⑤ C와 D

2 남학생 6명과 여학생 5명으로 구성된 수학 동아리에서 임의로 대표 3명을 뽑을 때, 남학생 2명과 여학생 1명이 뽑힐 확률은? [7점]

① $\dfrac{1}{11}$　　　② $\dfrac{3}{11}$　　　③ $\dfrac{5}{11}$

④ $\dfrac{7}{11}$　　　⑤ $\dfrac{9}{11}$

3 500원짜리 동전 1개, 100원짜리 동전 2개, 50원짜리 동전 3개가 들어 있는 주머니에서 임의로 동전 3개를 동시에 꺼낼 때, 꺼낸 동전의 총 금액이 300원 이상일 확률은?
(단, 모든 동전은 서로 다른 것으로 생각한다.) [7점]

① $\dfrac{1}{6}$　　　② $\dfrac{1}{3}$　　　③ $\dfrac{1}{2}$

④ $\dfrac{2}{3}$　　　⑤ $\dfrac{5}{6}$

4 오른쪽 표는 윷짝 4개를 동시에 던지는 시행을 n번 하였을 때, 나오는 도, 개, 걸, 윷, 모의 횟수를 조사하여 각각의 확률을 구한 것이다. 걸이 나온 횟수가 90이었을 때, 자연수 n의 값은? [7점]

종류	확률
도	0.14
개	0.41
걸	p
윷	0.06
모	0.03
합계	1

① 200　　　② 250
③ 300　　　④ 350
⑤ 400

5 오른쪽 그림과 같이 한 변의 길이가 4인 정사각형 ABCD의 내부에 임의로 점 P를 잡을 때, 삼각형 PBC가 둔각삼각형이 될 확률은? [7점]

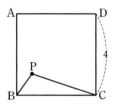

① $1-\dfrac{\pi}{4}$　　　② $\dfrac{\pi}{8}$

③ $\dfrac{1}{2}$　　　④ $1-\dfrac{\pi}{8}$

⑤ $\dfrac{\pi}{4}$

6 두 사건 A, B에 대하여

$$\mathrm{P}(B)=3\mathrm{P}(A),\ \mathrm{P}(A\cup B)=\frac{3}{4},\ \mathrm{P}(A\cap B)=\frac{1}{8}$$

일 때, 사건 A가 일어날 확률을 구하시오. [7점]

7 빨간 공 3개와 파란 공 7개가 들어 있는 주머니에서 임의로 4개의 공을 동시에 꺼낼 때, 빨간 공이 2개 또는 3개 나올 확률을 구하시오. [7점]

8 오른쪽 그림과 같이 6등분 한 원판을 빨간색과 노란색을 포함한 6가지 색을 모두 사용하여 칠하려고 한다. 빨간색과 노란색이 이웃하지 않도록 칠할 확률을 구하시오. (단, 한 영역에는 한 가지 색만 칠하고, 회전하여 일치하는 것은 같은 것으로 본다.) [7점]

9 집합 $X=\{1,\ 2,\ 3,\ 4\}$에 대하여 함수 $f:X\longrightarrow X$가 $f(1)\neq f(2)$를 만족하는 함수일 확률은? [7점]

① $\dfrac{11}{16}$ ② $\dfrac{3}{4}$ ③ $\dfrac{13}{16}$

④ $\dfrac{7}{8}$ ⑤ $\dfrac{15}{16}$

10 4개의 숫자 1, 2, 3, 4에서 중복을 허용하여 7개의 숫자를 뽑을 때, 짝수를 적어도 한 개 뽑을 확률은? [7점]

① $\dfrac{2}{3}$ ② $\dfrac{11}{15}$ ③ $\dfrac{4}{5}$

④ $\dfrac{13}{15}$ ⑤ $\dfrac{14}{15}$

11 방정식 $x+y+z=16$의 음이 아닌 정수해가 $y=4$를 만족시킬 확률이 $\dfrac{q}{p}$일 때, $p+q$의 값을 구하시오.
(단, $p,\ q$는 서로소인 자연수) [10점]

〔풀이〕

12 검은 공 4개와 흰 공 5개가 들어 있는 상자에서 임의로 4개의 공을 동시에 꺼낼 때, 흰 공이 2개 이하로 나올 확률을 구하시오. [10점]

〔풀이〕

13 success에 있는 7개의 문자를 일렬로 배열할 때, u와 e가 이웃하지 않을 확률을 구하시오. [10점]

〔풀이〕

정답과 해설 55쪽

07~08강 내공 점검

• 조건부확률
• 사건의 독립과 종속

점수 /100점

1 다음 표는 어느 고등학교 1학년, 2학년 학생 400명의 수학 여행지 선호 지역을 조사하여 나타낸 것이다. 이 중에서 임의로 뽑은 한 학생이 제주도를 선호하는 학생이었을 때, 그 학생이 1학년일 확률을 구하시오. [7점]

(단위: 명)

	1학년	2학년	합계
설악산	30	40	70
제주도	88	132	220
울릉도	82	28	110
합계	200	200	400

2 어느 지역 주민 중에서 60세 이상인 사람은 전체 주민의 30 %이고, 60세 이상인 사람의 남녀 비율은 4 : 5라고 한다. 이 지역 주민 중에서 임의로 한 명을 뽑을 때, 60세 이상의 남자일 확률은? [7점]

① $\dfrac{1}{15}$ ② $\dfrac{1}{10}$ ③ $\dfrac{2}{15}$

④ $\dfrac{1}{6}$ ⑤ $\dfrac{1}{5}$

3 6개의 면을 빨간색, 파란색, 노란색으로 칠한 두 정육면체 A, B가 있다. 정육면체 A는 빨간색 면 3개, 파란색 면 1개, 노란색 면 2개가 있고, 정육면체 B는 세 가지 색의 면이 각각 2개씩 있다. 두 정육면체 중에서 임의로 하나를 골라 두 번 던졌더니 모두 빨간색 면이 나왔을 때, 던진 정육면체가 A일 확률은? [7점]

① $\dfrac{3}{13}$ ② $\dfrac{5}{13}$ ③ $\dfrac{7}{13}$

④ $\dfrac{9}{13}$ ⑤ $\dfrac{11}{13}$

4 C 질병 진단 키트로 검사를 할 때, C 질병에 걸린 사람에게서 양성 반응이 나타날 확률과 C 질병에 걸리지 않은 사람에게서 음성 반응이 나타날 확률이 모두 0.9이다. C 질병의 발병률이 4 %인 집단에서 임의로 뽑은 한 사람에게서 양성 반응이 나타났을 때, 그 사람이 실제로 C 질병에 걸린 사람일 확률은? [7점]

① $\dfrac{8}{33}$ ② $\dfrac{3}{11}$ ③ $\dfrac{10}{33}$

④ $\dfrac{1}{3}$ ⑤ $\dfrac{4}{11}$

5 1부터 8까지의 자연수가 각각 적힌 8장의 카드가 들어 있는 상자에서 임의로 한 장의 카드를 꺼낼 때, 홀수가 적힌 카드가 나오는 사건을 A, 4 이하의 숫자가 적힌 카드가 나오는 사건을 B, 6의 약수가 적힌 카드가 나오는 사건을 C라고 하자. 다음 보기 중 서로 독립인 사건만을 있는 대로 고른 것은? [7점]

보기

ㄱ. A와 B ㄴ. A와 C ㄷ. B와 C

① ㄱ ② ㄷ ③ ㄱ, ㄴ

④ ㄴ, ㄷ ⑤ ㄱ, ㄴ, ㄷ

6 두 사건 A, B가 서로 독립이고 $P(A \cap B) = \dfrac{1}{9}$일 때, $P(A \cap B^c) + P(A^c \cap B)$의 최솟값을 구하시오. [7점]

7 세 선수 A, B, C가 화살을 쏘아 표적을 맞힐 확률이 각각 $\frac{4}{5}$, $\frac{3}{4}$, $\frac{2}{3}$라고 한다. 세 선수가 각각 같은 표적을 향해 화살을 한 번씩 쏠 때, 표적을 맞힌 화살이 있을 확률은? [7점]

① $\frac{4}{5}$ ② $\frac{49}{60}$ ③ $\frac{5}{6}$

④ $\frac{11}{12}$ ⑤ $\frac{59}{60}$

8 지은이와 성수가 주사위를 던져서 6의 약수가 2번 먼저 나오면 이기는 게임을 하려고 한다. 지은, 성수의 순서로 번갈아 가며 주사위를 한 번씩 던질 때, 총 4번을 던져서 성수가 이길 확률을 구하시오. [7점]

9 일반적으로 시험관아기 시술의 성공률은 25 %라고 한다. 4쌍의 부부가 시험관아기 시술을 할 때, 2쌍 이상의 부부가 성공할 확률은? [7점]

① $\frac{67}{256}$ ② $\frac{71}{256}$ ③ $\frac{75}{256}$

④ $\frac{79}{256}$ ⑤ $\frac{83}{256}$

10 수직선 위의 원점에 있는 점 P는 동전 한 개를 던져서 앞면이 나오면 양의 방향으로 2만큼, 뒷면이 나오면 음의 방향으로 1만큼 이동한다. 동전을 5번 던질 때, 점 P의 위치가 4 또는 7일 확률을 구하시오. [7점]

11 서로 다른 세 개의 주사위를 동시에 던지는 시행에서 나오는 눈의 수의 곱이 짝수인 사건을 A, 눈의 수의 합이 짝수인 사건을 B라고 할 때, 다음 물음에 답하시오.

(1) $P(A)$를 구하시오. [5점]

〔풀이〕

(2) $P(B|A)$를 구하시오. [5점]

〔풀이〕

12 딸기 맛 사탕 5개와 오렌지 맛 사탕 4개가 들어 있는 주머니에서 선미가 사탕 한 개를 꺼낸 후 남은 사탕 중에서 지호가 사탕 한 개를 꺼내려고 한다. 선미와 지호가 같은 맛 사탕을 꺼낼 확률을 구하시오. [10점]

〔풀이〕

13 흰 구슬 2개와 검은 구슬 4개가 들어 있는 주머니가 있다. 동전을 두 번 던져서 모두 앞면이 나오면 주머니에서 구슬을 한 개씩 4번 꺼내고, 그렇지 않으면 주머니에서 구슬을 한 개씩 3번 꺼낼 때, 꺼낸 구슬 중에서 검은 구슬이 3개일 확률을 구하시오.
(단, 꺼낸 구슬은 주머니에 다시 넣는다.) [10점]

〔풀이〕

1 확률변수 X의 확률질량함수가

$$P(X=x)=\frac{3x+2}{40} \ (x=0, 1, 2, 3, 4)$$

일 때, $P(X\leq3)$은? [7점]

① $\frac{11}{20}$ ② $\frac{3}{5}$ ③ $\frac{13}{20}$

④ $\frac{7}{10}$ ⑤ $\frac{3}{4}$

2 확률변수 X의 확률분포를 표로 나타내면 다음과 같을 때, $P(X\geq0)$을 구하시오. (단, a는 상수) [7점]

X	-1	0	1	합계
$P(X=x)$	a^2	$\frac{1}{4}$	a	1

3 서로 다른 두 개의 주사위를 동시에 던질 때, 두 눈의 수의 차를 확률변수 X라고 하자. 이때 $P(0\leq X\leq2)$는? [7점]

① $\frac{1}{6}$ ② $\frac{1}{3}$ ③ $\frac{1}{2}$

④ $\frac{2}{3}$ ⑤ $\frac{5}{6}$

4 파란 공 4개와 빨간 공 3개가 들어 있는 주머니에서 임의로 3개의 공을 동시에 뽑을 때, 뽑은 공 중에서 파란 공의 개수를 확률변수 X라고 하자. 이때 $P(X^2-3X+2\leq0)$을 구하시오. [7점]

5 확률변수 X의 확률질량함수가

$$P(X=x)=\frac{x}{15} \ (x=1, 2, 3, 4, 5)$$

일 때, X의 표준편차는? [7점]

① $\frac{2\sqrt{3}}{3}$ ② $\frac{\sqrt{13}}{3}$ ③ $\frac{\sqrt{14}}{3}$

④ $\frac{\sqrt{15}}{3}$ ⑤ $\frac{4}{3}$

6 확률변수 X의 확률분포를 표로 나타내면 다음과 같을 때, X의 분산은? (단, a는 상수) [7점]

X	-2	-1	0	1	2	합계
$P(X=x)$	a	a	$3a$	$2a$	$2a$	1

① $\frac{11}{9}$ ② $\frac{4}{3}$ ③ $\frac{13}{9}$

④ $\frac{14}{9}$ ⑤ $\frac{5}{3}$

7 3개의 문자 a, b, c에서 중복을 허용하여 4개를 뽑을 때, 뽑은 문자 중에서 a의 개수를 확률변수 X라고 하자. 이때 X의 평균은? [7점]

① $\frac{3}{2}$ ② $\frac{4}{3}$ ③ $\frac{5}{4}$

④ $\frac{6}{5}$ ⑤ $\frac{7}{6}$

8 3개의 당첨 제비를 포함한 9개의 제비가 들어 있는 상자에서 임의로 2개의 제비를 동시에 뽑을 때, 뽑은 제비 중에서 당첨 제비의 개수를 확률변수 X라고 하자. 이때 $V(X)$는? [7점]

① $\dfrac{1}{3}$　　　　② $\dfrac{7}{18}$　　　　③ $\dfrac{4}{9}$

④ $\dfrac{1}{2}$　　　　⑤ $\dfrac{5}{9}$

9 평균이 5, 분산이 3인 확률변수 X에 대하여 확률변수 $Y=aX+b$의 평균이 7, 분산이 12이다. 이때 상수 a, b에 대하여 $a-b$의 값은? (단, $a>0$) [7점]

① 5　　　　② 6　　　　③ 7

④ 8　　　　⑤ 9

10 확률변수 X의 확률분포를 표로 나타내면 다음과 같을 때, $\sigma(5X+2)$는? (단, a는 상수) [7점]

X	1	2	3	4	합계
$P(X=x)$	$\dfrac{3}{10}$	$\dfrac{2}{5}$	a	$2a$	1

① $2\sqrt{6}$　　　　② 5　　　　③ $2\sqrt{7}$
④ $\sqrt{29}$　　　　⑤ $4\sqrt{2}$

11 확률변수 X의 확률질량함수가

$$P(X=x)=\frac{k}{x(x+1)}\ (x=1,\ 2,\ 3,\ \cdots,\ 10)$$

일 때, $P(X\geq3)$을 구하시오. (단, k는 상수) [10점]

〔풀이〕

12 확률변수 X의 확률분포가 아래 표와 같다. X^2의 평균이 $\dfrac{8}{5}$일 때, 다음 물음에 답하시오. (단, a, b는 상수)

X	0	1	2	합계
$P(X=x)$	$\dfrac{3}{10}$	a	b	1

(1) a, b의 값을 구하시오. [4점]

〔풀이〕

(2) $2X+3$의 분산을 구하시오. [6점]

〔풀이〕

13 1부터 9까지의 자연수가 각각 적힌 9개의 공 중에서 임의로 3개의 공을 동시에 뽑을 때, 뽑은 공 중에서 짝수가 적힌 공의 개수를 확률변수 X라고 하자. 이때 $\sigma(9X+1)$을 구하시오. [10점]

〔풀이〕

11~13강 내공 점검

· 이항분포
· 정규분포
· 표준정규분포

점수

/100점

1 명중률이 $\dfrac{7}{10}$인 양궁 선수가 화살을 10발 쏠 때, 과녁에 명중하는 화살의 개수를 확률변수 X라고 하자. 이때 $P(X \leq 9)$는? [7점]

① $\left(\dfrac{1}{10}\right)^{10}$　　② $\left(\dfrac{3}{10}\right)^{10}$　　③ $\left(\dfrac{7}{10}\right)^{10}$

④ $1 - \left(\dfrac{3}{10}\right)^{10}$　　⑤ $1 - \left(\dfrac{7}{10}\right)^{10}$

2 이항분포 $B(20, p)$를 따르는 확률변수 X에 대하여 $E(X) = 5$일 때, $E(X^2)$은? [7점]

① 28　　② $\dfrac{115}{4}$　　③ 29

④ $\dfrac{59}{2}$　　⑤ 30

3 어느 공장에서 생산하는 제품의 10 %가 불량품이라고 한다. 이 공장에서 생산한 제품 중에서 임의로 500개의 제품을 택하여 조사할 때, 불량품의 개수를 확률변수 X라고 하자. 이때 $V\left(\dfrac{1}{3}X - 5\right)$를 구하시오. [7점]

4 주사위를 한 번 던져서 3의 배수의 눈이 나오면 3점을 얻고, 그 외의 눈이 나오면 1점을 얻는 게임이 있다. 주사위를 18번 던져서 얻은 총점을 확률변수 X라고 할 때, $E(X) + V(X)$의 값을 구하시오. [7점]

5 다음 중 $-1 \leq x \leq 1$에서 정의된 확률밀도함수의 그래프가 될 수 있는 것은? [7점]

①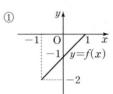
②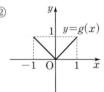
③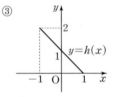
④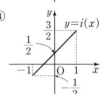
⑤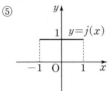

6 $-3 \leq x \leq 3$에서 정의된 연속확률변수 X의 확률밀도함수 $y = f(x)$의 그래프가 오른쪽 그림과 같을 때, $aP(|X| \leq 2)$의 값을 구하시오. (단, a는 상수) [7점]

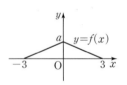

7 확률변수 X가 정규분포 $N(m, \sigma^2)$을 따르고 다음 조건을 만족할 때, $m + \sigma$의 값을 구하시오. [7점]

(가) $P(X \leq 5) = P(X \geq 17)$
(나) $\sigma(-2X + 1) = 6$

8 확률변수 X는 정규분포 $N(50, 5^2)$을 따르고, 확률변수 Y는 정규분포 $N(40, 2^2)$을 따른다. $P(X \geq 60) = P(Y \leq a)$일 때, 상수 a의 값은? [7점]

① 34   ② 36   ③ 40

④ 42   ⑤ 44

9 확률변수 X가 정규분포 $N(80, 4^2)$을 따를 때, 오른쪽 표준정규분포표를 이용하여 $P(X \leq a) = 0.8413$을 만족하는 상수 a의 값을 구하면? [7점]

z	$P(0 \leq Z \leq z)$
0.5	0.1915
1.0	0.3413
1.5	0.4332
2.0	0.4772

① 80   ② 81   ③ 82

④ 83   ⑤ 84

10 어느 농장에서 수확한 사과의 무게는 평균이 280 g, 표준편차가 10 g인 정규분포를 따른다고 한다. 이 농장에서 수확한 사과 중에서 임의로 한 개를 택할 때, 오른쪽 표준정규분포표를 이용하여 사과의 무게가 270 g 이상 295 g 이하일 확률을 구하면? [7점]

z	$P(0 \leq Z \leq z)$
1.0	0.3413
1.5	0.4332
2.0	0.4772
2.5	0.4938

① 0.2417   ② 0.2857   ③ 0.3023

④ 0.6247   ⑤ 0.7745

11 이항분포 $B(72, p)$를 따르는 확률변수 X에 대하여 $3V(X) - E(X)$의 값이 최대일 때, $\sigma(X)$를 구하시오. [10점]

〔풀이〕

12 어느 대학교의 입학 시험에 1000명의 학생이 응시하였다고 한다. 응시한 전체 학생의 입학 시험 점수는 평균이 55점, 표준편차가 10점인 정규분포를 따른다고 할 때, 오른쪽 표준정규분포표를 이용하여 입학 시험 점수가 65점 이상인 학생 수를 구하시오. [10점]

z	$P(0 \leq Z \leq z)$
0.5	0.19
1.0	0.34
1.5	0.43
2.0	0.48

〔풀이〕

13 어느 양궁 선수가 화살 한 발을 쏠 때, 목표물을 맞힐 확률은 $\frac{3}{5}$이라고 한다. 이 선수가 150발의 화살을 쏠 때, 오른쪽 표준정규분포표를 이용하여 99발 이상이 목표물을 맞힐 확률을 구하시오. [10점]

z	$P(0 \leq Z \leq z)$
1.5	0.4332
2.0	0.4772
2.5	0.4938
3.0	0.4987

〔풀이〕

1 모평균이 m, 모분산이 36인 모집단에서 크기가 n인 표본을 임의추출할 때, 표본평균 $\overline{X}$에 대하여 $E(\overline{X})=8$, $V(\overline{X})=2$ 이다. 이때 $m+n$의 값은? [7점]

① 22   ② 24   ③ 26
④ 28   ⑤ 30

2 모표준편차가 3인 모집단에서 크기가 n인 표본을 임의추출할 때, 표본평균 $\overline{X}$의 표준편차가 0.5 이하가 되도록 하는 n 의 최솟값은? [7점]

① 25   ② 36   ③ 49
④ 64   ⑤ 81

3 모집단의 확률변수 X의 확률분포를 표로 나타내면 다음과 같다. 이 모집단에서 크기가 6인 표본을 임의추출할 때, 표본 평균 $\overline{X}$의 분산을 구하시오. (단, a는 상수) [7점]

X	1	2	3	4	합계
$P(X=x)$	$\dfrac{1}{9}$	$\dfrac{1}{3}$	$\dfrac{1}{3}$	a	1

4 1, 2, 3의 숫자가 하나씩 적힌 카드가 각각 20장씩 들어 있는 상자에서 크기가 n인 표본을 임의추출할 때, 카드에 적힌 숫자 의 평균 $\overline{X}$의 분산이 $\dfrac{1}{30}$이다. 이때 n의 값을 구하시오. [7점]

5 어느 고등학교 학생들이 등교할 때 걸리는 시간은 평균이 30분, 표준편차가 12분인 정규분포를 따른다고 한다. 이 학교 학생 중에서 16명을 임의추출할 때, 오른쪽 표준정규분포표를 이용하여 학생들이 등교할 때 걸리는 시간의 평균이 27분 이상 33분 이하일 확률을 구하면? [7점]

z	$P(0 \le Z \le z)$
1.0	0.3413
1.5	0.4332
2.0	0.4772
2.5	0.4938

① 0.6826   ② 0.8413   ③ 0.8664
④ 0.9544   ⑤ 0.9772

6 어느 대학 시험에서 응시자의 성 적은 평균이 200점, 표준편차가 10 점인 정규분포를 따른다고 한다. 응시자 중에서 25명을 임의추출할 때, 오른쪽 표준정규분포표를 이용 하여 표본평균 $\overline{X}$에 대하여 $P(\overline{X} \ge k)=0.0668$을 만족하는 상수 k의 값을 구하시오. [7점]

z	$P(0 \le Z \le z)$
0.5	0.1915
1.0	0.3413
1.5	0.4332
2.0	0.4772

7 정규분포 $N(100,\ 15^2)$을 따르 는 모집단에서 크기가 n인 표본을 임의추출할 때, 표본평균 $\overline{X}$에 대 하여 $P(\overline{X} \le 95)=0.1587$이다. 이때 오른쪽 표준정규분포표를 이 용하여 n의 값을 구하시오. [7점]

z	$P(0 \le Z \le z)$
1.0	0.3413
2.0	0.4772
3.0	0.4987

8 성인 남자의 하루 단백질 섭취량은 표준편차가 16 g인 정규분포를 따른다고 한다. 성인 남자 64명을 임의추출하여 하루 단백질 섭취량을 조사하였더니 평균이 120 g이었다. 전체 성인 남자의 하루 평균 단백질 섭취량 m에 대한 신뢰도 95 %의 신뢰구간은? (단, $P(|Z|\le 2)=0.95$) [7점]

① $115\le m\le 125$ ② $116\le m\le 124$

③ $117\le m\le 123$ ④ $118\le m\le 122$

⑤ $119\le m\le 121$

9 정규분포 $N(m,\ \sigma^2)$을 따르는 모집단에서 크기가 36인 표본을 임의추출하여 모평균 m을 추정하려고 한다. 신뢰도 95 %로 추정하였더니 모평균 m에 대한 신뢰구간의 길이가 5.88이었다. 신뢰도 99 %로 추정하였을 때, 모평균 m에 대한 신뢰구간의 길이는?

(단, $P(|Z|\le 1.96)=0.95$, $P(|Z|\le 2.58)=0.99$) [7점]

① 6.12 ② 6.52 ③ 6.93

④ 7.33 ⑤ 7.74

10 표준편차가 5인 정규분포를 따르는 모집단에서 크기가 n인 표본을 임의추출하여 신뢰도 95 %로 모평균을 추정할 때, 신뢰구간의 길이가 4 이하가 되도록 하는 n의 최솟값은?

(단, $P(|Z|\le 2)=0.95$) [7점]

① 16 ② 25 ③ 36

④ 49 ⑤ 64

11 정규분포 $N(55,\ 4^2)$을 따르는 모집단에서 크기가 n인 표본을 임의추출할 때, 표본평균 $\overline{X}$는 정규분포 $N(m,\ 1)$을 따른다. 이때 $m+n$의 값을 구하시오. [10점]

〔풀이〕

12 어느 회사에서 생산하는 샴푸 한 개의 용량은 평균이 700 mL, 표준편차가 7 mL인 정규분포를 따른다고 한다. 이 회사에서 생산한 샴푸 중에서 n개를 임의추출하여 그 용량의 표본평균을 $\overline{X}$라고 할 때, 위의 표준정규분포표를 이용하여 $P(|\overline{X}-700|\le 1.4)\ge 0.95$를 만족하는 n의 최솟값을 구하시오. [10점]

z	$P(0\le Z\le z)$
1.84	0.467
1.96	0.475
2.08	0.481

〔풀이〕

13 정규분포 $N(m,\ \sigma^2)$을 따르는 모집단에서 크기가 n인 표본을 임의추출하여 모평균 m을 추정하려고 한다. 신뢰도 85 %로 추정하면 신뢰구간의 길이가 l이고, 신뢰도 a %로 추정하면 신뢰구간의 길이가 $\frac{3}{2}l$이라고 할 때, 위의 표준정규분포표를 이용하여 상수 a의 값을 구하시오. [10점]

z	$P(0\le Z\le z)$
1.44	0.425
1.68	0.454
1.92	0.473
2.16	0.485

〔풀이〕

표준정규분포표

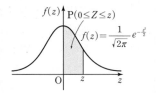

z	0.00	0.01	0.02	0.03	0.04	0.05	0.06	0.07	0.08	0.09
0.0	0.0000	0.0040	0.0080	0.0120	0.0160	0.0199	0.0239	0.0279	0.0319	0.0359
0.1	0.0398	0.0438	0.0478	0.0517	0.0557	0.0596	0.0636	0.0675	0.0714	0.0753
0.2	0.0793	0.0832	0.0871	0.0910	0.0948	0.0987	0.1026	0.1064	0.1103	0.1141
0.3	0.1179	0.1217	0.1255	0.1293	0.1331	0.1368	0.1406	0.1443	0.1480	0.1517
0.4	0.1554	0.1591	0.1628	0.1664	0.1700	0.1736	0.1772	0.1808	0.1844	0.1879
0.5	0.1915	0.1950	0.1985	0.2019	0.2054	0.2088	0.2123	0.2157	0.2190	0.2224
0.6	0.2257	0.2291	0.2324	0.2357	0.2389	0.2422	0.2454	0.2486	0.2517	0.2549
0.7	0.2580	0.2611	0.2642	0.2673	0.2704	0.2734	0.2764	0.2794	0.2823	0.2852
0.8	0.2881	0.2910	0.2939	0.2967	0.2995	0.3023	0.3051	0.3078	0.3106	0.3133
0.9	0.3159	0.3186	0.3212	0.3238	0.3264	0.3289	0.3315	0.3340	0.3365	0.3389
1.0	0.3413	0.3438	0.3461	0.3485	0.3508	0.3531	0.3554	0.3577	0.3599	0.3621
1.1	0.3643	0.3665	0.3686	0.3708	0.3729	0.3749	0.3770	0.3790	0.3810	0.3830
1.2	0.3849	0.3869	0.3888	0.3907	0.3925	0.3944	0.3962	0.3980	0.3997	0.4015
1.3	0.4032	0.4049	0.4066	0.4082	0.4099	0.4115	0.4131	0.4147	0.4162	0.4177
1.4	0.4192	0.4207	0.4222	0.4236	0.4251	0.4265	0.4279	0.4292	0.4306	0.4319
1.5	0.4332	0.4345	0.4357	0.4370	0.4382	0.4394	0.4406	0.4418	0.4429	0.4441
1.6	0.4452	0.4463	0.4474	0.4484	0.4495	0.4505	0.4515	0.4525	0.4535	0.4545
1.7	0.4554	0.4564	0.4573	0.4582	0.4591	0.4599	0.4608	0.4616	0.4625	0.4633
1.8	0.4641	0.4649	0.4656	0.4664	0.4671	0.4678	0.4686	0.4693	0.4699	0.4706
1.9	0.4713	0.4719	0.4726	0.4732	0.4738	0.4744	0.4750	0.4756	0.4761	0.4767
2.0	0.4772	0.4778	0.4783	0.4788	0.4793	0.4798	0.4803	0.4808	0.4812	0.4817
2.1	0.4821	0.4826	0.4830	0.4834	0.4838	0.4842	0.4846	0.4850	0.4854	0.4857
2.2	0.4861	0.4864	0.4868	0.4871	0.4875	0.4878	0.4881	0.4884	0.4887	0.4890
2.3	0.4893	0.4896	0.4898	0.4901	0.4904	0.4906	0.4909	0.4911	0.4913	0.4916
2.4	0.4918	0.4920	0.4922	0.4925	0.4927	0.4929	0.4931	0.4932	0.4934	0.4936
2.5	0.4938	0.4940	0.4941	0.4943	0.4945	0.4946	0.4948	0.4949	0.4951	0.4952
2.6	0.4953	0.4955	0.4956	0.4957	0.4959	0.4960	0.4961	0.4962	0.4963	0.4964
2.7	0.4965	0.4966	0.4967	0.4968	0.4969	0.4970	0.4971	0.4972	0.4973	0.4974
2.8	0.4974	0.4975	0.4976	0.4977	0.4977	0.4978	0.4979	0.4979	0.4980	0.4981
2.9	0.4981	0.4982	0.4982	0.4983	0.4984	0.4984	0.4985	0.4985	0.4986	0.4986
3.0	0.4987	0.4987	0.4987	0.4988	0.4988	0.4989	0.4989	0.4989	0.4990	0.4990
3.1	0.4990	0.4991	0.4991	0.4991	0.4992	0.4992	0.4992	0.4992	0.4993	0.4993
3.2	0.4993	0.4993	0.4994	0.4994	0.4994	0.4994	0.4994	0.4995	0.4995	0.4995
3.3	0.4995	0.4995	0.4995	0.4996	0.4996	0.4996	0.4996	0.4996	0.4996	0.4997
3.4	0.4997	0.4997	0.4997	0.4997	0.4997	0.4997	0.4997	0.4997	0.4997	0.4998

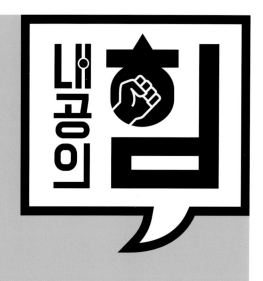

내공의 힘

심만 빠르게~ 단기간에

서신 공부의 힘을

운다

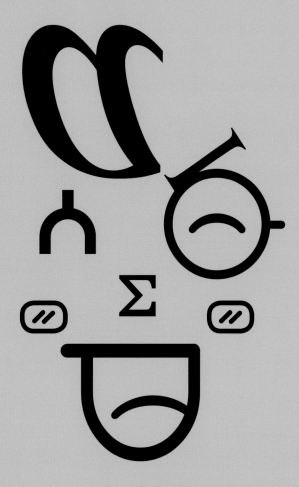

확률과
통계

📖 **책 속의 가점 별책** (특허 제 0557442호)

답과 해설'은 본책에서 쉽게 분리할 수 있도록 제작되었으므로

통 과정에서 분리될 수 있으나 파본이 아닌 정상제품입니다.

visang

우리는 남다른 상상과 혁신으로
교육 문화의 새로운 전형을 만들어
모든 이의 행복한 경험과 성장에 기여한다

ABOVE IMAGINATION

우리는 남다른 상상과 혁신으로
교육 문화의 새로운 전형을 만들어
모든 이의 행복한 경험과 성장에 기여한다

01강 원순열

확인 문제 p. 6

1 $(7-1)!=6!=720$

2 각 영역에 5가지 색을 칠하는 방법의 수는 5가지 색을 원형
으로 배열하는 원순열의 수와 같으므로
$(5-1)!=4!=24$

3 8명을 원형으로 배열하는 방법의 수는
$(8-1)!=7!=5040$
이때 정사각형 모양의 탁자에서는 원형으로 배열하는 한
가지 방법에 대하여 다음 그림과 같이 서로 다른 경우가 2
가지씩 있다.

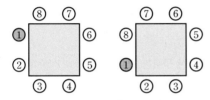

따라서 구하는 방법의 수는 $5040\times2=10080$

핵심 유형 + 실전 문제 p. 7

1 (1) 반장과 부반장을 한 명으로 생각하면 5명이 원탁에 둘
러앉는 경우의 수는 $(5-1)!=4!=24$
그 각각에 대하여 반장과 부반장이 서로 자리를 바꾸어
앉는 경우의 수는 $2!=2$
따라서 구하는 경우의 수
$24\times2=48$

(2) 반장의 자리를 고정시키면 부반장이 앉는 경우의 수는 1
나머지 4명이 앉는 경우의 수는 4명을 일렬로 배열하는
순열의 수와 같으므로 $4!=24$
따라서 구하는 경우의 수
$1\times24=24$

2 부모님을 한 명으로 생각하면 6명이 원탁에 둘러앉는 경우
의 수는 $(6-1)!=5!=120$
그 각각에 대하여 부모님이 서로 자리를 바꾸어 앉는 경우
의 수는 $2!=2$
$\therefore a=120\times2=240$
우진이와 부모님을 한 명으로 생각하면 5명이 원탁에 둘러
앉는 경우의 수는 $(5-1)!=4!=24$
그 각각에 대하여 부모님이 서로 자리를 바꾸어 앉는 경우
의 수는 $2!=2$

$\therefore b=24\times2=48$
$\therefore a+b=240+48=288$
따라서 구하는 값은 ④이다.

3 주어진 그림의 가운데 삼각형을 칠하는 방법의 수는   4
나머지 3개의 삼각형을 칠하는 방법의 수는 가운데 삼각형
에 칠한 색을 제외한 나머지 3가지 색을 원형으로 배열하는
원순열의 수와 같으므로
$(3-1)!=2!=2$
따라서 구하는 방법의 수는 $4\times2=8$

4 빨간색과 보라색을 하나로 생각하여 6가지 색을 칠하는 방
법의 수는 6가지 색을 원형으로 배열하는 원순열의 수와 같
으므로
$(6-1)!=5!=120$
이때 빨간색과 보라색의 칠해진 위치를 바꾸는 방법의 수는
$2!=2$
따라서 구하는 방법의 수는 $120\times2=240$

5 6명을 원형으로 배열하는 방법의 수는
$(6-1)!=5!=120$
이때 직사각형 모양의 탁자에서는 원형으로 배열하는 한
가지 방법에 대하여 다음 그림과 같이 서로 다른 경우가 3
가지씩 있다.

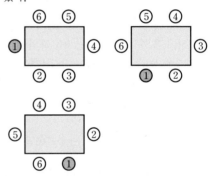

따라서 구하는 방법의 수는 $120\times3=360$

6 10명을 원형으로 배열하는 방법의 수는
$(10-1)!=9!$
이때 정오각형 모양의 탁자에서는 원형으로 배열하는 한
가지 방법에 대하여 다음 그림과 같이 서로 다른 경우가 2
가지씩 있다.

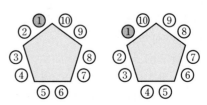

즉, 정오각형 모양의 탁자에 10명에 둘러앉는 방법의 수는
$9!\times2=8!\times18$
따라서 $a=18$이므로 구하는 값은 ③이다.

1 (1) $_3\Pi_2=3^2=9$

(2) $_2\Pi_4=2^4=16$

2 구하는 경우의 수는 서로 다른 3개 중에서 4개를 택하는 중복순열의 수와 같으므로

$_3\Pi_4=3^4=81$

3 $\dfrac{7!}{2!\times3!\times2!}=210$

4 오른쪽으로 한 칸 가는 것을 a, 위쪽으로 한 칸 가는 것을 b라고 하면 구하는 최단 경로의 수는 a, a, a, b, b를 일렬로 배열하는 경우의 수와 같으므로

$\dfrac{5!}{3!\times2!}=10$

실전 문제 p. 9

1 일의 자리에 올 수 있는 숫자는 0, 2로 2개이다.

만의 자리에 올 수 있는 숫자는 0을 제외한 3개이고, 나머지 세 자리에 올 수 있는 숫자는 각각 4개이다.

따라서 구하는 짝수의 개수는

$2\times3\times{}_4\Pi_3=2\times3\times4^3=384$

2 5개의 숫자 중에서 3개를 택하는 중복순열의 수는

$_5\Pi_3=5^3=125$

숫자 3을 제외한 4개의 숫자 중에서 3개를 택하는 중복순열의 수는 $_4\Pi_3=4^3=64$

따라서 구하는 자연수의 개수는

$125-64=61$

3 (1) 구하는 함수는 집합 Y의 원소 4개 중에서 중복을 허용하여 3개를 택하고, 그 원소를 집합 X의 원소에 각각 대응시키면 된다.

따라서 구하는 함수의 개수는 4개 중에서 3개를 택하는 중복순열의 수와 같으므로

$_4\Pi_3=4^3=64$

(2) 구하는 함수는 집합 Y의 원소 4개 중에서 서로 다른 3개를 택하여 집합 X의 원소에 각각 대응시키면 된다.

따라서 구하는 함수의 개수는 4개 중에서 3개를 택하는 순열의 수와 같으므로

$_4P_3=24$

4 X에서 Y로의 함수는 집합 Y의 원소 5개 중에서 중복을 허용하여 4개를 택하고, 그 원소를 집합 X의 원소에 각각 대응시키면 된다.

따라서 X에서 Y로의 함수의 개수는 5개 중에서 4개를 택하는 중복순열의 수와 같으므로

$m={}_5\Pi_4=5^4=625$

X에서 Y로의 일대일함수는 집합 Y의 원소 5개 중에서 서로 다른 4개를 택하여 집합 X의 원소에 각각 대응시키면 된다.

따라서 X에서 Y로의 일대일함수의 개수는 5개 중에서 4개를 택하는 순열의 수와 같으므로

$n={}_5P_4=120$

$\therefore m-n=625-120=505$

5 (1) 양 끝에 3을 배열하는 경우의 수는 1

나머지 자리에 1, 1, 2, 2, 4를 배열하는 경우의 수는

$\dfrac{5!}{2!\times2!}=30$

따라서 구하는 경우의 수는 $1\times30=30$

(2) 3개의 짝수 번째 자리에 2, 2, 4를 배열하는 경우의 수는

$\dfrac{3!}{2!}=3$

4개의 홀수 번째 자리에 1, 1, 3, 3을 배열하는 경우의 수는 $\dfrac{4!}{2!\times2!}=6$

따라서 구하는 경우의 수는 $3\times6=18$

6 3개의 E를 한 문자 e로 생각하면 구하는 경우의 수는 e, X, C, L, L, N, T를 일렬로 배열하는 경우의 수와 같으므로

$\dfrac{7!}{2!}=2520$

7 지점 A에서 지점 C까지 가는 최단 경로의 수는

$\dfrac{4!}{2!\times2!}=6$

지점 C에서 지점 B까지 가는 최단 경로의 수는

$\dfrac{3!}{2!}=3$

따라서 구하는 최단 경로의 수는 $6\times3=18$

8 지점 P에서 지점 Q까지 가는 최단 경로의 수는

$\dfrac{9!}{5!\times4!}=126$

지점 P에서 지점 R까지 가는 최단 경로의 수는

$\dfrac{5!}{3!\times2!}=10$

지점 R에서 지점 Q까지 가는 최단 경로의 수는

$\dfrac{4!}{2!\times2!}=6$

즉, 지점 P에서 지점 R를 거쳐 지점 Q까지 가는 최단 경로의 수는 $10\times6=60$

따라서 구하는 최단 경로의 수는 $126-60=66$

1 (1) $(5-1)!=4!=24$

(2) $(6-1)!=5!=120$

(3) 남학생 2명을 한 명으로 생각하면 6명이 원탁에 둘러앉는
경우의 수는 $(6-1)!=5!=120$

이때 남학생 2명이 서로 자리를 바꾸어 앉는 경우의 수는
$2!=2$

따라서 구하는 경우의 수는 $120\times2=240$

(4) 회장의 자리를 고정시키면 부회장이 서는 경우의 수는   1
나머지 6명이 서는 경우의 수는 6명을 일렬로 배열하는
순열의 수와 같으므로 $6!=720$

따라서 구하는 경우의 수는 $1\times720=720$

2 (1) 각 영역에 4가지 색을 칠하는 경우의 수는 4가지 색을
원형으로 배열하는 원순열의 수와 같으므로

$(4-1)!=3!=6$

(2) 각 영역에 6가지 색을 칠하는 경우의 수는 6가지 색을
원형으로 배열하는 원순열의 수와 같으므로

$(6-1)!=5!=120$

(3) 주어진 그림의 가운데 사각형을 칠하는 경우의 수는   5
나머지 4개의 삼각형을 칠하는 경우의 수는 가운데 사
각형에 칠한 색을 제외한 나머지 4가지 색을 원형으로
배열하는 원순열의 수와 같으므로

$(4-1)!=3!=6$

따라서 구하는 경우의 수는 $5\times6=30$

(4) 주어진 그림의 가운데 원을 칠하는 경우의 수는   7
나머지 6개의 영역을 칠하는 경우의 수는 가운데 원에
칠한 색을 제외한 나머지 6가지 색을 원형으로 배열하
는 원순열의 수와 같으므로

$(6-1)!=5!=120$

따라서 구하는 경우의 수는 $7\times120=840$

3 (1) 9명을 원형으로 배열하는 방법의 수는

$(9-1)!=8!$

이때 정삼각형 모양의 탁자에서는 원형으로 배열하는
한 가지 방법에 대하여 다음 그림과 같이 서로 다른 경
우가 3가지씩 있다.

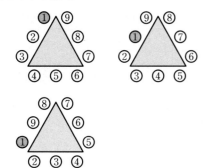

따라서 구하는 방법의 수는 $8!\times3$

(2) 12명을 원형으로 배열하는 방법의 수는 $(12-1)!=11!$
이때 정사각형 모양의 탁자에서는 원형으로 배열하는
한 가지 방법에 대하여 다음 그림과 같이 서로 다른 경
우가 3가지씩 있다.

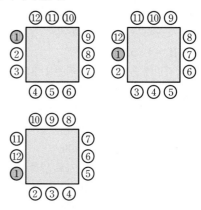

따라서 구하는 방법의 수는 $11!\times3$

(3) 15명을 원형으로 배열하는 방법의 수는

$(15-1)!=14!$

이때 정오각형 모양의 탁자에서는 원형으로 배열하는
한 가지 방법에 대하여 다음 그림과 같이 서로 다른 경
우가 3가지씩 있다.

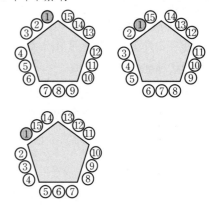

따라서 구하는 방법의 수는 $14!\times3$

(4) 12명을 원형으로 배열하는 방법의 수는

$(12-1)!=11!$

이때 정육각형 모양의 탁자에서는 원형으로 배열하는
한 가지 방법에 대하여 다음 그림과 같이 서로 다른 경
우가 2가지씩 있다.

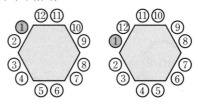

따라서 구하는 방법의 수는 $11!\times2$

4 (1) $_n\Pi_4=n^4=81=3^4$ $\therefore n=3$

(2) $_n\Pi_3=n^3=125=5^3$ $\therefore n=5$

(3) $_4\Pi_r=4^r=64=4^3$ $\therefore r=3$

(4) $_6\Pi_r=6^r=216=6^3$ $\therefore r=3$

5 (1) 백의 자리에 올 수 있는 숫자는 1, 2, 3, 4로 4개이다.
　나머지 두 자리에 올 수 있는 숫자는 각각 5개이다.
　따라서 구하는 자연수의 개수는　$4 \times {}_5\Pi_2 = 4 \times 5^2 = 100$

(2) 만의 자리에 올 수 있는 숫자는 1, 2, 3, 4로 4개이다.
　나머지 네 자리에 올 수 있는 숫자는 각각 5개이다.
　따라서 구하는 자연수의 개수는
　$4 \times {}_5\Pi_4 = 4 \times 5^4 = 2500$

(3) 일의 자리에 올 수 있는 숫자는 1, 3으로 2개이다.
　천의 자리에 올 수 있는 숫자는 1, 2, 3, 4로 4개이다.
　나머지 두 자리에 올 수 있는 숫자는 각각 5개이다.
　따라서 구하는 홀수의 개수는
　$2 \times 4 \times {}_5\Pi_2 = 2 \times 4 \times 5^2 = 200$

(4) 0, 1, 2, 3, 4의 5개의 숫자로 만들 수 있는 네 자리의
　자연수의 개수는　$4 \times {}_5\Pi_3 = 4 \times 5^3 = 500$
　4를 제외한 0, 1, 2, 3의 4개의 숫자로 만들 수 있는 네
　자리의 자연수의 개수는　$3 \times {}_4\Pi_3 = 3 \times 4^3 = 192$
　따라서 구하는 자연수의 개수는　$500 - 192 = 308$

6 (1) $\dfrac{6!}{2! \times 3!} = 60$

(2) $\dfrac{7!}{2! \times 3! \times 2!} = 210$

(3) 양 끝에 m을 배열하는 경우의 수는　1
　나머지 자리에 a, t, h, e, a ,t, i, c, s의 9개의 문자를
　일렬로 배열하는 경우의 수는　$\dfrac{9!}{2! \times 2!} = 90720$
　따라서 구하는 경우의 수는　$1 \times 90720 = 90720$

(4) o, o, a를 한 문자 X로 생각하면 6개의 문자 X, f, t, b,
　l, l을 일렬로 배열하는 경우의 수는　$\dfrac{6!}{2!} = 360$
　o, o, a를 일렬로 배열하는 경우의 수는　$\dfrac{3!}{2!} = 3$
　따라서 구하는 경우의 수는　$360 \times 3 = 1080$

7 (1) $\dfrac{6!}{4! \times 2!} = 15$　(2) $\dfrac{6!}{3! \times 3!} = 20$

(3) $\dfrac{8!}{3! \times 5!} = 56$　(4) $\dfrac{10!}{6! \times 4!} = 210$

01~02강 족집게 **기출문제**　p. 12~15

1 96	2 ②	3 ①	4 144	5 ⑤
6 ④	7 ⑤	8 ③	9 192	10 ④
11 ④	12 ⑤	13 ②	14 ②	15 ①
16 ③	17 ②	18 18	19 ④	20 66
21 ③	22 ③	23 228	24 84	
25 (1) 3^n (2) 360		26 64번째	27 600	

1 같은 운동부 학생을 각각 한 사람으로 생각하면 4명이 원탁
에 둘러앉는 방법의 수는　$(4-1)! = 3! = 6$
그 각각에 대하여 같은 운동부 학생끼리 서로 자리를 바꾸
어 앉는 방법의 수는 각각　$2! = 2$
따라서 구하는 방법의 수는　$6 \times 2 \times 2 \times 2 = 96$

2 남학생 3명이 원탁에 둘러앉는 방법의 수는
$(3-1)! = 2! = 2$
여학생 3명이 남학생 사이사이의 3개의 자리에 앉는 방법
의 수는　$3! = 6$
따라서 구하는 방법의 수는　$2 \times 6 = 12$

3 아이 5명이 원탁에 둘러앉는 방법의 수는
$(5-1)! = 4! = 24$
어른 3명이 아이 사이사이의 5개의 자리에 앉는 방법의 수는
${}_5P_3 = 60$
따라서 구하는 방법의 수는　$24 \times 60 = 1440$

4 정오각뿔의 밑면을 칠하는 방법의 수는　6
밑면에 칠한 색을 제외한 5가지 색을 사용하여 옆면 5개를
칠하는 방법의 수는 5가지 색을 원형으로 배열하는 원순열
의 수와 같으므로　$(5-1)! = 4! = 24$
따라서 구하는 방법의 수는　$6 \times 24 = 144$

5 작은 원의 안쪽 4개의 영역을 칠하는 4가지 색을 고르는 방
법의 수는　${}_8C_4 = 70$
고른 4가지 색으로 작은 원의 안쪽 4개의 영역을 칠하는 방
법의 수는　$(4-1)! = 3! = 6$
남은 4가지 색으로 나머지 4개의 영역을 칠하는 방법의 수는
$4! = 24$
따라서 구하는 방법의 수는　$70 \times 6 \times 24 = 10080$

6 10명을 원형으로 배열하는 방법의 수는　$(10-1)! = 9!$
이때 직사각형 모양의 탁자에서는 원형으로 배열하는 한
가지 방법에 대하여 다음 그림과 같이 서로 다른 경우가 5
가지씩 있다.

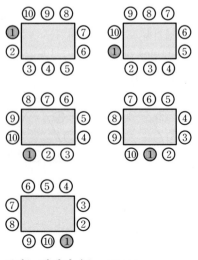

따라서 구하는 방법의 수는　$9! \times 5$

7 구하는 방법의 수는 서로 다른 3개 중에서 4개를 택하는 중복순열의 수와 같으므로 $_3\Pi_4=3^4=81$

8 깃발을 1번, 2번, 3번 들어 올려서 만들 수 있는 신호의 개수는 각각
$_3\Pi_1=3,\ _3\Pi_2=3^2=9,\ _3\Pi_3=3^3=27$
따라서 만들 수 있는 서로 다른 신호의 개수는
$3+9+27=39$

9 4의 배수가 되려면 다섯 자리의 자연수의 끝의 두 자리의 수가 00 또는 4의 배수이어야 하므로 그 경우는
□□□00, □□□12, □□□20, □□□32
의 4가지
그 각각에 대하여 만의 자리에 올 수 있는 숫자는 0을 제외한 3개, 나머지 자리에 올 수 있는 숫자는 각각 4개이므로
$3\times _4\Pi_2=3\times 4^2=48$
따라서 4의 배수의 개수는 $4\times 48=192$

10 학생 4명이 서로 다른 4인용 텐트 5개 중에서 각각 텐트를 한 개씩 택하는 경우의 수는 서로 다른 5개 중에서 4개를 택하는 중복순열의 수와 같으므로 $_5\Pi_4=5^4=625$
이때 학생 4명이 모두 다른 텐트를 택하는 경우의 수는
$_5P_4=120$
따라서 구하는 경우의 수 $625-120=505$

11 a를 두 번 연속하여 나열하는 경우는
$aabb,\ baab,\ bbaa,\ aacc,\ caac,\ ccaa,\ aabc,\ baac,$
$bcaa,\ aacb,\ caab,\ cbaa,\ aaba,\ abaa,\ aaca,\ acaa$
의 16가지
a를 세 번 연속하여 나열하는 경우는
$aaab,\ baaa,\ aaac,\ caaa$의 4가지
a를 네 번 연속하여 나열하는 경우는
$aaaa$의 1가지
따라서 구하는 경우의 수는
$_3\Pi_4-(16+4+1)=3^4-21=60$

12 만들 수 있는 한 자리의 자연수의 개수는 $_4\Pi_1=4$
만들 수 있는 두 자리의 자연수의 개수는 $_4\Pi_2=4^2=16$
만들 수 있는 세 자리의 자연수의 개수는 $_4\Pi_3=4^3=64$
따라서 $4+16+64=84$이므로 90번째 수는
1111, 1112, 1113, 1114, 1121, 1122, 1123, …
에서 1122이다.

13 $f(3)=b$이므로 구하는 함수는 집합 Y의 원소 3개 중에서 중복을 허용하여 4개를 택하고, 그 원소를 집합 X의 원소 1, 2, 4, 5에 각각 대응시키면 된다.
따라서 구하는 함수의 개수는 $_3\Pi_4=3^4=81$

14 7개의 문자 A, A, B, B, B, C, D를 일렬로 배열하는 경우의 수는
$\dfrac{7!}{2!\times 3!}=420$
C, D를 한 문자로 생각하여 6개의 문자를 일렬로 배열하는 경우의 수는
$\dfrac{6!}{2!\times 3!}=60$
그 각각에 대하여 C, D의 자리를 서로 바꾸어 배열하는 경우의 수는
$2!=2$
즉, C, D가 이웃하도록 배열하는 경우의 수는
$60\times 2=120$
따라서 구하는 경우의 수는
$420-120=300$

15 5의 배수가 되려면 일의 자리의 숫자가 5이어야 한다.
나머지 자리에 올 수 있는 숫자를 택하는 경우의 수는 5를 제외한 5개의 숫자 1, 1, 1, 2, 2 중에서 3개를 택하는 경우의 수와 같다.
(ⅰ) 1, 1, 1을 택하는 경우
  1, 1, 1을 나머지 자리에 배열하는 경우의 수는   1
(ⅱ) 1, 1, 2를 택하는 경우
  1, 1, 2를 나머지 자리에 배열하는 경우의 수는
  $\dfrac{3!}{2!}=3$
(ⅲ) 1, 2, 2를 택하는 경우
  1, 2, 2를 나머지 자리에 배열하는 경우의 수는
  $\dfrac{3!}{2!}=3$
(ⅰ), (ⅱ), (ⅲ)에 의하여 구하는 5의 배수의 개수는
$1+3+3=7$

16 양 끝에 r를 놓는 경우의 수가 1이고, 나머지 자리에 i, n, t, e, p, e, t를 배열하는 경우의 수가 $\dfrac{7!}{2!\times 2!}=1260$이므로 구하는 경우의 수는
$1\times 1260=1260$

17 3개의 문자 D, A, M을 모두 x로, 2개의 문자 E, R를 모두 y로 생각하면 5개의 문자 $x,\ x,\ x,\ y,\ y$를 일렬로 배열한 후 첫 번째 x는 D, 두 번째 x는 A, 세 번째 x는 M으로 바꾸고 첫 번째 y는 E, 두 번째 y는 R로 바꾸면 된다.
따라서 구하는 방법의 수는
$\dfrac{5!}{3!\times 2!}=10$

18 4개의 문자를 택하는 방법은

A, A, B, C 또는 A, B, B, C 또는 A, B, C, C

로 3가지가 있다.

A, A, B, C를 일렬로 배열하는 방법의 수는

$$\frac{4!}{2!}=12$$

이때 두 문자 A, A를 한 문자로 생각하면 A, A를 이웃하게 배열하는 방법의 수는 3개의 문자를 일렬로 배열하는 방법의 수와 같으므로 $3!=6$

즉, 두 문자 A, A를 이웃하지 않게 배열하는 방법의 수는

$$12-6=6$$

같은 방법으로 A, B, B, C 또는 A, B, C, C를 택하여 같은 문자끼리 이웃하지 않게 배열하는 방법의 수는 각각   6

따라서 구하는 방법의 수는 $3\times6=18$

19 오른쪽 그림과 같이 두 지점 P, Q를 잡으면 지점 A에서 지점 B까지 가는 최단 경로의 수는 다음과 같이 나누어 생각할 수 있다.

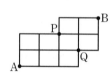

(i) A → P → B인 경우

$$\frac{4!}{2!\times2!}\times\frac{3!}{2!}=18$$

(ii) A → Q → B인 경우

$$\frac{4!}{3!}\times\frac{3!}{2!}=12$$

(i), (ii)에 의하여 구하는 최단 경로의 수는

$$18+12=30$$

20 오른쪽 그림과 같이 네 지점 P, Q, R, S를 잡으면 지점 A에서 지점 B까지 가는 최단 경로의 수는 다음과 같이 나누어 생각할 수 있다.

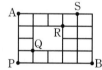

(i) A → P → B인 경우

$$1\times1=1$$

(ii) A → Q → B인 경우

$$\frac{4!}{3!}\times\frac{5!}{4!}=20$$

(iii) A → R → B인 경우

$$\frac{4!}{3!}\times\frac{5!}{2!\times3!}=40$$

(iv) A → S → B인 경우

$$1\times\frac{5!}{4!}=5$$

(i)~(iv)에 의하여 구하는 최단 경로의 수는

$$1+20+40+5=66$$

다른 풀이

오른쪽 그림과 같이 지점 C를 잡으면 지점 A에서 지점 B까지 가는 최단 경로의 수는

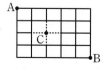

$$\frac{9!}{5!\times4!}=126$$

지점 A에서 지점 C를 거쳐 지점 B까지 가는 최단 경로의 수는

$$\frac{4!}{2!\times2!}\times\frac{5!}{3!\times2!}=60$$

따라서 구하는 최단 경로의 수는 $126-60=66$

21 가로 방향으로 한 칸 가는 것을 a, 세로 방향으로 한 칸 가는 것을 b, 아래쪽으로 한 칸 가는 것을 c라고 하자.

꼭짓점 A에서 꼭짓점 B까지 가는 최단 경로의 수는 5개의 a, 2개의 b, 4개의 c를 일렬로 배열하는 경우의 수와 같으므로

$$\frac{11!}{5!\times2!\times4!}=6930$$

꼭짓점 A에서 꼭짓점 C까지 가는 최단 경로의 수는 2개의 a, 2개의 b를 일렬로 배열하는 경우의 수와 같으므로

$$\frac{4!}{2!\times2!}=6$$

꼭짓점 C에서 꼭짓점 D까지 가는 최단 경로의 수는   1

꼭짓점 D에서 꼭짓점 B까지 가는 최단 경로의 수는 2개의 a, 4개의 c를 일렬로 배열하는 경우의 수와 같으므로

$$\frac{6!}{2!\times4!}=15$$

즉, 꼭짓점 A에서 모서리 CD를 거쳐 꼭짓점 B까지 가는 최단 경로의 수는

$$6\times1\times15=90$$

따라서 구하는 최단 경로의 수는

$$6930-90=6840$$

22 가운데 정사각형을 칠하는 방법의 수는   9

나머지 8가지 색을 사용하여 나머지 8개의 정사각형을 칠하는 방법의 수는 8개를 일렬로 배열하는 방법의 수와 같으므로 $8!$

이때 주어진 도형에서 8개의 정사각형을 칠하는 한 가지 방법에 대하여 다음과 같이 서로 같은 경우가 4가지씩 있다.

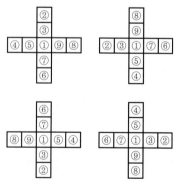

따라서 구하는 방법의 수는

$$9\times\frac{8!}{4}=18\times7!$$

23 공 5개를 서로 다른 가방 3개에 넣는 방법의 수는 서로 다른 3개 중에서 5개를 택하는 중복순열의 수와 같으므로

$$_3\Pi_5=3^5=243$$

어느 한 가방에 넣은 공에 적힌 수의 합이 24보다 크려면 6, 8, 10이 각각 적힌 공을 포함하여 4개 이상의 공이 들어 있어야 하고, 그 경우의 수는 다음과 같이 나누어 생각할 수 있다.

(i) 어느 한 가방에 넣은 공이 4개인 경우
  어느 한 가방에 넣은 공에 적힌 수가 2, 6, 8, 10이면 나머지 2개의 가방 중에서 한 가방에 넣은 공에 적힌 수는 4이고, 나머지 한 가방은 빈 가방이므로 그 경우의 수는
$$3! = 6$$
  또 어느 한 가방에 넣은 공에 적힌 수가 4, 6, 8, 10이면 나머지 2개의 가방 중에서 한 가방에 넣은 공에 적힌 수는 2이고, 나머지 한 가방은 빈 가방이므로 그 경우의 수는
$$3! = 6$$

(ii) 어느 한 가방에 넣은 공이 5개인 경우
  어느 한 가방에 넣은 공에 적힌 수가 2, 4, 6, 8, 10이면 나머지 2개의 가방은 빈 가방이므로 그 경우의 수는
$$\frac{3!}{2!} = 3$$

(i), (ii)에 의하여 어느 한 가방에 넣은 공에 적힌 수의 합이 24보다 큰 경우의 수는
$$6 + 6 + 3 = 15$$
따라서 구하는 방법의 수는
$$243 - 15 = 228$$

24 오른쪽 그림과 같이 네 꼭짓점 P, Q, R, S를 잡으면 꼭짓점 A에서 꼭짓점 B까지 가는 최단 경로의 수는 다음과 같이 나누어 생각할 수 있다.

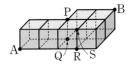

(i) A → P → B인 경우: $\dfrac{4!}{2!} \times \dfrac{3!}{2!} = 36$

(ii) A → Q → B인 경우: $\dfrac{3!}{2!} \times \dfrac{4!}{2!} = 36$

(iii) A → Q → P → B인 경우: $\dfrac{3!}{2!} \times 1 \times \dfrac{3!}{2!} = 9$

(i), (ii), (iii)에 의하여 꼭짓점 A에서 꼭짓점 P 또는 꼭짓점 Q를 거쳐 꼭짓점 B까지 가는 최단 경로의 수는
$$36 + 36 - 9 = 63 \quad \cdots\cdots \text{㉠}$$

(iv) A → R → B인 경우: $1 \times \dfrac{4!}{2!} = 12$

(v) A → S → B인 경우: $\dfrac{4!}{3!} \times \dfrac{3!}{2!} = 12$

(vi) A → R → S → B인 경우: $1 \times 1 \times \dfrac{3!}{2!} = 3$

(iv), (v), (vi)에 의하여 꼭짓점 A에서 꼭짓점 R 또는 꼭짓점 S를 거쳐 꼭짓점 B까지 가는 최단 경로의 수는
$$12 + 12 - 3 = 21 \quad \cdots\cdots \text{㉡}$$

따라서 ㉠, ㉡에 의하여 구하는 최단 경로의 수는
$$63 + 21 = 84$$

25 (1) 3종류의 도형 중 n개를 택하여 만들 수 있는 신호의 개수는
$${}_3\Pi_n = 3^n \quad \cdots\cdots \text{㈎}$$

(2) 3종류의 도형 중 2개 이상 5개 이하를 택하여 만들 수 있는 신호의 개수는
$$3^2 + 3^3 + 3^4 + 3^5 = 360 \quad \cdots\cdots \text{㈏}$$

채점 기준	배점
㈎ 중복순열을 이용하여 만들 수 있는 신호의 개수를 구한다.	3점
㈏ 도형을 2개 이상 5개 이하로 택하여 만들 수 있는 신호의 개수를 구한다.	3점

26 만들 수 있는 한 자리의 자연수의 개수는
$$3 \quad \cdots\cdots \text{㈎}$$
만들 수 있는 두 자리의 자연수의 개수는
$$3 \times {}_4\Pi_1 = 3 \times 4 = 12 \quad \cdots\cdots \text{㈏}$$
만들 수 있는 세 자리의 자연수의 개수는
$$3 \times {}_4\Pi_2 = 3 \times 4^2 = 48 \quad \cdots\cdots \text{㈐}$$
즉, 2000보다 작은 자연수의 개수는
$$3 + 12 + 48 = 63$$
따라서 2000은 64번째 수이다. $\quad \cdots\cdots \text{㈑}$

채점 기준	배점
㈎ 만들 수 있는 한 자리의 자연수의 개수를 구한다.	1점
㈏ 만들 수 있는 두 자리의 자연수의 개수를 구한다.	2점
㈐ 만들 수 있는 세 자리의 자연수의 개수를 구한다.	2점
㈑ 2000은 몇 번째 수인지 구한다.	2점

27 두 문자 a, a를 한 문자 A로 생각하면 a, a가 이웃하도록 배열하는 방법의 수는 6개의 문자 A, b, c, c, d, e를 일렬로 배열하는 방법의 수와 같으므로
$$\frac{6!}{2!} = 360 \quad \cdots\cdots \text{㈎}$$
두 문자 c, c를 한 문자 C로 생각하면 c, c가 이웃하도록 배열하는 방법의 수는 6개의 문자 a, a, b, C, d, e를 일렬로 배열하는 방법의 수와 같으므로
$$\frac{6!}{2!} = 360 \quad \cdots\cdots \text{㈏}$$
이때 문자 a는 a끼리, 문자 c는 c끼리 이웃하도록 배열하는 방법의 수는 5개의 문자 A, b, C, d, e를 일렬로 배열하는 방법의 수와 같으므로
$$5! = 120 \quad \cdots\cdots \text{㈐}$$
따라서 구하는 방법의 수는
$$360 + 360 - 120 = 600 \quad \cdots\cdots \text{㈑}$$

채점 기준	배점
㈎ 문자 a끼리 이웃하도록 배열하는 방법의 수를 구한다.	2점
㈏ 문자 c끼리 이웃하도록 배열하는 방법의 수를 구한다.	2점
㈐ 문자 a는 a끼리, 문자 c는 c끼리 이웃하도록 배열하는 방법의 수를 구한다.	2점
㈑ 같은 문자는 적어도 한 쌍이 이웃하도록 배열하는 방법의 수를 구한다.	1점

확인 문제　p. 16

1 (1) $_6H_2=_{6+2-1}C_2$
$=_7C_2=21$

(2) $_2H_8=_{2+8-1}C_8$
$=_9C_8=_9C_1=9$

2 구하는 경우의 수는 서로 다른 5개에서 5개를 택하는 중복조합의 수와 같으므로
$_5H_5=_{5+5-1}C_5$
$=_9C_5=_9C_4=126$

3 (1) 구하는 해의 개수는 3개의 문자 x, y, z에서 8개를 택하는 중복조합의 수와 같으므로
$_3H_8=_{3+8-1}C_8=_{10}C_8=_{10}C_2=45$

(2) x, y, z가 양의 정수일 때, $X=x-1$, $Y=y-1$, $Z=z-1$로 놓으면 X, Y, Z는 음이 아닌 정수이다.
이때 $x=X+1$, $y=Y+1$, $z=Z+1$을 방정식 $x+y+z=8$에 대입하면
$(X+1)+(Y+1)+(Z+1)=8$
$\therefore X+Y+Z=5$ ...... ㉠
따라서 구하는 양의 정수해의 개수는 방정식 ㉠의 음이 아닌 정수해의 개수와 같으므로 3개의 문자 X, Y, Z에서 5개를 택하는 중복조합의 수와 같다.
$\therefore {}_3H_5=_{3+5-1}C_5=_7C_5=_7C_2=21$

핵심+유형 실전 문제 <small>교/과/서/속</small>　p. 17

1 구하는 경우의 수는 서로 다른 3개에서 6개를 택하는 중복조합의 수와 같으므로
$_3H_6=_{3+6-1}C_6=_8C_6=_8C_2=28$

2 구하는 경우의 수는 서로 다른 8개에서 4개를 택하는 중복조합의 수와 같으므로
$_8H_4=_{8+4-1}C_4=_{11}C_4=330$
따라서 구하는 경우의 수는 ④이다.

3 먼저 4명의 학생에게 볼펜을 한 자루씩 나누어 주고, 나머지 볼펜 6자루를 4명의 학생에게 나누어 주면 된다.
따라서 구하는 경우의 수는 서로 다른 4개에서 6개를 택하는 중복조합의 수와 같으므로
$_4H_6=_{4+6-1}C_6=_9C_6=_9C_3=84$

4 먼저 빨간 공, 노란 공, 파란 공을 각각 1개씩 꺼내고, 나머지 4개의 공을 꺼내면 된다.
따라서 구하는 경우의 수는 서로 다른 3개에서 4개를 택하는 중복조합의 수와 같으므로
$_3H_4=_{3+4-1}C_4=_6C_4=_6C_2=15$

5 $(x+y+z)^5$의 전개식에서 서로 다른 항의 개수는 3개의 문자 x, y, z에서 5개를 택하는 중복조합의 수와 같으므로
$_3H_5=_{3+5-1}C_5=_7C_5=_7C_2=21$

6 $(a+b)^3$의 전개식에서 서로 다른 항의 개수는 2개의 문자 a, b에서 3개를 택하는 중복조합의 수와 같으므로
$_2H_3=_{2+3-1}C_3=_4C_3=_4C_1=4$
$(x+y+z)^4$의 전개식에서 서로 다른 항의 개수는 3개의 문자 x, y, z에서 4개를 택하는 중복조합의 수와 같으므로
$_3H_4=_{3+4-1}C_4=_6C_4=_6C_2=15$
따라서 구하는 항의 개수는
$4\times15=60$

7 (1) 구하는 해의 개수는 4개의 문자 x, y, z, w에서 15개를 택하는 중복조합의 수와 같으므로
$_4H_{15}=_{4+15-1}C_{15}=_{18}C_{15}=_{18}C_3=816$

(2) x, y, z, w가 양의 정수일 때, $X=x-1$, $Y=y-1$, $Z=z-1$, $W=w-1$로 놓으면 X, Y, Z, W는 음이 아닌 정수이다.
이때 $x=X+1$, $y=Y+1$, $z=Z+1$, $w=W+1$을 방정식 $x+y+z+w=15$에 대입하면
$(X+1)+(Y+1)+(Z+1)+(W+1)=15$
$\therefore X+Y+Z+W=11$ ...... ㉠
따라서 구하는 양의 정수해의 개수는 방정식 ㉠의 음이 아닌 정수해의 개수와 같으므로 4개의 문자 X, Y, Z, W에서 11개를 택하는 중복조합의 수와 같다.
$\therefore {}_4H_{11}=_{4+11-1}C_{11}=_{14}C_{11}=_{14}C_3=364$

8 a의 값은 3개의 문자 x, y, z에서 10개를 택하는 중복조합의 수와 같으므로
$a=_3H_{10}=_{3+10-1}C_{10}=_{12}C_{10}=_{12}C_2=66$
한편 x, y, z가 자연수일 때, $X=x-1$, $Y=y-1$, $Z=z-1$로 놓으면 X, Y, Z는 음이 아닌 정수이다.
이때 $x=X+1$, $y=Y+1$, $z=Z+1$을 방정식 $x+y+z=10$에 대입하면
$(X+1)+(Y+1)+(Z+1)=10$
$\therefore X+Y+Z=7$ ...... ㉠
따라서 b의 값은 방정식 ㉠의 음이 아닌 정수해의 개수와 같으므로 3개의 문자 X, Y, Z에서 7개를 택하는 중복조합의 수와 같다.
$\therefore b=_3H_7=_{3+7-1}C_7=_9C_7=_9C_2=36$
$\therefore a+b=66+36=102$

$0\textbf{4}_{\text{강}}$ 이항정리

확인 문제 p. 18

1 (1) $(2a+b)^5={}_5C_0(2a)^5+{}_5C_1(2a)^4b+{}_5C_2(2a)^3b^2$
$\qquad\qquad\qquad +{}_5C_3(2a)^2b^3+{}_5C_4(2a)b^4+{}_5C_5b^5$
$\qquad\quad =32a^5+80a^4b+80a^3b^2+40a^2b^3+10ab^4+b^5$

(2) $(x-3y)^4={}_4C_0x^4+{}_4C_1x^3(-3y)+{}_4C_2x^2(-3y)^2$
$\qquad\qquad\qquad +{}_4C_3x(-3y)^3+{}_4C_4(-3y)^4$
$\qquad\quad =x^4-12x^3y+54x^2y^2-108xy^3+81y^4$

2
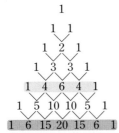

```
              1
            1   1
          1   2   1
        1   3   3   1
      1   4   6   4   1
    1   5  10  10   5   1
  1   6  15  20  15   6   1
```

(1) $(x+y)^4=x^4+4x^3y+6x^2y^2+4xy^3+y^4$

(2) $(a-b)^6$
$\quad =a^6-6a^5b+15a^4b^2-20a^3b^3+15a^2b^4-6ab^5+b^6$

교/과/서/속 핵심유형+ 실전 문제 p. 19

1 (1) $(3x+2y)^7$의 전개식의 일반항은
$\qquad {}_7C_r(3x)^{7-r}(2y)^r={}_7C_r3^{7-r}2^rx^{7-r}y^r$
$\qquad xy^6$항은 $7-r=1$, $r=6$일 때이므로 $r=6$
$\qquad$ 따라서 xy^6의 계수는 ${}_7C_6\times3\times2^6=1344$

(2) $\left(x-\dfrac{3}{x^3}\right)^4$의 전개식의 일반항은
$\qquad {}_4C_rx^{4-r}\left(-\dfrac{3}{x^3}\right)^r={}_4C_r(-3)^r\dfrac{x^{4-r}}{x^{3r}}$
$\qquad$ 상수항은 $4-r=3r$일 때이므로 $r=1$
$\qquad$ 따라서 상수항은 ${}_4C_1\times(-3)=-12$

2 $(4x-y)^5$의 전개식의 일반항은
$\quad {}_5C_r(4x)^{5-r}(-y)^r={}_5C_r4^{5-r}(-1)^rx^{5-r}y^r$
$\quad x^2y^3$항은 $5-r=2$, $r=3$일 때이므로 $r=3$
$\quad \therefore a={}_5C_3\times4^2\times(-1)^3=-160$
$\quad \left(x^2+\dfrac{5}{x}\right)^6$의 전개식의 일반항은
$\quad {}_6C_r(x^2)^{6-r}\left(\dfrac{5}{x}\right)^r={}_6C_r5^r\dfrac{x^{12-2r}}{x^r}$
$\quad x^9$항은 $(12-2r)-r=9$일 때이므로 $r=1$
$\quad \therefore b={}_6C_1\times5=30$
$\quad \therefore b-a=30-(-160)=190$

3 (1) $(x+1)^3$의 전개식의 일반항은 ${}_3C_rx^{3-r}$
$\qquad (x+2)^5$의 전개식의 일반항은 ${}_5C_sx^{5-s}2^s$
$\qquad$ 따라서 $(x+1)^3(x+2)^5$의 전개식의 일반항은
$\qquad {}_3C_rx^{3-r}\times{}_5C_sx^{5-s}2^s={}_3C_r{}_5C_s2^sx^{8-r-s}$ …… ㉠
$\qquad x^2$항은 $8-r-s=2$, 즉 $r+s=6$
$\qquad (0\le r\le3,\ 0\le s\le5$인 정수$)$일 때이므로
$\qquad$ (ⅰ) $r=1$, $s=5$인 경우
$\qquad\qquad$ ㉠에서 ${}_3C_1\times{}_5C_5\times2^5=96$
$\qquad$ (ⅱ) $r=2$, $s=4$인 경우
$\qquad\qquad$ ㉠에서 ${}_3C_2\times{}_5C_4\times2^4=240$
$\qquad$ (ⅲ) $r=3$, $s=3$인 경우
$\qquad\qquad$ ㉠에서 ${}_3C_3\times{}_5C_3\times2^3=80$
$\qquad$ (ⅰ), (ⅱ), (ⅲ)에 의하여 x^2의 계수는
$\qquad 96+240+80=416$

(2) $\left(x-\dfrac{1}{x}\right)^4$의 전개식의 일반항은
$\qquad {}_4C_rx^{4-r}\left(-\dfrac{1}{x}\right)^r={}_4C_r(-1)^r\dfrac{x^{4-r}}{x^r}$ …… ㉠
$\qquad (x^2+1)\left(x-\dfrac{1}{x}\right)^4$의 전개식에서 상수항은 x^2과 ㉠의
$\qquad \dfrac{1}{x^2}$항, 1과 ㉠의 상수항이 곱해질 때 나타난다.
$\qquad$ (ⅰ) ㉠에서 $\dfrac{1}{x^2}$항은 $r-(4-r)=2$, 즉 $r=3$일 때이므로
$\qquad\qquad {}_4C_3\times(-1)^3\times\dfrac{1}{x^2}=-\dfrac{4}{x^2}$
$\qquad$ (ⅱ) ㉠에서 상수항은 $4-r=r$, 즉 $r=2$일 때이므로
$\qquad\qquad {}_4C_2\times(-1)^2=6$
$\qquad$ (ⅰ), (ⅱ)에 의하여 상수항은
$\qquad\qquad x^2\times\left(-\dfrac{4}{x^2}\right)+1\times6=2$

4 $(x-1)^4$의 전개식의 일반항은
$\quad {}_4C_rx^{4-r}(-1)^r={}_4C_r(-1)^rx^{4-r}$
$\quad (2x+1)^3$의 전개식의 일반항은
$\quad {}_3C_s(2x)^{3-s}1^s={}_3C_s2^{3-s}x^{3-s}$
$\quad$ 따라서 $(x-1)^4(2x+1)^3$의 전개식의 일반항은
$\quad {}_4C_r(-1)^rx^{4-r}\times{}_3C_s2^{3-s}x^{3-s}$
$\quad ={}_4C_r{}_3C_s(-1)^r2^{3-s}x^{7-r-s}$ …… ㉠
$\quad x^5$항은 $7-r-s=5$, 즉 $r+s=2$
$\quad (0\le r\le4,\ 0\le s\le3$인 정수$)$일 때이므로
$\quad$ (ⅰ) $r=0$, $s=2$인 경우
$\qquad$ ㉠에서 ${}_4C_0\times{}_3C_2\times2=6$
$\quad$ (ⅱ) $r=1$, $s=1$인 경우
$\qquad$ ㉠에서 ${}_4C_1\times{}_3C_1\times(-1)\times2^2=-48$
$\quad$ (ⅲ) $r=2$, $s=0$인 경우
$\qquad$ ㉠에서 ${}_4C_2\times{}_3C_0\times(-1)^2\times2^3=48$
$\quad$ (ⅰ), (ⅱ), (ⅲ)에 의하여 x^5의 계수는
$\quad 6+(-48)+48=6$
$\quad$ 따라서 x^5의 계수는 ②이다.

5 $_2C_2+_3C_2+_4C_2+\cdots+_8C_2$

$=_3C_3+_3C_2+_4C_2+_5C_2+_6C_2+_7C_2+_8C_2$

$=_4C_3+_4C_2+_5C_2+_6C_2+_7C_2+_8C_2$

$=_5C_3+_5C_2+_6C_2+_7C_2+_8C_2$

$=_6C_3+_6C_2+_7C_2+_8C_2$

$=_7C_3+_7C_2+_8C_2$

$=_8C_3+_8C_2=_9C_3=84$

6 $_2C_0+_3C_1+_4C_2+\cdots+_9C_7$

$=_3C_0+_3C_1+_4C_2+_5C_3+_6C_4+_7C_5+_8C_6+_9C_7$

$=_4C_1+_4C_2+_5C_3+_6C_4+_7C_5+_8C_6+_9C_7$

$=_5C_2+_5C_3+_6C_4+_7C_5+_8C_6+_9C_7$

$=_6C_3+_6C_4+_7C_5+_8C_6+_9C_7$

$=_7C_4+_7C_5+_8C_6+_9C_7$

$=_8C_5+_8C_6+_9C_7$

$=_9C_6+_9C_7=_{10}C_7$

따라서 구하는 것은 ⑤이다.

7 (1) $_nC_0+_nC_1+_nC_2+\cdots+_nC_n=2^n$이므로

$_{10}C_0+_{10}C_1+_{10}C_2+\cdots+_{10}C_{10}$

$=2^{10}=1024$

(2) $_nC_0+_nC_2+_nC_4+\cdots=2^{n-1}$이므로

$_{11}C_0+_{11}C_2+_{11}C_4+\cdots+_{11}C_{10}$

$=2^{11-1}=2^{10}=1024$

(3) $_nC_0-_nC_1+_nC_2-\cdots+(-1)^n{}_nC_n=0$이므로

$_{15}C_0-_{15}C_1+_{15}C_2-_{15}C_3+_{15}C_4-\cdots+_{15}C_{14}-_{15}C_{15}=0$

$\therefore {}_{15}C_1-_{15}C_2+_{15}C_3-_{15}C_4+\cdots-_{15}C_{14}$

$=_{15}C_0-_{15}C_{15}=1-1=0$

8 $_nC_0+_nC_1+_nC_2+\cdots+_nC_n=2^n$이므로

$_nC_1+_nC_2+\cdots+_nC_n=2^n-_nC_0=2^n-1$

따라서 주어진 부등식은

$2000<2^n-1<3000,\ 2001<2^n<3001$

이때 $2^{10}=1024,\ 2^{11}=2048,\ 2^{12}=4096$이므로

$n=11$

따라서 구하는 자연수 n의 값은 ④이다.

계산력 다지기   p. 20~21

1 (1) $_4H_2=_{4+2-1}C_2=_5C_2$이므로 $n=5$

(2) $_2H_3=_{2+3-1}C_3=_4C_3=_4C_1$이므로 $n=4$

(3) $_6H_r=_{6+r-1}C_r=_{5+r}C_r$이므로

$_{5+r}C_r=_9C_4$ $\therefore r=4$

(4) $_3H_r=_{3+r-1}C_r=_{2+r}C_r$이므로

$_{2+r}C_r=_7C_2=_7C_5$ $\therefore r=5$

(5) $_nH_2=_{n+2-1}C_2=_{n+1}C_2=\dfrac{(n+1)!}{2!\,(n-1)!}=\dfrac{n(n+1)}{2}$

즉, $\dfrac{n(n+1)}{2}=45$에서 $n(n+1)=90=9\times10$

$\therefore n=9$

(6) $_nH_3=_{n+3-1}C_3=_{n+2}C_3=\dfrac{(n+2)!}{3!\,(n-1)!}$

$=\dfrac{n(n+1)(n+2)}{6}$

즉, $\dfrac{n(n+1)(n+2)}{6}=4$에서

$n(n+1)(n+2)=24=2\times3\times4$

$\therefore n=2$

2 (1) 구하는 경우의 수는 서로 다른 3개에서 7개를 택하는 중복조합의 수와 같으므로

$_3H_7=_{3+7-1}C_7=_9C_7=_9C_2=36$

(2) 구하는 경우의 수는 서로 다른 6개에서 4개를 택하는 중복조합의 수와 같으므로

$_6H_4=_{6+4-1}C_4=_9C_4=126$

(3) 먼저 5개의 상자에 초콜릿을 한 개씩 나누어 넣고, 나머지 초콜릿 3개를 5개의 상자에 넣으면 된다.

따라서 구하는 경우의 수는 서로 다른 5개에서 3개를 택하는 중복조합의 수와 같으므로

$_5H_3=_{5+3-1}C_3=_7C_3=35$

(4) 먼저 떡, 과자, 과일을 각각 1개씩 접시에 담고, 나머지 6개를 담으면 된다.

따라서 구하는 경우의 수는 서로 다른 3개에서 6개를 택하는 중복조합의 수와 같으므로

$_3H_6=_{3+6-1}C_6=_8C_6=_8C_2=28$

3 (1) $(x+y+z)^6$의 전개식에서 서로 다른 항의 개수는 3개의 문자 $x,\ y,\ z$에서 6개를 택하는 중복조합의 수와 같으므로

$_3H_6=_{3+6-1}C_6=_8C_6=_8C_2=28$

(2) $(a+b+c+d)^4$의 전개식에서 서로 다른 항의 개수는 4개의 문자 $a,\ b,\ c,\ d$에서 4개를 택하는 중복조합의 수와 같으므로

$_4H_4=_{4+4-1}C_4=_7C_4=_7C_3=35$

(3) $(x+y)^3$의 전개식에서 서로 다른 항의 개수는 2개의 문자 $x,\ y$에서 3개를 택하는 중복조합의 수와 같으므로

$_2H_3=_{2+3-1}C_3=_4C_3=_4C_1=4$

$(a+b+c)^5$의 전개식에서 서로 다른 항의 개수는 3개의 문자 $a,\ b,\ c$에서 5개를 택하는 중복조합의 수와 같으므로

$_3H_5=_{3+5-1}C_5=_7C_5=_7C_2=21$

따라서 구하는 항의 개수는 $4\times21=84$

(4) $(a+b)^4$의 전개식에서 서로 다른 항의 개수는 2개의 문자 $a,\ b$에서 4개를 택하는 중복조합의 수와 같으므로

$_2H_4=_{2+4-1}C_4=_5C_4=_5C_1=5$

$(x+y+z)^4$의 전개식에서 서로 다른 항의 개수는 3개의 문자 x, y, z에서 4개를 택하는 중복조합의 수와 같으므로 ${}_3H_4={}_{3+4-1}C_4={}_6C_4={}_6C_2=15$

따라서 구하는 항의 개수는 $5\times15=75$

4 (1) m의 값은 3개의 문자 x, y, z에서 6개를 택하는 중복조합의 수와 같으므로

$m={}_3H_6={}_{3+6-1}C_6={}_8C_6={}_8C_2=28$

한편 x, y, z가 양의 정수일 때, $X=x-1$, $Y=y-1$, $Z=z-1$로 놓으면 X, Y, Z는 음이 아닌 정수이다.

이때 $x=X+1$, $y=Y+1$, $z=Z+1$을 방정식
$x+y+z=6$에 대입하면
$(X+1)+(Y+1)+(Z+1)=6$
$\therefore X+Y+Z=3$ …… ㉠

따라서 n의 값은 방정식 ㉠의 음이 아닌 정수해의 개수와 같으므로 3개의 문자 X, Y, Z에서 3개를 택하는 중복조합의 수와 같다.

$\therefore n={}_3H_3={}_{3+3-1}C_3={}_5C_3={}_5C_2=10$
$\therefore m+n=28+10=38$

(2) m의 값은 3개의 문자 x, y, z에서 7개를 택하는 중복조합의 수와 같으므로

$m={}_3H_7={}_{3+7-1}C_7={}_9C_7={}_9C_2=36$

한편 x, y, z가 양의 정수일 때, $X=x-1$, $Y=y-1$, $Z=z-1$로 놓으면 X, Y, Z는 음이 아닌 정수이다.

이때 $x=X+1$, $y=Y+1$, $z=Z+1$을 방정식
$x+y+z=7$에 대입하면
$(X+1)+(Y+1)+(Z+1)=7$
$\therefore X+Y+Z=4$ …… ㉠

따라서 n의 값은 방정식 ㉠의 음이 아닌 정수해의 개수와 같으므로 3개의 문자 X, Y, Z에서 4개를 택하는 중복조합의 수와 같다.

$\therefore n={}_3H_4={}_{3+4-1}C_4={}_6C_4={}_6C_2=15$
$\therefore m+n=36+15=51$

(3) m의 값은 4개의 문자 x, y, z, w에서 11개를 택하는 중복조합의 수와 같으므로

$m={}_4H_{11}={}_{4+11-1}C_{11}={}_{14}C_{11}={}_{14}C_3=364$

한편 x, y, z, w가 양의 정수일 때, $X=x-1$, $Y=y-1$, $Z=z-1$, $W=w-1$로 놓으면 X, Y, Z, W는 음이 아닌 정수이다.

이때 $x=X+1$, $y=Y+1$, $z=Z+1$, $w=W+1$을 방정식 $x+y+z+w=11$에 대입하면
$(X+1)+(Y+1)+(Z+1)+(W+1)=11$
$\therefore X+Y+Z+W=7$ …… ㉠

따라서 n의 값은 방정식 ㉠의 음이 아닌 정수해의 개수와 같으므로 4개의 문자 X, Y, Z, W에서 7개를 택하는 중복조합의 수와 같다.

$\therefore n={}_4H_7={}_{4+7-1}C_7={}_{10}C_7={}_{10}C_3=120$
$\therefore m+n=364+120=484$

(4) m의 값은 4개의 문자 x, y, z, w에서 12개를 택하는 중복조합의 수와 같으므로

$m={}_4H_{12}={}_{4+12-1}C_{12}={}_{15}C_{12}={}_{15}C_3=455$

한편 x, y, z, w가 양의 정수일 때, $X=x-1$, $Y=y-1$, $Z=z-1$, $W=w-1$로 놓으면 X, Y, Z, W는 음이 아닌 정수이다.

이때 $x=X+1$, $y=Y+1$, $z=Z+1$, $w=W+1$을 방정식 $x+y+z+w=12$에 대입하면
$(X+1)+(Y+1)+(Z+1)+(W+1)=12$
$\therefore X+Y+Z+W=8$ …… ㉠

따라서 n의 값은 방정식 ㉠의 음이 아닌 정수해의 개수와 같으므로 4개의 문자 X, Y, Z, W에서 8개를 택하는 중복조합의 수와 같다.

$\therefore n={}_4H_8={}_{4+8-1}C_8={}_{11}C_8={}_{11}C_3=165$
$\therefore m+n=455+165=620$

5 (1) $(a-b)^3={}_3C_0a^3+{}_3C_1a^2(-b)+{}_3C_2a(-b)^2+{}_3C_3(-b)^3$
$=a^3-3a^2b+3ab^2-b^3$

(2) $(x+1)^4={}_4C_0x^4+{}_4C_1x^3+{}_4C_2x^2+{}_4C_3x+{}_4C_4\times1$
$=x^4+4x^3+6x^2+4x+1$

(3) $(x+2y)^4={}_4C_0x^4+{}_4C_1x^3(2y)+{}_4C_2x^2(2y)^2$
$\qquad\qquad\qquad +{}_4C_3x(2y)^3+{}_4C_4(2y)^4$
$=x^4+8x^3y+24x^2y^2+32xy^3+16y^4$

(4) $(3a-b)^5={}_5C_0(3a)^5+{}_5C_1(3a)^4(-b)$
$\qquad\qquad\qquad +{}_5C_2(3a)^3(-b)^2+{}_5C_3(3a)^2(-b)^3$
$\qquad\qquad\qquad +{}_5C_4(3a)(-b)^4+{}_5C_5(-b)^5$
$=243a^5-405a^4b+270a^3b^2$
$\qquad\qquad\qquad -90a^2b^3+15ab^4-b^5$

(5) $\left(a+\dfrac{1}{a}\right)^5={}_5C_0a^5+{}_5C_1a^4\left(\dfrac{1}{a}\right)+{}_5C_2a^3\left(\dfrac{1}{a}\right)^2$
$\qquad\qquad +{}_5C_3a^2\left(\dfrac{1}{a}\right)^3+{}_5C_4a\left(\dfrac{1}{a}\right)^4+{}_5C_5\left(\dfrac{1}{a}\right)^5$
$=a^5+5a^3+10a+\dfrac{10}{a}+\dfrac{5}{a^3}+\dfrac{1}{a^5}$

(6) $\left(x-\dfrac{2}{x}\right)^4={}_4C_0x^4+{}_4C_1x^3\left(-\dfrac{2}{x}\right)+{}_4C_2x^2\left(-\dfrac{2}{x}\right)^2$
$\qquad\qquad +{}_4C_3x\left(-\dfrac{2}{x}\right)^3+{}_4C_4\left(-\dfrac{2}{x}\right)^4$
$=x^4-8x^2+24-\dfrac{32}{x^2}+\dfrac{16}{x^4}$

6 (1) $(x+y)^5$의 전개식의 일반항은 ${}_5C_rx^{5-r}y^r$
x^3y^2항은 $5-r=3$, $r=2$일 때이므로 $r=2$
따라서 x^3y^2의 계수는
${}_5C_2=10$

(2) $(2x-y)^6$의 전개식의 일반항은
${}_6C_r(2x)^{6-r}(-y)^r={}_6C_r2^{6-r}(-1)^rx^{6-r}y^r$
x^2y^4항은 $6-r=2$, $r=4$일 때이므로 $r=4$
따라서 x^2y^4의 계수는
${}_6C_4\times2^2\times(-1)^4=60$

(3) $\left(x-\dfrac{3}{x}\right)^4$의 전개식의 일반항은

$${}_4\mathrm{C}_r\,x^{4-r}\left(-\dfrac{3}{x}\right)^r={}_4\mathrm{C}_r(-3)^r\dfrac{x^{4-r}}{x^r}$$

상수항은 $4-r=r$일 때이므로 $r=2$

따라서 상수항은

$${}_4\mathrm{C}_2\times(-3)^2=54$$

(4) $\left(x^2+\dfrac{1}{x}\right)^5$의 전개식의 일반항은

$${}_5\mathrm{C}_r(x^2)^{5-r}\left(\dfrac{1}{x}\right)^r={}_5\mathrm{C}_r\dfrac{x^{10-2r}}{x^r}$$

x^4항은 $(10-2r)-r=4$일 때이므로 $r=2$

따라서 x^4의 계수는

$${}_5\mathrm{C}_2=10$$

7 (1) ${}_1\mathrm{C}_0+{}_2\mathrm{C}_1+{}_3\mathrm{C}_2+{}_4\mathrm{C}_3+{}_5\mathrm{C}_4+{}_6\mathrm{C}_5$

$\qquad={}_2\mathrm{C}_0+{}_2\mathrm{C}_1+{}_3\mathrm{C}_2+{}_4\mathrm{C}_3+{}_5\mathrm{C}_4+{}_6\mathrm{C}_5$

$\qquad={}_3\mathrm{C}_1+{}_3\mathrm{C}_2+{}_4\mathrm{C}_3+{}_5\mathrm{C}_4+{}_6\mathrm{C}_5$

$\qquad={}_4\mathrm{C}_2+{}_4\mathrm{C}_3+{}_5\mathrm{C}_4+{}_6\mathrm{C}_5$

$\qquad={}_5\mathrm{C}_3+{}_5\mathrm{C}_4+{}_6\mathrm{C}_5$

$\qquad={}_6\mathrm{C}_4+{}_6\mathrm{C}_5$

$\qquad={}_7\mathrm{C}_5={}_7\mathrm{C}_2=21$

(2) ${}_2\mathrm{C}_2+{}_4\mathrm{C}_3+{}_5\mathrm{C}_3+{}_6\mathrm{C}_3+{}_7\mathrm{C}_3+{}_8\mathrm{C}_3$

$\qquad={}_4\mathrm{C}_4+{}_4\mathrm{C}_3+{}_5\mathrm{C}_3+{}_6\mathrm{C}_3+{}_7\mathrm{C}_3+{}_8\mathrm{C}_3$

$\qquad={}_5\mathrm{C}_4+{}_5\mathrm{C}_3+{}_6\mathrm{C}_3+{}_7\mathrm{C}_3+{}_8\mathrm{C}_3$

$\qquad={}_6\mathrm{C}_4+{}_6\mathrm{C}_3+{}_7\mathrm{C}_3+{}_8\mathrm{C}_3$

$\qquad={}_7\mathrm{C}_4+{}_7\mathrm{C}_3+{}_8\mathrm{C}_3$

$\qquad={}_8\mathrm{C}_4+{}_8\mathrm{C}_3$

$\qquad={}_9\mathrm{C}_4=126$

(3) ${}_5\mathrm{C}_0+{}_5\mathrm{C}_1+{}_5\mathrm{C}_2+{}_5\mathrm{C}_3+{}_5\mathrm{C}_4+{}_5\mathrm{C}_5=2^5=32$

(4) ${}_6\mathrm{C}_0-{}_6\mathrm{C}_1+{}_6\mathrm{C}_2-{}_6\mathrm{C}_3+{}_6\mathrm{C}_4-{}_6\mathrm{C}_5+{}_6\mathrm{C}_6=0$

(5) ${}_7\mathrm{C}_1+{}_7\mathrm{C}_3+{}_7\mathrm{C}_5+{}_7\mathrm{C}_7=2^{7-1}=2^6=64$

(6) ${}_8\mathrm{C}_0+{}_8\mathrm{C}_2+{}_8\mathrm{C}_4+{}_8\mathrm{C}_6+{}_8\mathrm{C}_8=2^{8-1}=2^7=128$

족집게 기출문제

03~04강 p.22~25

1 ④	2 ③	3 ③	4 ①	5 ⑤
6 4	7 146	8 15	9 ②	10 5
11 ③	12 ②	13 374	14 ⑤	15 9
16 8	17 ④	18 512	19 ③	20 ④
21 ①	22 85	23 ②	24 ⑤	25 10
26 (1) 4 (2) 20		27 −9		

1 구하는 경우의 수는 서로 다른 3개에서 10개를 택하는 중복조합의 수와 같으므로

$${}_3\mathrm{H}_{10}={}_{12}\mathrm{C}_{10}={}_{12}\mathrm{C}_2=66$$

2 먼저 4명의 학생에게 사인펜을 한 자루씩 나누어 주고, 나머지 사인펜 2자루를 4명의 학생에게 나누어 주면 된다.

따라서 구하는 방법의 수는 서로 다른 4개에서 2개를 택하는 중복조합의 수와 같으므로

$${}_4\mathrm{H}_2={}_5\mathrm{C}_2=10$$

3 먼저 감, 귤, 자두를 각각 3개씩 고르고, 나머지 5개를 고르면 된다.

따라서 구하는 경우의 수는 서로 다른 3개에서 5개를 택하는 중복조합의 수와 같으므로

$${}_3\mathrm{H}_5={}_7\mathrm{C}_5={}_7\mathrm{C}_2=21$$

4 먼저 2개의 통 A, B에 각각 2개, 3개의 조약돌을 담고, 나머지 10개의 조약돌을 4개의 통에 나누어 담으면 된다.

따라서 구하는 방법의 수는 4개에서 10개를 택하는 중복조합의 수와 같으므로

$${}_4\mathrm{H}_{10}={}_{13}\mathrm{C}_{10}={}_{13}\mathrm{C}_3=286$$

5 $(x+y)^4$의 전개식에서 서로 다른 항의 개수는 2개의 문자 x, y에서 4개를 택하는 중복조합의 수와 같으므로

$${}_2\mathrm{H}_4={}_5\mathrm{C}_4={}_5\mathrm{C}_1=5$$

$(a+b+c)^7$의 전개식에서 서로 다른 항의 개수는 3개의 문자 a, b, c에서 7개를 택하는 중복조합의 수와 같으므로

$${}_3\mathrm{H}_7={}_9\mathrm{C}_7={}_9\mathrm{C}_2=36$$

따라서 구하는 항의 개수는

$$5\times36=180$$

6 $(x+y+z)^n$의 전개식에서 서로 다른 항의 개수는 3개의 문자 x, y, z에서 n개를 택하는 중복조합의 수와 같으므로

$${}_3\mathrm{H}_n={}_{n+2}\mathrm{C}_n={}_{n+2}\mathrm{C}_2=\dfrac{(n+2)!}{2!\,n!}=\dfrac{(n+2)(n+1)}{2}$$

즉, $\dfrac{(n+2)(n+1)}{2}=15$에서

$$(n+2)(n+1)=30=6\times5$$

$$\therefore n=4$$

7 a의 값은 3개의 문자 x, y, z에서 12개를 택하는 중복조합의 수와 같으므로

$$a={}_3\mathrm{H}_{12}={}_{14}\mathrm{C}_{12}={}_{14}\mathrm{C}_2=91$$

한편 x, y, z가 자연수일 때, $X=x-1$, $Y=y-1$, $Z=z-1$로 놓으면 X, Y, Z는 음이 아닌 정수이다.

이때 $x=X+1$, $y=Y+1$, $z=Z+1$을 방정식 $x+y+z=12$에 대입하면

$$(X+1)+(Y+1)+(Z+1)=12$$

$$\therefore X+Y+Z=9 \qquad\cdots\cdots\ \text{㉠}$$

따라서 b의 값은 방정식 ㉠의 음이 아닌 정수해의 개수와 같으므로 3개의 문자 X, Y, Z에서 9개를 택하는 중복조합의 수와 같다.

$$\therefore b={}_3\mathrm{H}_9={}_{11}\mathrm{C}_9={}_{11}\mathrm{C}_2=55$$

$$\therefore a+b=91+55=146$$

8 $A=a-1$, $B=b-2$, $C=c-3$으로 놓으면
$A \geq 0$, $B \geq 0$, $C \geq 0$
이때 $a=A+1$, $b=B+2$, $c=C+3$을 방정식
$a+b+c=10$에 대입하면
$(A+1)+(B+2)+(C+3)=10$
$\therefore A+B+C=4$ ...... ㉠
따라서 구하는 해의 개수는 방정식 ㉠의 음이 아닌 정수해의 개수와 같으므로 3개의 문자 A, B, C에서 4개를 택하는 중복조합의 수와 같다.
$\therefore {}_3H_4={}_6C_4={}_6C_2=15$

9 $(ax+y)^7$의 전개식의 일반항은
${}_7C_r(ax)^{7-r}y^r={}_7C_r a^{7-r}x^{7-r}y^r$
x^3y^4항은 $7-r=3$, $r=4$일 때이므로 $r=4$
이때 x^3y^4의 계수가 -280이므로
${}_7C_4 \times a^3=-280$, $35a^3=-280$
$a^3=-8$ $\therefore a=-2$ ($\because a$는 실수)
즉, $(-2x+y)^7$의 전개식의 일반항은
${}_7C_r(-2)^{7-r}x^{7-r}y^r$
x^2y^5항은 $7-r=2$, $r=5$일 때이므로 $r=5$
따라서 x^2y^5의 계수는
${}_7C_5 \times (-2)^2=84$

10 $\left(x^3+\dfrac{3}{x^2}\right)^n$의 전개식의 일반항은
${}_nC_r(x^3)^{n-r}\left(\dfrac{3}{x^2}\right)^r={}_nC_r x^{3n-3r}\dfrac{3^r}{x^{2r}}={}_nC_r 3^r\dfrac{x^{3n-3r}}{x^{2r}}$
상수항은 $3n-3r=2r$일 때이므로
$r=\dfrac{3}{5}n$
이때 n, r는 자연수이고 5와 3은 서로소이므로 n은 5의 배수, r는 3의 배수이다.
따라서 자연수 n의 최솟값은 5이다.

11 $x(x+a)(x+3)^5$의 전개식에서 x^4의 계수는
$(x+a)(x+3)^5$의 전개식에서 x^3의 계수와 같다.
$(x+3)^5$의 전개식의 일반항은
${}_5C_r x^{5-r}3^r={}_5C_r 3^r x^{5-r}$ ...... ㉠
이때 $(x+a)(x+3)^5$의 전개식에서 x^3항은 x와 ㉠의 x^2항,
a와 ㉠의 x^3항이 곱해질 때 나타난다.
(i) ㉠에서 x^2항은 $5-r=2$, 즉 $r=3$일 때이므로
$\quad {}_5C_3 \times 3^3=270$
(ii) ㉠에서 x^3항은 $5-r=3$, 즉 $r=2$일 때이므로
$\quad {}_5C_2 \times 3^2=90$
(i), (ii)에 의하여 $(x+a)(x+3)^5$의 전개식에서 x^3의 계수는
$1 \times 270+a \times 90=90a+270$
이때 $x(x+a)(x+3)^5$의 전개식에서 x^4의 계수가 90이므로
$90a+270=90$, $90a=-180$
$\therefore a=-2$

12 ${}_3C_0+{}_3C_1+{}_4C_2+{}_5C_3={}_4C_1+{}_4C_2+{}_5C_3$
$\qquad\qquad\qquad\qquad={}_5C_2+{}_5C_3={}_6C_3$

13 ${}_2C_0={}_3C_0=\cdots={}_{12}C_0=1$이므로
${}_2C_0+{}_3C_0+\cdots+{}_{12}C_0=11$
${}_1C_1+{}_2C_1+{}_3C_1+\cdots+{}_{12}C_1$
$={}_2C_2+{}_2C_1+{}_3C_1+\cdots+{}_{12}C_1$
$={}_3C_2+{}_3C_1+{}_4C_1+\cdots+{}_{12}C_1$
$={}_4C_2+{}_4C_1+{}_5C_1+\cdots+{}_{12}C_1$
$\qquad\qquad\vdots$
$={}_{12}C_2+{}_{12}C_1={}_{13}C_2$
이므로
${}_2C_1+{}_3C_1+\cdots+{}_{12}C_1={}_{13}C_2-{}_1C_1=77$
${}_2C_2+{}_3C_2+\cdots+{}_{12}C_2$
$={}_3C_3+{}_3C_2+{}_4C_2+\cdots+{}_{12}C_2$
$={}_4C_3+{}_4C_2+{}_5C_2+\cdots+{}_{12}C_2$
$={}_5C_3+{}_5C_2+{}_6C_2+\cdots+{}_{12}C_2$
$\qquad\qquad\vdots$
$={}_{12}C_3+{}_{12}C_2={}_{13}C_3=286$
따라서 구하는 모든 수의 합은
$11+77+286=374$

14 $(1+x)^n$의 전개식의 일반항은 ${}_nC_r x^r$이므로 $n \geq 2$인 자연수 n에 대하여 $(1+x)^n$의 전개식에서 x^2의 계수는 ${}_nC_2$이다.
따라서 주어진 식의 전개식에서 x^2의 계수는 각 항의 전개식에서 x^2의 계수의 합이므로 구하는 계수는
${}_2C_2+{}_3C_2+{}_4C_2+\cdots+{}_{11}C_2$
$={}_3C_3+{}_3C_2+{}_4C_2+\cdots+{}_{11}C_2$
$={}_4C_3+{}_4C_2+{}_5C_2+\cdots+{}_{11}C_2$
$={}_5C_3+{}_5C_2+{}_6C_2+\cdots+{}_{11}C_2$
$\qquad\qquad\vdots$
$={}_{11}C_3+{}_{11}C_2={}_{12}C_3=220$

15 ${}_2C_0+{}_3C_1+{}_4C_2+{}_5C_3+\cdots+{}_{20}C_{18}$
$={}_3C_0+{}_3C_1+{}_4C_2+{}_5C_3+\cdots+{}_{20}C_{18}$
$={}_4C_1+{}_4C_2+{}_5C_3+\cdots+{}_{20}C_{18}$
$={}_5C_2+{}_5C_3+{}_6C_4+\cdots+{}_{20}C_{18}$
$\qquad\qquad\vdots$
$={}_{20}C_{17}+{}_{20}C_{18}={}_{21}C_{18}$
따라서 ${}_nC_{18}={}_{21}C_{18}$이므로 $n=21$
${}_3C_3+{}_4C_3+{}_5C_3+{}_6C_3+\cdots+{}_{15}C_3$
$={}_4C_4+{}_4C_3+{}_5C_3+{}_6C_3+\cdots+{}_{15}C_3$
$={}_5C_4+{}_5C_3+{}_6C_3+\cdots+{}_{15}C_3$
$={}_6C_4+{}_6C_3+{}_7C_3+\cdots+{}_{15}C_3$
$\qquad\qquad\vdots$
$={}_{15}C_4+{}_{15}C_3={}_{16}C_4$
따라서 ${}_{16}C_r={}_{16}C_4$이므로 $r=4$ 또는 $r=12$
그런데 $8<r<16$이므로 $r=12$
$\therefore n-r=21-12=9$

16 $_nC_0+_nC_1+_nC_2+_nC_3+\cdots+_nC_n=2^n$이므로

$_nC_1+_nC_2+_nC_3+\cdots+_nC_n$
$=2^n-_nC_0=2^n-1$

따라서 $2^n-1=255$이므로

$2^n=256=2^8$ ∴ $n=8$

17 $_{16}C_0+_{16}C_2+_{16}C_4+\cdots+_{16}C_{16}=2^{16-1}=2^{15}$

$_9C_0+_9C_1+_9C_2+_9C_3+_9C_4$
$=_9C_0+_9C_8+_9C_2+_9C_6+_9C_4$
$=_9C_0+_9C_2+_9C_4+_9C_6+_9C_8$
$=2^{9-1}=2^8$

따라서 $\dfrac{_{16}C_0+_{16}C_2+_{16}C_4+\cdots+_{16}C_{16}}{_9C_0+_9C_1+_9C_2+_9C_3+_9C_4}=\dfrac{2^{15}}{2^8}=2^7$이므로

$n=7$

18 $A=\{1, 2, 3, \cdots, 10\}$이므로 집합 A의 부분집합 중 원소의 개수가 n인 부분집합의 개수는 집합 A의 원소 중 n개를 택하는 경우의 수와 같다.

∴ $_{10}C_n$

따라서 원소의 개수가 홀수인 부분집합의 개수는

$_{10}C_1+_{10}C_3+_{10}C_5+_{10}C_7+_{10}C_9=2^{10-1}=2^9=512$

19 ㄱ. $_{14}C_0+_{14}C_1+_{14}C_2+\cdots+_{14}C_{14}=2^{14}$이므로

$_{14}C_0+_{14}C_1+_{14}C_2+\cdots+_{14}C_{13}$
$=2^{14}-_{14}C_{14}=2^{14}-1$

ㄴ. $_{11}C_6+_{11}C_7+_{11}C_8+_{11}C_9+_{11}C_{10}+_{11}C_{11}$
$=_{11}C_6+_{11}C_4+_{11}C_8+_{11}C_2+_{11}C_{10}+_{11}C_0$
$=_{11}C_0+_{11}C_2+_{11}C_4+_{11}C_6+_{11}C_8+_{11}C_{10}$
$=2^{11-1}=2^{10}$

ㄷ. $_{3n}C_0+_{3n}C_1+_{3n}C_2+\cdots+_{3n}C_{3n}=2^{3n}=8^n$

따라서 옳은 것은 ㄱ, ㄴ이다.

20 $_{50}C_0\times9+_{50}C_1\times9^2+_{50}C_2\times9^3+\cdots+_{50}C_{50}\times9^{51}$
$=9(_{50}C_0+_{50}C_1\times9+_{50}C_2\times9^2+\cdots+_{50}C_{50}\times9^{50})$
$=9(_{50}C_0\times1^{50}+_{50}C_1\times1^{49}\times9^1+_{50}C_2\times1^{48}\times9^2$
$\qquad\qquad\qquad\qquad\qquad\qquad+\cdots+_{50}C_{50}\times9^{50})$
$=9(1+9)^{50}=9\times10^{50}$

21 $15^{12}=(13+2)^{12}$
$=_{12}C_0\times13^{12}+_{12}C_1\times13^{11}\times2+_{12}C_2\times13^{10}\times2^2$
$\qquad\qquad+\cdots+_{12}C_{11}\times13\times2^{11}+_{12}C_{12}\times2^{12}$

$_{12}C_{12}\times2^{12}$을 제외한 나머지 항은 모두 13의 배수이므로 15^{12}을 13으로 나누었을 때의 나머지는 $_{12}C_{12}\times2^{12}$, 즉 4096을 13으로 나누었을 때의 나머지와 같다.

따라서 $4096=13\times315+1$이므로 구하는 나머지는 1이다.

22 (가)에 의하여 a, b, c는 모두 홀수이거나 a, b, c 중 두 수는 짝수이고 나머지 한 수는 홀수이다.

(ⅰ) 세 수가 모두 홀수인 경우

(나)에서 1, 3, 5, 7, 9의 5개에서 중복을 허용하여 3개를 택하면 되므로 순서쌍 (a, b, c)의 개수는

$_5H_3=_7C_3=35$

(ⅱ) 두 수는 짝수이고 나머지 한 수는 홀수인 경우

2, 4, 6, 8의 4개에서 중복을 허용하여 2개를 택하고, 1, 3, 5, 7, 9의 5개에서 1개를 택하면 되므로 순서쌍 (a, b, c)의 개수는

$_4H_2\times_5C_1=_5C_2\times_5C_1=10\times5=50$

(ⅰ), (ⅱ)에 의하여 구하는 순서쌍의 개수는

$35+50=85$

23 (ⅰ) $x_1\le x_2\le x_3\le x_4\le x_5$인 경우의 수는 5개의 숫자 1, 2, 3, 4, 5에서 5개를 택하는 중복조합의 수와 같으므로

$_5H_5=_9C_5=_9C_4=126$

(ⅱ) $x_1=x_2\le x_3\le x_4\le x_5$인 경우의 수는 5개의 숫자 1, 2, 3, 4, 5에서 4개를 택하는 중복조합의 수와 같으므로

$_5H_4=_8C_4=70$

(ⅲ) $x_1\le x_2\le x_3\le x_4=x_5$인 경우의 수는 5개의 숫자 1, 2, 3, 4, 5에서 4개를 택하는 중복조합의 수와 같으므로

$_5H_4=_8C_4=70$

(ⅳ) $x_1=x_2\le x_3\le x_4=x_5$인 경우의 수는 5개의 숫자 1, 2, 3, 4, 5에서 3개를 택하는 중복조합의 수와 같으므로

$_5H_3=_7C_3=35$

(ⅰ)~(ⅳ)에 의하여 구하는 경우의 수는

$126-(70+70-35)=21$

24 $11^{12}=(1+10)^{12}$
$=_{12}C_0+_{12}C_1\times10+_{12}C_2\times10^2+_{12}C_3\times10^3$
$\qquad\qquad\qquad\qquad\qquad+\cdots+_{12}C_{12}\times10^{12}$
$=1+120+6600+_{12}C_3\times10^3+\cdots+_{12}C_{12}\times10^{12}$
$=6721+_{12}C_3\times10^3+\cdots+_{12}C_{12}\times10^{12}$

이때 10^3이 곱해진 항 이후에는 백의 자리 이하의 숫자에 영향을 미치지 않으므로 11^{12}의 일의 자리의 숫자는 1, 십의 자리의 숫자는 2, 백의 자리의 숫자는 7이다.

따라서 $a=7$, $b=2$, $c=1$이므로

$a+b+c=10$

25 x, y, z가 음이 아닌 정수이므로

$x+y+z=0$ 또는 $x+y+z=1$ 또는 $x+y+z=2$

(ⅰ) 방정식 $x+y+z=0$의 음이 아닌 정수해의 개수는

$_3H_0=_2C_0=1$ ...... (가)

(ⅱ) 방정식 $x+y+z=1$의 음이 아닌 정수해의 개수는

$_3H_1=_3C_1=3$ ...... (나)

(ⅲ) 방정식 $x+y+z=2$의 음이 아닌 정수해의 개수는

$_3H_2=_4C_2=6$ ...... (다)

(ⅰ), (ⅱ), (ⅲ)에 의하여 구하는 해의 개수는

$1+3+6=10$ ...... (라)

채점 기준	배점
(가) 방정식 $x+y+z=0$의 음이 아닌 정수해의 개수를 구한다.	2점
(나) 방정식 $x+y+z=1$의 음이 아닌 정수해의 개수를 구한다.	2점
(다) 방정식 $x+y+z=2$의 음이 아닌 정수해의 개수를 구한다.	2점
(라) 주어진 부등식을 만족하는 음이 아닌 정수해의 개수를 구한다.	1점

26 (1) 주어진 조건에 의하여

$$f(1)<f(2)<f(3) \quad \cdots\cdots ㉠ \quad\quad\quad \cdots\cdots (가)$$

따라서 이를 만족하는 함수 f의 개수는 정의역의 원소 3개에 대응할 공역의 원소 4개 중 3개를 순서에 상관없이 뽑은 후 ㉠을 만족하도록 크기순으로 배열하는 조합의 수와 같으므로

$$_4C_3={}_4C_1=4 \quad\quad\quad \cdots\cdots (나)$$

(2) 주어진 조건에 의하여

$$f(1)\le f(2)\le f(3) \quad \cdots\cdots ㉡ \quad\quad\quad \cdots\cdots (다)$$

따라서 이를 만족하는 함수 f의 개수는 정의역의 원소 3개에 대응할 공역의 원소 4개 중 3개를 순서에 상관없이 중복을 허용하여 뽑은 후 ㉡을 만족하도록 크기순으로 배열하는 중복조합의 수와 같으므로

$$_4H_3={}_6C_3=20 \quad\quad\quad \cdots\cdots (라)$$

채점 기준	배점
(가) $f(1)$, $f(2)$, $f(3)$의 대소 관계를 파악한다.	1점
(나) $f(1)<f(2)<f(3)$인 함수의 개수를 구한다.	2점
(다) $f(1)$, $f(2)$, $f(3)$의 대소 관계를 파악한다.	1점
(라) $f(1)\le f(2)\le f(3)$인 함수의 개수를 구한다.	2점

27 $(-2x+1)^4$의 전개식의 일반항은

$$_4C_r(-2x)^r={}_4C_r(-2)^r x^r$$

$(x+1)^6$의 전개식의 일반항은 $_6C_s x^s$

따라서 주어진 전개식의 일반항은

$$_4C_r(-2)^r x^r \times {}_6C_s x^s$$
$$={}_4C_r{}_6C_s(-2)^r x^{r+s} \quad \cdots\cdots ㉠ \quad\quad\quad \cdots\cdots (가)$$

이때 x^2항은 $r+s=2 (0\le r\le 4, 0\le s\le 6$인 정수$)$일 때이므로

(i) $r=0$, $s=2$인 경우

㉠에서 $_4C_0\times{}_6C_2=15$

(ii) $r=1$, $s=1$인 경우

㉠에서 $_4C_1\times{}_6C_1\times(-2)=-48$

(iii) $r=2$, $s=0$인 경우

㉠에서 $_4C_2\times{}_6C_0\times(-2)^2=24 \quad\quad \cdots\cdots (나)$

(i), (ii), (iii)에 의하여 x^2의 계수는

$$15+(-48)+24=-9 \quad\quad\quad \cdots\cdots (다)$$

채점 기준	배점
(가) 주어진 전개식의 일반항을 구한다.	2점
(나) 각 경우에서의 x^2의 계수를 구한다.	3점
(다) 주어진 전개식에서 x^2의 계수를 구한다.	2점

05강 확률의 뜻

확인 문제 p. 26

1 표본공간: $\{1, 2, 3, 4, 5, 6\}$

근원사건: $\{1\}, \{2\}, \{3\}, \{4\}, \{5\}, \{6\}$

2 표본공간을 S라고 하면

$S=\{1, 2, 3, 4, 5, 6\}$,

$A=\{2, 4, 6\}$, $B=\{3, 6\}$

(1) $A\cup B=\{2, 3, 4, 6\}$

(2) $A\cap B=\{6\}$

(3) $A^C=\{1, 3, 5\}$

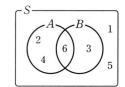

3 (1) 두 개의 주사위를 동시에 던질 때, 나오는 모든 경우의 수는 $6\times 6=36$

서로 같은 수의 눈이 나오는 경우는

$(1, 1), (2, 2), (3, 3), (4, 4), (5, 5), (6, 6)$

이므로 그 경우의 수는 6

따라서 구하는 확률은 $\dfrac{6}{36}=\dfrac{1}{6}$

(2) 윷짝 한 개를 한 번 던질 때 평평한 면이 나올 확률은

$$\frac{284}{700}=\frac{71}{175}$$

핵심유형+ 실전 문제

교/과/서/속 p. 27

1 표본공간을 S라고 하면

$S=\{1, 2, 3, 4, 5, 6, 7, 8\}$, $A=\{1, 3, 5, 7\}$,

$B=\{2, 4, 6, 8\}$, $C=\{2, 3, 5, 7\}$

따라서 $A\cap B=\varnothing$이므로 서로 배반인 두 사건은 A와 B이다.

2 보기의 ㄱ, ㄴ, ㄷ, ㄹ의 사건을 각각 A, B, C, D라고 하면

$A=\{1, 3, 5\}$, $B=\{2, 3, 5\}$, $C=\{1, 2, 4\}$, $D=\{5, 6\}$

따라서 $C\cap D=\varnothing$이므로 서로 배반사건인 것끼리 짝 지은 것은 ⑤이다.

3 두 개의 주사위를 동시에 던질 때, 나오는 모든 경우의 수는 $6\times 6=36$

두 눈의 수의 합이 홀수인 경우는 (홀수, 짝수) 또는 (짝수, 홀수)인 경우이다.

(i) (홀수, 짝수)인 경우의 수는 $3\times 3=9$

(ii) (짝수, 홀수)인 경우의 수는 $3\times 3=9$

(i), (ii)에 의하여 두 눈의 수의 합이 홀수인 경우의 수는 $9+9=18$

따라서 구하는 확률은 $\dfrac{18}{36}=\dfrac{1}{2}$

4 두 개의 주사위를 동시에 던질 때, 나오는 모든 경우의 수는
$6 \times 6 = 36$
두 눈의 수의 차가 4 이상인 경우는 두 눈의 수의 차가 4 또는 5인 경우이다.
(ⅰ) 두 눈의 수의 차가 4인 경우
$(1, 5), (2, 6), (5, 1), (6, 2)$
이므로 그 경우의 수는 4
(ⅱ) 두 눈의 수의 차가 5인 경우
$(1, 6), (6, 1)$이므로 그 경우의 수는 2
(ⅰ), (ⅱ)에 의하여 두 눈의 수의 차가 4 이상인 경우의 수는
$4 + 2 = 6$
따라서 구하는 확률은
$$\frac{6}{36} = \frac{1}{6}$$

5 (1) 5개의 문자 A, B, C, D, E를 일렬로 배열하는 방법의 수는 $5! = 120$
C, D를 한 문자로 생각하면 4개의 문자를 일렬로 배열하는 방법의 수는 $4! = 24$
C, D가 서로 자리를 바꾸는 방법의 수는 $2! = 2$
즉, C, D를 이웃하게 배열하는 방법의 수는
$24 \times 2 = 48$
따라서 구하는 확률은
$$\frac{48}{120} = \frac{2}{5}$$
(2) 5개의 문자 A, B, C, D, E 중에서 3개를 택하는 방법의 수는 $_5C_3 = 10$
A는 택하고, D는 택하지 않는 방법의 수는 A와 D를 제외한 나머지 3개의 문자 B, C, E 중 2개를 고른 후 A를 포함시키는 방법의 수와 같으므로 $_3C_2 = 3$
따라서 구하는 확률은 $\frac{3}{10}$이다.

6 7개의 공 중에서 3개를 꺼내는 방법의 수는
$_7C_3 = 35$
흰 공 2개와 검은 공 1개를 꺼내는 방법의 수는
$_5C_2 \times _2C_1 = 20$
따라서 구하는 확률은
$$\frac{20}{35} = \frac{4}{7}$$

7 충청도에서 생산된 사과의 양은 96(천 톤)이므로 그 상대도수는 $\dfrac{96}{537}$
따라서 구하는 확률은 $\dfrac{96}{537} = \dfrac{32}{179}$

8 버스로 등교하는 학생은 32명이므로 그 상대도수는 $\dfrac{32}{150}$
따라서 구하는 확률은 $\dfrac{32}{150} = \dfrac{16}{75}$

U6강 | 확률의 성질

확인 문제   p. 28

1 (1) 주사위 한 개를 던지는 시행에서 홀수 또는 짝수의 눈이 나오는 사건 A는 반드시 일어나는 사건이므로
$P(A) = 1$
(2) 주사위 한 개를 던지는 시행에서 7의 눈이 나오는 사건 B는 절대로 일어나지 않는 사건이므로
$P(B) = 0$

2 (1) $P(A \cup B) = P(A) + P(B) - P(A \cap B)$
$\qquad\qquad = 0.3 + 0.4 - 0.1 = 0.6$
(2) 두 사건 A, B는 서로 배반사건이므로
$P(B) = P(A \cup B) - P(A)$
$\qquad = \dfrac{3}{4} - \dfrac{1}{2}$
$\qquad = \dfrac{1}{4}$

3 주사위 한 개를 던지는 시행에서 2의 배수의 눈이 나오는 사건을 A, 3의 배수의 눈이 나오는 사건을 B, 5의 배수의 눈이 나오는 사건을 C라고 하면
$P(A) = \dfrac{1}{2}$, $P(B) = \dfrac{1}{3}$, $P(C) = \dfrac{1}{6}$
(1) $A \cap B$는 6의 배수의 눈이 나오는 사건이므로
$P(A \cap B) = \dfrac{1}{6}$
따라서 구하는 확률은
$P(A \cup B) = P(A) + P(B) - P(A \cap B)$
$\qquad\qquad = \dfrac{1}{2} + \dfrac{1}{3} - \dfrac{1}{6}$
$\qquad\qquad = \dfrac{2}{3}$
(2) 두 사건 A, C는 서로 배반사건이므로 구하는 확률은
$P(A \cup C) = P(A) + P(C)$
$\qquad\qquad = \dfrac{1}{2} + \dfrac{1}{6}$
$\qquad\qquad = \dfrac{2}{3}$

4 (1) 동전의 앞면을 H, 뒷면을 T라 하고 두 개의 동전을 동시에 던질 때, 표본공간을 S라고 하면
$S = \{HH, HT, TH, TT\}$
$A = \{TT\}$
$\therefore P(A) = \dfrac{1}{4}$
(2) 두 개 모두 뒷면이 나오는 사건이 A이므로 적어도 한 개는 앞면이 나오는 사건은 A^c이다.
따라서 구하는 확률은
$P(A^c) = 1 - P(A) = 1 - \dfrac{1}{4} = \dfrac{3}{4}$

1 두 개의 주사위를 동시에 던질 때, 나오는 모든 경우의 수는
$6 \times 6 = 36$
두 눈의 수의 합이 6인 사건을 A, 차가 4인 사건을 B라고 하면
$A = \{(1, 5), (2, 4), (3, 3), (4, 2), (5, 1)\}$,
$B = \{(1, 5), (2, 6), (5, 1), (6, 2)\}$,
$A \cap B = \{(1, 5), (5, 1)\}$
이므로
$\mathrm{P}(A) = \dfrac{5}{36}$

$\mathrm{P}(B) = \dfrac{4}{36} = \dfrac{1}{9}$

$\mathrm{P}(A \cap B) = \dfrac{2}{36} = \dfrac{1}{18}$

따라서 구하는 확률은
$\mathrm{P}(A \cup B) = \mathrm{P}(A) + \mathrm{P}(B) - \mathrm{P}(A \cap B)$
$= \dfrac{5}{36} + \dfrac{1}{9} - \dfrac{1}{18} = \dfrac{7}{36}$

2 10장의 카드 중에서 3장을 동시에 뽑을 때, 3이 적힌 카드가 나오는 사건을 A, 5가 적힌 카드가 나오는 사건을 B라고 하면
$\mathrm{P}(A) = \dfrac{{}_9\mathrm{C}_2}{{}_{10}\mathrm{C}_3} = \dfrac{3}{10}$

$\mathrm{P}(B) = \dfrac{{}_9\mathrm{C}_2}{{}_{10}\mathrm{C}_3} = \dfrac{3}{10}$

$\mathrm{P}(A \cap B) = \dfrac{{}_8\mathrm{C}_1}{{}_{10}\mathrm{C}_3} = \dfrac{1}{15}$

따라서 구하는 확률은
$\mathrm{P}(A \cup B) = \mathrm{P}(A) + \mathrm{P}(B) - \mathrm{P}(A \cap B)$
$= \dfrac{3}{10} + \dfrac{3}{10} - \dfrac{1}{15} = \dfrac{8}{15}$

3 9개의 구슬 중에서 3개를 동시에 꺼낼 때, 3개 모두 빨간 구슬인 사건을 A, 흰 구슬인 사건을 B라고 하면
$\mathrm{P}(A) = \dfrac{{}_5\mathrm{C}_3}{{}_9\mathrm{C}_3} = \dfrac{5}{42}$, $\mathrm{P}(B) = \dfrac{{}_4\mathrm{C}_3}{{}_9\mathrm{C}_3} = \dfrac{1}{21}$

두 사건 A, B는 서로 배반사건이므로 구하는 확률은
$\mathrm{P}(A \cup B) = \mathrm{P}(A) + \mathrm{P}(B)$
$= \dfrac{5}{42} + \dfrac{1}{21} = \dfrac{1}{6}$

4 학생 8명 중에서 2명의 대표를 뽑을 때, 2명 모두 1학년인 사건을 A, 2학년인 사건을 B라고 하면
$\mathrm{P}(A) = \dfrac{{}_3\mathrm{C}_2}{{}_8\mathrm{C}_2} = \dfrac{3}{28}$, $\mathrm{P}(B) = \dfrac{{}_5\mathrm{C}_2}{{}_8\mathrm{C}_2} = \dfrac{5}{14}$

두 사건 A, B는 서로 배반사건이므로 구하는 확률은
$\mathrm{P}(A \cup B) = \mathrm{P}(A) + \mathrm{P}(B)$
$= \dfrac{3}{28} + \dfrac{5}{14} = \dfrac{13}{28}$

5 13켤레의 장갑 중에서 3켤레를 동시에 꺼낼 때, 적어도 한 켤레는 흰 장갑인 사건을 A라고 하면 A^c은 꺼낸 3켤레의 장갑이 모두 파란 장갑인 사건이므로
$\mathrm{P}(A^c) = \dfrac{{}_8\mathrm{C}_3}{{}_{13}\mathrm{C}_3} = \dfrac{28}{143}$
따라서 구하는 확률은
$\mathrm{P}(A) = 1 - \mathrm{P}(A^c) = 1 - \dfrac{28}{143} = \dfrac{115}{143}$

6 적어도 한쪽 끝에 t가 오는 사건을 A라고 하면 A^c은 양 끝에 모두 t가 오지 않는 사건이다.
5개의 문자를 일렬로 배열하는 경우의 수는
$\dfrac{5!}{2!} = 60$
양 끝에 a, s, e 중에서 2개의 문자가 오는 경우의 수는
${}_3\mathrm{P}_2 \times \dfrac{3!}{2!} = 18$
즉, 양 끝에 모두 t가 오지 않을 확률은
$\mathrm{P}(A^c) = \dfrac{18}{60} = \dfrac{3}{10}$
따라서 구하는 확률은
$\mathrm{P}(A) = 1 - \mathrm{P}(A^c) = 1 - \dfrac{3}{10} = \dfrac{7}{10}$

7 만든 자연수가 400보다 작은 사건을 A라고 하면 A^c은 만든 자연수가 400 이상인 사건이다.
(ⅰ) 백의 자리의 숫자가 4일 확률은
$\dfrac{{}_4\mathrm{P}_2}{{}_5\mathrm{P}_3} = \dfrac{1}{5}$
(ⅱ) 백의 자리의 숫자가 5일 확률은
$\dfrac{{}_4\mathrm{P}_2}{{}_5\mathrm{P}_3} = \dfrac{1}{5}$
(ⅰ), (ⅱ)에 의하여 만든 자연수가 400 이상일 확률은
$\mathrm{P}(A^c) = \dfrac{1}{5} + \dfrac{1}{5} = \dfrac{2}{5}$
따라서 구하는 확률은
$\mathrm{P}(A) = 1 - \mathrm{P}(A^c) = 1 - \dfrac{2}{5} = \dfrac{3}{5}$

8 12개의 제비 중에서 4개를 꺼낼 때, 당첨 제비가 2개 이상인 사건을 A라고 하면 A^c은 당첨 제비가 2개 미만인 사건이다.
(ⅰ) 당첨 제비가 0개일 확률은
$\dfrac{{}_5\mathrm{C}_0 \times {}_7\mathrm{C}_4}{{}_{12}\mathrm{C}_4} = \dfrac{7}{99}$
(ⅱ) 당첨 제비가 1개일 확률은
$\dfrac{{}_5\mathrm{C}_1 \times {}_7\mathrm{C}_3}{{}_{12}\mathrm{C}_4} = \dfrac{35}{99}$
(ⅰ), (ⅱ)에 의하여 당첨 제비가 2개 미만일 확률은
$\mathrm{P}(A^c) = \dfrac{7}{99} + \dfrac{35}{99} = \dfrac{14}{33}$
따라서 구하는 확률은
$\mathrm{P}(A) = 1 - \mathrm{P}(A^c) = 1 - \dfrac{14}{33} = \dfrac{19}{33}$

1 표본공간을 S라고 하면
$S=\{1, 2, 3, 4, 5, 6\}$
$A=\{1, 3\}$, $B=\{1, 2, 3, 6\}$, $C=\{4\}$
(1) $A \cap B=\{1, 3\}$
(2) $A \cup C=\{1, 3, 4\}$
(3) $B^C=\{4, 5\}$
(4) $A^C \cap B=B-A=\{2, 6\}$
(5) $A \cap C=\varnothing$, $B \cap C=\varnothing$이므로 서로 배반인 두 사건은
A와 C, B와 C이다.
(6) $A^C=\{2, 4, 5, 6\}$이고, 사건 A와 서로 배반인 사건은
집합 A^C의 부분집합이므로 구하는 배반사건의 개수는
$2^4=16$

2 (1) 두 개의 주사위를 동시에 던질 때, 나오는 모든 경우의
수는 $6 \times 6=36$
두 눈의 수의 합이 3 이하인 경우는 두 눈의 수의 합이
2 또는 3인 경우이다.
(ⅰ) 두 눈의 수의 합이 2인 경우
(1, 1)이므로 그 경우의 수는 1
(ⅱ) 두 눈의 수의 합이 3인 경우
(1, 2), (2, 1)이므로 그 경우의 수는 2
(ⅰ), (ⅱ)에 의하여 두 눈의 수의 합이 3 이하인 경우의
수는 $1+2=3$
따라서 구하는 확률은 $\dfrac{3}{36}=\dfrac{1}{12}$
(2) 7명의 학생이 일렬로 줄을 서는 방법의 수는
$7!=5040$
맨 앞과 맨 뒤에 남학생이 서는 방법의 수는
$_3P_2=6$
맨 앞과 맨 뒤에 선 학생을 제외한 나머지 5명의 학생이
일렬로 줄을 서는 방법의 수는
$5!=120$
즉, 맨 앞과 맨 뒤에 남학생이 서는 방법의 수는
$6 \times 120=720$
따라서 구하는 확률은 $\dfrac{720}{5040}=\dfrac{1}{7}$
(3) 5명의 학생이 원탁에 둘러앉는 경우의 수는
$(5-1)!=4!=24$
건우와 송이를 한 사람으로 생각하여 4명이 원탁에 둘러
앉는 경우의 수는 $(4-1)!=3!=6$이고, 건우와 송이가
자리를 바꾸는 경우의 수는 $2!=2$이므로 건우와 송이가
이웃하게 앉는 경우의 수는
$6 \times 2=12$
따라서 구하는 확률은 $\dfrac{12}{24}=\dfrac{1}{2}$
(4) 만들 수 있는 세 자리의 자연수의 개수는
$_4\Pi_3=4^3=64$

이때 짝수가 되려면 일의 자리에는 2, 4의 2가지가 올
수 있고, 백의 자리와 십의 자리에는 1, 2, 3, 4에서 중
복을 허용하여 2개를 뽑아 나열하면 되므로 짝수의 개
수는 $2 \times _4\Pi_2=2 \times 4^2=32$
따라서 구하는 확률은 $\dfrac{32}{64}=\dfrac{1}{2}$
(5) 6개의 문자를 일렬로 배열하는 경우의 수는
$\dfrac{6!}{2! \times 3!}=60$
2개의 G를 한 문자로 생각하여 5개의 문자를 일렬로 배
열하는 경우의 수는 $\dfrac{5!}{3!}=20$
따라서 구하는 확률은 $\dfrac{20}{60}=\dfrac{1}{3}$
(6) 9개의 공 중에서 5개를 꺼내는 방법의 수는 $_9C_5=126$
빨간 공 2개와 파란 공 3개를 꺼내는 방법의 수는
$_3C_2 \times _6C_3=60$
따라서 구하는 확률은 $\dfrac{60}{126}=\dfrac{10}{21}$
(7) 방정식 $x+y+z=10$의 음이 아닌 정수해의 개수는
$_3H_{10}=_{12}C_{10}=_{12}C_2=66$
$x=3$이면 $y+z=7$이므로 방정식 $y+z=7$의 음이 아닌
정수해의 개수는 $_2H_7=_8C_7=_8C_1=8$
따라서 구하는 확률은 $\dfrac{8}{66}=\dfrac{4}{33}$
(8) $\dfrac{2}{1000}=\dfrac{1}{500}$

3 (1) $P(A \cup B)=P(A)+P(B)-P(A \cap B)$
$=\dfrac{2}{3}+\dfrac{1}{2}-\dfrac{1}{6}=1$
(2) $P(A \cap B)=P(A)+P(B)-P(A \cup B)$
$=0.4+0.6-0.8=0.2$
(3) 두 사건 A, B는 서로 배반사건이므로
$P(B)=P(A \cup B)-P(A)=\dfrac{5}{6}-\dfrac{1}{2}=\dfrac{1}{3}$
(4) 두 사건 A, B는 서로 배반사건이므로
$P(A)=P(A \cup B)-P(B)=0.8-0.3=0.5$

4 (1) 3의 배수가 적힌 공이 나오는 사건을 A, 4의 배수가 적
힌 공이 나오는 사건을 B라고 하면
$P(A)=\dfrac{1}{3}$, $P(B)=\dfrac{1}{4}$, $P(A \cap B)=\dfrac{1}{12}$
따라서 구하는 확률은
$P(A \cup B)=P(A)+P(B)-P(A \cap B)$
$=\dfrac{1}{3}+\dfrac{1}{4}-\dfrac{1}{12}=\dfrac{1}{2}$
(2) 5의 배수가 적힌 공이 나오는 사건을 A, 7의 배수가 적
힌 공이 나오는 사건을 B라고 하면
$P(A)=\dfrac{1}{6}$, $P(B)=\dfrac{1}{12}$
두 사건 A, B는 서로 배반사건이므로 구하는 확률은
$P(A \cup B)=P(A)+P(B)=\dfrac{1}{6}+\dfrac{1}{12}=\dfrac{1}{4}$

5
(1) $P(A)=1-P(A^c)=1-0.3=0.7$

(2) $P(B)=P(A\cup B)+P(A\cap B)-P(A)$

$\qquad =\dfrac{5}{6}+\dfrac{1}{4}-\dfrac{7}{12}=\dfrac{1}{2}$

$\qquad \therefore P(B^c)=1-P(B)=1-\dfrac{1}{2}=\dfrac{1}{2}$

(3) $P(B)=P(A\cup B)-P(A)=0.7-0.1=0.6$

$\qquad \therefore P(B^c)=1-P(B)=1-0.6=0.4$

(4) $P(A)=1-P(A^c)=1-\dfrac{5}{6}=\dfrac{1}{6}$

$\qquad P(B)=1-P(B^c)=1-\dfrac{3}{4}=\dfrac{1}{4}$

$\qquad \therefore P(A\cup B)=P(A)+P(B)$

$\qquad\qquad =\dfrac{1}{6}+\dfrac{1}{4}=\dfrac{5}{12}$

6 두 개의 주사위를 동시에 던질 때, 나오는 모든 경우의 수는
$6\times 6=36$

(1) 서로 다른 눈의 수가 나오는 사건을 A라고 하면 A^c은 서로 같은 눈의 수가 나오는 사건이므로

$A^c=\{(1,1),(2,2),(3,3),(4,4),(5,5),(6,6)\}$

$\therefore P(A^c)=\dfrac{6}{36}=\dfrac{1}{6}$

따라서 구하는 확률은

$P(A)=1-P(A^c)=1-\dfrac{1}{6}=\dfrac{5}{6}$

(2) 두 눈의 수의 곱이 짝수인 사건을 A라고 하면 A^c은 두 눈의 수의 곱이 홀수인 사건이므로

$A^c=\{(1,1),(1,3),(1,5),(3,1),(3,3),$
$\qquad\qquad (3,5),(5,1),(5,3),(5,5)\}$

$\therefore P(A^c)=\dfrac{9}{36}=\dfrac{1}{4}$

따라서 구하는 확률은

$P(A)=1-P(A^c)=1-\dfrac{1}{4}=\dfrac{3}{4}$

족집게 기출문제   **05~06강**   p. 32~35

1 ⑤	2 $\dfrac{7}{36}$	3 ①	4 ②	5 ①
6 ④	7 ②	8 ③	9 $\dfrac{2}{5}$	10 $\dfrac{6}{11}$
11 $\dfrac{5}{16}$	12 8개	13 ③	14 ㄱ, ㄴ	15 ④
16 ⑤	17 0.7	18 $\dfrac{4}{15}$	19 ④	20 ⑤
21 ④	22 $\dfrac{1}{3}$	23 ④	24 ①	25 $\dfrac{1}{3}$
26 5	27 $\dfrac{53}{100}$			

---

1 $A=\{4,8\}$, $B=\{2,3,5,7\}$, $C=\{1,2,3,6\}$이므로
$A\cap B=\varnothing$, $B\cap C=\{2,3\}$, $A\cap C=\varnothing$
따라서 서로 배반사건인 것은 ㄱ, ㄷ이다.

2 주사위 한 개를 두 번 던질 때, 나오는 모든 경우의 수는
$6\times 6=36$
$3\le 2a+b\le 18$이므로 $2a+b$가 5의 배수가 되도록 하는 a, b의 값을 순서쌍 (a,b)로 나타내면 다음과 같다.
(ⅰ) $2a+b=5$인 경우
$\quad (1,3),(2,1)$이므로 그 경우의 수는 2
(ⅱ) $2a+b=10$인 경우
$\quad (2,6),(3,4),(4,2)$이므로 그 경우의 수는 3
(ⅲ) $2a+b=15$인 경우
$\quad (5,5),(6,3)$이므로 그 경우의 수는 2
(ⅰ),(ⅱ),(ⅲ)에 의하여 $2a+b$가 5의 배수인 경우의 수는
$2+3+2=7$
따라서 구하는 확률은 $\dfrac{7}{36}$이다.

3 포스터 6장을 일렬로 붙이는 방법의 수는
$6!=720$
액션 영화, 스릴러 영화의 순서로 번갈아 붙이는 방법의 수는
$3!\times 3!=36$
스릴러 영화, 액션 영화의 순서로 번갈아 붙이는 방법의 수는
$3!\times 3!=36$
즉, 포스터를 번갈아 붙이는 방법의 수는
$36+36=72$
따라서 구하는 확률은 $\dfrac{72}{720}=\dfrac{1}{10}$

4 9개의 문자를 일렬로 배열하는 방법의 수는 $9!$
4개의 자음 중에서 2개를 택하여 양 끝에 배열하는 방법의 수는 $_4P_2$이고, 그 각각에 대하여 나머지 7개의 문자를 일렬로 배열하는 방법의 수는 $7!$이다.
즉, 양 끝에 자음이 오도록 배열하는 방법의 수는
$_4P_2\times 7!$
따라서 구하는 확률은 $\dfrac{_4P_2\times 7!}{9!}=\dfrac{1}{6}$

5 9개의 글자를 원형으로 배열하는 방법의 수는
$(9-1)!=8!$
'내, 공, 의, 힘'의 네 글자를 하나로 생각하면 6개의 글자를 원형으로 배열하는 방법의 수는 $(6-1)!=5!$이고, '내, 공, 의, 힘'의 네 글자의 자리를 바꾸어 배열하는 방법의 수는 $4!$이다.
즉, '내, 공, 의, 힘'의 네 글자가 이웃하도록 배열하는 방법의 수는 $5!\times 4!$
따라서 구하는 확률은 $\dfrac{5!\times 4!}{8!}=\dfrac{1}{14}$

6 노래 3곡을 4개의 프로그램에 신청하는 방법의 수는
$$_4\Pi_3 = 4^3 = 64$$
노래 3곡을 모두 다른 프로그램에 신청하는 방법의 수는
$$_4P_3 = 24$$
따라서 구하는 확률은 $\dfrac{24}{64} = \dfrac{3}{8}$

7 학교에서 독서실까지 가는 최단 경로의 수는
$$\frac{8!}{5! \times 3!} = 56$$
학교에서 편의점을 거쳐 독서실까지 가는 최단 경로의 수는
$$\frac{4!}{3!} \times \frac{4!}{2! \times 2!} = 24$$
따라서 구하는 확률은 $\dfrac{24}{56} = \dfrac{3}{7}$

8 7일 중에서 4일을 택하는 방법의 수는
$$_7C_4 = 35$$
할인 행사일에 토요일과 일요일이 모두 포함되는 경우의 수는 토요일과 일요일을 제외한 나머지 5일 중에서 2일을 택한 후, 토요일과 일요일을 포함시키는 경우의 수와 같으므로
$$_5C_2 = 10$$
따라서 구하는 확률은 $\dfrac{10}{35} = \dfrac{2}{7}$

9 6개의 점 중에서 3개를 택하는 방법의 수는
$$_6C_3 = 20$$
원 위에 있는 임의의 1개의 점을 꼭짓점으로 하고 그 점과 이웃하는 양 옆의 두 점을 꼭짓점으로 하는 정삼각형이 아닌 이등변삼각형의 개수는 6이고, 정삼각형의 개수는 2이다.
즉, 만들 수 있는 이등변삼각형의 개수는 $6 + 2 = 8$
따라서 구하는 확률은 $\dfrac{8}{20} = \dfrac{2}{5}$

10 세 가지 색의 리본 중에서 10개를 고르는 경우의 수는
$$_3H_{10} = {}_{12}C_{10} = 66$$
하늘색, 보라색, 연두색 리본을 적어도 한 개씩 포함하는 경우의 수는 하늘색, 보라색, 연두색 리본을 한 개씩 고른 다음 나머지 7개를 고르는 경우의 수와 같으므로
$$_3H_7 = {}_9C_7 = 36$$
따라서 구하는 확률은 $\dfrac{36}{66} = \dfrac{6}{11}$

11 집합 $Y = \{1, 2, 5, 10\}$이므로 함수 f의 개수는
$$_4\Pi_3 = 4^3 = 64$$
$a < b$이면 $f(a) \le f(b)$를 만족시키는 함수 f의 개수는 집합 Y의 원소 중에서 중복을 허용하여 원소 3개를 뽑는 방법의 수와 같으므로
$$_4H_3 = {}_6C_3 = 20$$
따라서 구하는 확률은 $\dfrac{20}{64} = \dfrac{5}{16}$

12 상자 안에 n개의 파란 공이 들어 있다고 하면 10개의 공 중에서 임의로 3개의 공을 동시에 꺼낼 때, 3개가 모두 파란 공일 확률은 $\dfrac{7}{15}$이므로 $\dfrac{_nC_3}{_{10}C_3} = \dfrac{7}{15}$, $_nC_3 = 56$
$n(n-1)(n-2) = 8 \times 7 \times 6$ ∴ $n = 8$
따라서 상자 안에 8개의 파란 공이 들어 있다고 볼 수 있다.

13 반지름의 길이가 12인 원의 넓이는 144π
반지름의 길이가 8인 원의 넓이는 64π
반지름의 길이가 4인 원의 넓이는 16π
색칠한 부분의 넓이는 $64\pi - 16\pi = 48\pi$
따라서 구하는 확률은 $\dfrac{48\pi}{144\pi} = \dfrac{1}{3}$

14 ㄱ. $0 \le P(A) \le 1$, $0 \le P(B) \le 1$이므로
$0 \le P(A)P(B) \le 1$
ㄴ. $\varnothing \subset (A \cup B) \subset S$에서 $P(\varnothing) \le P(A \cup B) \le P(S)$
이때 $P(\varnothing) = 0$, $P(S) = 1$이므로 $0 \le P(A \cup B) \le 1$
ㄷ. [반례] 서로 다른 두 개의 동전을 동시에 던질 때, 모두 앞면이 나오는 사건을 A, 모두 뒷면이 나오는 사건을 B라고 하면 $P(A) = \dfrac{1}{4}$, $P(B) = \dfrac{1}{4}$
이때 $P(A) + P(B) = \dfrac{1}{2}$이므로
$P(S) > P(A) + P(B)$
ㄹ. [반례] 주사위 한 개를 던질 때, 소수의 눈이 나오는 사건을 A, 짝수의 눈이 나오는 사건을 B라고 하면
$P(A) = \dfrac{1}{2}$, $P(B) = \dfrac{1}{2}$
이때 $P(A) + P(B) = 1$이지만 $A \cap B = \{2\}$이므로 A와 B는 서로 배반사건이 아니다.
따라서 옳은 것은 ㄱ, ㄴ이다.

15 $P(A \cap B) = P(A) + P(B) - P(A \cup B)$
$= 0.4 + 0.5 - 0.6 = 0.3$
∴ $P(A^c \cup B^c) = P((A \cap B)^c) = 1 - P(A \cap B)$
$= 1 - 0.3 = 0.7$

16 동전의 앞면이 나오는 사건을 A, 주사위의 눈의 수가 짝수가 나오는 사건을 B라고 하면
$P(A) = \dfrac{1}{2}$, $P(B) = \dfrac{1}{2}$, $P(A \cap B) = \dfrac{1}{4}$
따라서 구하는 확률은
$P(A \cup B) = P(A) + P(B) - P(A \cap B)$
$= \dfrac{1}{2} + \dfrac{1}{2} - \dfrac{1}{4} = \dfrac{3}{4}$

17 계곡에 다녀온 학생을 택하는 사건을 A, 바다에 다녀온 학생을 택하는 사건을 B라고 하면
$P(A \cup B) = 0.8$, $P(B) = 0.4$, $P(A \cap B) = 0.3$
이때 $P(A \cup B) = P(A) + P(B) - P(A \cap B)$이므로
$0.8 = P(A) + 0.4 - 0.3$ ∴ $P(A) = 0.7$
따라서 구하는 확률은 0.7이다.

18 두 학생의 선택과목이 모두 물리학, 화학, 생명과학, 지구과학인 사건을 각각 A, B, C, D라고 하면

$$\mathrm{P}(A)=\frac{{}_4\mathrm{C}_2}{{}_{30}\mathrm{C}_2}=\frac{2}{145}, \quad \mathrm{P}(B)=\frac{{}_{10}\mathrm{C}_2}{{}_{30}\mathrm{C}_2}=\frac{3}{29}$$

$$\mathrm{P}(C)=\frac{{}_{11}\mathrm{C}_2}{{}_{30}\mathrm{C}_2}=\frac{11}{87}, \quad \mathrm{P}(D)=\frac{{}_5\mathrm{C}_2}{{}_{30}\mathrm{C}_2}=\frac{2}{87}$$

네 사건 A, B, C, D는 서로 배반사건이므로 구하는 확률은

$$\mathrm{P}(A)+\mathrm{P}(B)+\mathrm{P}(C)+\mathrm{P}(D)$$
$$=\frac{2}{145}+\frac{3}{29}+\frac{11}{87}+\frac{2}{87}=\frac{4}{15}$$

19 세 수의 곱이 짝수인 사건을 A라고 하면 A^c은 세 수의 곱이 홀수인 사건이다.

세 수의 곱이 홀수가 되려면 세 수가 모두 홀수이어야 하므로

$$\mathrm{P}(A^c)=\frac{{}_6\mathrm{C}_3}{{}_{12}\mathrm{C}_3}=\frac{1}{11}$$

따라서 구하는 확률은

$$\mathrm{P}(A)=1-\mathrm{P}(A^c)=1-\frac{1}{11}=\frac{10}{11}$$

20 10개의 제비 중에서 3개를 꺼낼 때, 적어도 1개는 당첨 제비가 아닌 사건을 A라고 하면 A^c은 3개 모두 당첨 제비인 사건이므로

$$\mathrm{P}(A^c)=\frac{{}_4\mathrm{C}_3}{{}_{10}\mathrm{C}_3}=\frac{1}{30}$$

따라서 구하는 확률은

$$\mathrm{P}(A)=1-\mathrm{P}(A^c)=1-\frac{1}{30}=\frac{29}{30}$$

21 2개의 점을 택하여 선분을 그을 때, 선분의 길이가 1보다 긴 사건을 A라고 하면 A^c은 선분의 길이가 1 이하인 사건이다.

8개의 점 중에서 2개의 점을 택하여 선분을 그을 때, 선분의 길이가 1 이하일 확률은

$$\mathrm{P}(A^c)=\frac{8}{{}_8\mathrm{C}_2}=\frac{2}{7}$$

따라서 구하는 확률은

$$\mathrm{P}(A)=1-\mathrm{P}(A^c)=1-\frac{2}{7}=\frac{5}{7}$$

22 네 사람이 일렬로 줄을 서는 경우의 수는 $4!=24$

키가 작은 사람부터 차례로 A, B, C, D라고 하면 주어진 조건을 만족하는 경우는 다음과 같다.

(ⅰ) ⬚⬚⬚D 인 경우

나머지 세 사람이 서는 경우의 수는 $3!=6$

(ⅱ) ⬚⬚C⬚ 인 경우

맨 앞에 D가 서고, 나머지 두 사람 A, B가 서는 경우의 수는 $2!=2$

(ⅰ), (ⅱ)에 의하여 앞에서 세 번째에 서는 사람이 자신과 이웃한 두 사람보다 키가 큰 경우의 수는 $6+2=8$

따라서 구하는 확률은 $\dfrac{8}{24}=\dfrac{1}{3}$

다른 풀이

구하는 확률은 맨 앞에 서는 사람을 제외한 나머지 세 사람 중에서 가장 큰 사람이 세 번째에 설 확률과 같다. 이때 나머지 세 사람 중에서 가장 큰 사람이 두 번째, 세 번째, 네 번째에 설 확률은 각각 $\dfrac{1}{3}$로 같다.

따라서 구하는 확률은 $\dfrac{1}{3}$이다.

23 3명의 학생이 가위바위보를 한 번 할 때, 승부가 나는 사건을 A라고 하면 A^c은 승부가 나지 않는 사건이다.

3명의 학생이 가위바위보를 한 번 할 때, 나오는 모든 경우의 수는

$$_3\Pi_3=3^3=27$$

승부가 나지 않는 경우는 모두 같은 것을 내거나 모두 다른 것을 내는 두 가지 경우이다.

이때 모두 같은 것을 내는 경우의 수는 3, 모두 다른 것을 내는 경우의 수는 3!=6이므로 승부가 나지 않는 경우의 수는 $3+6=9$

즉, 승부가 나지 않을 확률은

$$\mathrm{P}(A^c)=\frac{9}{27}=\frac{1}{3}$$

따라서 구하는 확률은

$$\mathrm{P}(A)=1-\mathrm{P}(A^c)=1-\frac{1}{3}=\frac{2}{3}$$

다른 풀이

3명의 학생이 가위바위보를 한 번 할 때, 나오는 모든 경우의 수는 $_3\Pi_3=3^3=27$

승부가 나는 경우는 한 명이 이기거나 두 명이 이기는 두 가지 경우이다.

(ⅰ) 한 명이 이기는 경우

이기는 한 명을 정하는 방법의 수는 $_3\mathrm{C}_1$

그 각각에 대하여 가위, 바위, 보 중에서 한 가지로 이기는 방법의 수는 $_3\mathrm{C}_1$

즉, 한 명이 이기는 방법의 수는

$$_3\mathrm{C}_1\times{}_3\mathrm{C}_1=9$$

따라서 한 명이 이길 확률은

$$\frac{9}{27}=\frac{1}{3}$$

(ⅱ) 두 명이 이기는 경우

이기는 두 명을 정하는 방법의 수는 $_3\mathrm{C}_2$

그 각각에 대하여 가위, 바위, 보 중에서 한 가지로 이기는 방법의 수는 $_3\mathrm{C}_1$

즉, 두 명이 이기는 방법의 수는

$$_3\mathrm{C}_2\times{}_3\mathrm{C}_1=9$$

따라서 두 명이 이길 확률은

$$\frac{9}{27}=\frac{1}{3}$$

(ⅰ), (ⅱ)에 의하여 승부가 날 확률은

$$\frac{1}{3}+\frac{1}{3}=\frac{2}{3}$$

24 10장의 카드 중에서 3장을 꺼내는 경우의 수는 $_{10}C_3=120$

꺼낸 3장의 카드에 적힌 수 중에서 연속인 자연수가 없는 사건을 A라고 하면 A^c은 꺼낸 3장의 카드에 적힌 수 중에서 연속인 자연수가 있는 사건이다.

이때 연속인 자연수가 있는 경우는 두 자연수만 연속이거나 세 자연수가 모두 연속인 두 가지 경우가 있다.

(i) 두 자연수만 연속인 경우

연속인 두 자연수 a, b $(a<b)$를 순서쌍 (a, b)로 나타내고, 나머지 자연수를 c라고 하자.

$(1, 2)$ 또는 $(9, 10)$일 때, c가 될 수 있는 수의 개수는 각각 7 ...... ㉠

$(2, 3)$, $(3, 4)$, $\cdots$, $(8, 9)$일 때, c가 될 수 있는 수의 개수는 각각 6 ...... ㉡

㉠, ㉡에 의하여 두 자연수만 연속인 경우의 수는

$2\times7+7\times6=56$

즉, 두 자연수만 연속일 확률은

$\dfrac{56}{120}=\dfrac{7}{15}$

(ii) 세 자연수가 모두 연속인 경우

연속인 세 자연수 a, b, c $(a<b<c)$를 순서쌍 (a, b, c)로 나타내면

$(1, 2, 3)$, $(2, 3, 4)$, $(3, 4, 5)$, $(4, 5, 6)$,
$(5, 6, 7)$, $(6, 7, 8)$, $(7, 8, 9)$, $(8, 9, 10)$

이므로 그 개수는 8

즉, 세 자연수가 모두 연속일 확률은

$\dfrac{8}{120}=\dfrac{1}{15}$

(i), (ii)에 의하여 3장의 카드에 적힌 수 중에서 연속인 자연수가 있을 확률은

$P(A^c)=\dfrac{7}{15}+\dfrac{1}{15}=\dfrac{8}{15}$

따라서 구하는 확률은

$P(A)=1-P(A^c)=1-\dfrac{8}{15}=\dfrac{7}{15}$

다른 풀이

10장의 카드 중에서 3장을 꺼내는 경우의 수는 $_{10}C_3=120$

연속인 자연수가 없는 경우는 3개의 a와 7개의 b를 일렬로 배열할 때, a가 이웃하지 않도록 배열한 후 배열한 문자에 차례로 1부터 10까지의 자연수를 대응시키는 경우와 같다.

즉, 연속인 자연수가 없는 경우의 수는 7개의 b 사이사이와 양 끝의 8개의 자리에 3개의 a를 배열하는 경우의 수와 같으므로 $_8C_3=56$

따라서 구하는 확률은 $\dfrac{56}{120}=\dfrac{7}{15}$

25 6개의 숫자 중에서 중복을 허용하여 5개를 뽑아 다섯 자리의 자연수를 만드는 경우의 수는 만의 자리에 올 수 있는 숫자는 0을 제외한 5개, 나머지 자리에 올 수 있는 숫자는 각각 6개이므로

$5\times_6\Pi_4=5\times6^4$ ...... (가)

6개의 숫자 중에서 중복을 허용하여 5개를 뽑아 다섯 자리의 5의 배수를 만드는 경우의 수는 만의 자리에 올 수 있는 숫자는 0을 제외한 5개, 일의 자리에 올 수 있는 숫자는 0, 5의 2개, 나머지 자리에 올 수 있는 숫자는 각각 6개이므로

$5\times_6\Pi_3\times2=5\times6^3\times2=10\times6^3$ ...... (나)

따라서 구하는 확률은 $\dfrac{10\times6^3}{5\times6^4}=\dfrac{1}{3}$ ...... (다)

채점 기준	배점
(가) 모든 경우의 수를 구한다.	2점
(나) 6개의 숫자 중에서 중복을 허용하여 5개를 뽑아 다섯 자리의 5의 배수를 만드는 경우의 수를 구한다.	2점
(다) 만든 수가 5의 배수일 확률을 구한다.	2점

26 10개의 구슬 중에서 2개를 꺼내는 경우의 수는

$_{10}C_2=45$ ...... (가)

주머니 안에 x개의 분홍색 구슬이 들어 있다고 하면 노란색 구슬은 $(10-x)$개가 들어 있으므로 분홍색 구슬과 노란색 구슬을 각각 한 개씩 꺼내는 경우의 수는

$_xC_1\times_{10-x}C_1=x(10-x)$ ...... (나)

분홍색 구슬과 노란색 구슬이 각각 한 개씩 나올 확률은

$\dfrac{x(10-x)}{45}=-\dfrac{1}{45}(x-5)^2+\dfrac{5}{9}$ ...... (다)

따라서 분홍색 구슬이 5개일 때 확률이 최대가 된다. ...... (라)

채점 기준	배점
(가) 모든 경우의 수를 구한다.	1점
(나) 분홍색 구슬과 노란색 구슬을 각각 한 개씩 꺼내는 경우의 수를 x에 대한 식으로 나타낸다.	2점
(다) 확률을 x에 대한 식으로 나타낸다.	2점
(라) 확률이 최대가 되는 분홍색 구슬의 개수를 구한다.	2점

27 카드에 적힌 수가 15와 서로소이려면 그 수는 3의 배수도 아니고 5의 배수도 아니어야 한다.

임의로 한 장의 카드를 뽑을 때 3의 배수가 적힌 카드가 나오는 사건을 A, 5의 배수가 적힌 카드가 나오는 사건을 B라고 하면

$P(A)=\dfrac{33}{100}$, $P(B)=\dfrac{20}{100}=\dfrac{1}{5}$, $P(A\cap B)=\dfrac{6}{100}=\dfrac{3}{50}$

임의로 한 장의 카드를 뽑을 때 3의 배수 또는 5의 배수가 적힌 카드가 나올 확률은

$P(A\cup B)=P(A)+P(B)-P(A\cap B)$

$=\dfrac{33}{100}+\dfrac{1}{5}-\dfrac{3}{50}=\dfrac{47}{100}$ ...... (가)

따라서 15와 서로소인 수가 적힌 카드가 나오는 사건은 $A^c\cap B^c$이므로 구하는 확률은

$P(A^c\cap B^c)=P((A\cup B)^c)=1-P(A\cup B)$

$=1-\dfrac{47}{100}=\dfrac{53}{100}$ ...... (나)

채점 기준	배점
(가) 3의 배수 또는 5의 배수가 적힌 카드가 나올 확률을 구한다.	4점
(나) 15와 서로소인 수가 적힌 카드가 나올 확률을 구한다.	3점

07강 조건부확률

확인 문제　　p. 36

1 $P(A)=0.8$, $P(A\cap B)=0.5$이므로

$$P(B|A)=\frac{P(A\cap B)}{P(A)}=\frac{0.5}{0.8}=\frac{5}{8}$$

2 $A=\{1, 3, 5\}$, $B=\{2, 3, 5\}$

(1) $A\cap B=\{3, 5\}$이므로

$$P(A\cap B)=\frac{2}{6}=\frac{1}{3}$$

(2) $P(A)=\frac{3}{6}=\frac{1}{2}$이므로

$$P(B|A)=\frac{P(A\cap B)}{P(A)}=\frac{\frac{1}{3}}{\frac{1}{2}}=\frac{2}{3}$$

3 $P(A\cap B)=P(A)P(B|A)=\frac{1}{5}\times\frac{1}{3}=\frac{1}{15}$

실전 문제　　p. 37

1 $P(A\cap B)=P(B)-P(A^c\cap B)$
$$=0.5-0.3=0.2$$

$$\therefore P(B|A)=\frac{P(A\cap B)}{P(A)}=\frac{0.2}{0.3}=\frac{2}{3}$$

2 $P(A\cap B)=P(A)+P(B)-P(A\cup B)$
$$=\frac{1}{2}+\frac{1}{4}-\frac{3}{5}=\frac{3}{20}$$

$$\therefore P(A^c|B)=\frac{P(A^c\cap B)}{P(B)}$$
$$=\frac{P(B)-P(A\cap B)}{P(B)}$$
$$=\frac{\frac{1}{4}-\frac{3}{20}}{\frac{1}{4}}=\frac{2}{5}$$

3 임의로 뽑은 학생 한 명이 버스를 이용하여 통학하는 학생인 사건을 A, 남학생인 사건을 B라고 하면
$P(A)=0.65$, $P(A\cap B)=0.3$
따라서 구하는 확률은

$$P(B|A)=\frac{P(A\cap B)}{P(A)}=\frac{0.3}{0.65}=\frac{6}{13}$$

4 임의로 택한 옷 한 벌이 B인 사건을 B, 중국에서 생산한 옷인 사건을 C라고 하면

$$P(B)=\frac{900}{2000}=\frac{9}{20}, \quad P(B\cap C)=\frac{780}{2000}=\frac{39}{100}$$

따라서 구하는 확률은

$$P(C|B)=\frac{P(B\cap C)}{P(B)}=\frac{\frac{39}{100}}{\frac{9}{20}}=\frac{13}{15}$$

5 갑이 당첨 제비를 뽑는 사건을 A라고 하면

$$P(A)=\frac{5}{15}=\frac{1}{3}, \quad P(A^c)=\frac{10}{15}=\frac{2}{3}$$

이때 을이 당첨 제비를 뽑는 사건을 B라고 하면

(1) 갑이 당첨 제비를 뽑았을 때, 을도 당첨 제비를 뽑을 확률은 $P(B|A)=\frac{4}{14}=\frac{2}{7}$

따라서 구하는 확률은

$$P(A\cap B)=P(A)P(B|A)=\frac{1}{3}\times\frac{2}{7}=\frac{2}{21}$$

(2) 갑이 당첨 제비를 뽑지 못했을 때, 을이 당첨 제비를 뽑을 확률은

$$P(B|A^c)=\frac{5}{14}$$

따라서 구하는 확률은

$$P(A^c\cap B)=P(A^c)P(B|A^c)=\frac{2}{3}\times\frac{5}{14}=\frac{5}{21}$$

(3) 갑이 당첨 제비를 뽑지 못했을 때, 을도 당첨 제비를 뽑지 못할 확률은

$$P(B^c|A^c)=\frac{9}{14}$$

따라서 구하는 확률은

$$P(A^c\cap B^c)=P(A^c)P(B^c|A^c)=\frac{2}{3}\times\frac{9}{14}=\frac{3}{7}$$

6 첫 번째에 노란 공을 꺼내는 사건을 A라고 하면

$$P(A)=\frac{5}{12}, \quad P(A^c)=\frac{7}{12}$$

두 번째에 노란 공을 꺼내는 사건을 B라고 하면 첫 번째에 노란 공을 꺼내었을 때, 두 번째에도 노란 공을 꺼낼 확률은

$$P(B|A)=\frac{4}{11}$$

따라서 꺼낸 공 2개가 모두 노란 공일 확률은

$$a=P(A\cap B)=P(A)P(B|A)=\frac{5}{12}\times\frac{4}{11}=\frac{5}{33}$$

한편 첫 번째에 노란 공을 꺼내었을 때, 두 번째에 빨간 공을 꺼낼 확률은

$$P(B^c|A)=\frac{7}{11}$$

첫 번째에 빨간 공을 꺼내었을 때, 두 번째에 노란 공을 꺼낼 확률은

$$P(B|A^c)=\frac{5}{11}$$

따라서 꺼낸 공 2개의 색이 다를 확률은

$$b=P(A\cap B^c)+P(A^c\cap B)$$
$$=P(A)P(B^c|A)+P(A^c)P(B|A^c)$$
$$=\frac{5}{12}\times\frac{7}{11}+\frac{7}{12}\times\frac{5}{11}=\frac{35}{66}$$

$$\therefore a+b=\frac{5}{33}+\frac{35}{66}=\frac{15}{22}$$

7 노란 주머니를 택하는 사건을 A, 파란 주머니를 택하는 사건을 B, 2개 모두 흰 구슬이 나오는 사건을 E라고 하면

$P(A)=\dfrac{1}{2}$, $P(B)=\dfrac{1}{2}$

$P(E|A)=\dfrac{{}_5C_2}{{}_{11}C_2}=\dfrac{2}{11}$, $P(E|B)=\dfrac{{}_3C_2}{{}_{10}C_2}=\dfrac{1}{15}$

(1) $P(E)=P(A\cap E)+P(B\cap E)$

$\qquad =P(A)P(E|A)+P(B)P(E|B)$

$\qquad =\dfrac{1}{2}\times\dfrac{2}{11}+\dfrac{1}{2}\times\dfrac{1}{15}=\dfrac{41}{330}$

(2) $P(A|E)=\dfrac{P(A\cap E)}{P(E)}=\dfrac{\dfrac{1}{2}\times\dfrac{2}{11}}{\dfrac{41}{330}}=\dfrac{30}{41}$

8 A 회사의 제품을 뽑는 사건을 A, B 회사의 제품을 뽑는 사건을 B, 불량품이 나오는 사건을 E라고 하면

$P(A)=0.6$, $P(B)=0.4$,

$P(E|A)=0.05$, $P(E|B)=0.03$

$P(E)=P(A\cap E)+P(B\cap E)$

$\qquad =P(A)P(E|A)+P(B)P(E|B)$

$\qquad =0.6\times0.05+0.4\times0.03=0.042$

$\therefore P(A|E)=\dfrac{P(A\cap E)}{P(E)}=\dfrac{0.6\times0.05}{0.042}=\dfrac{5}{7}$

08강 사건의 독립과 종속

확인 문제　p. 38

1 (1) $P(A\cap B)=P(A)P(B)$

$\qquad\qquad =0.5\times0.9=0.45$

(2) $P(A|B^c)=P(A)=0.5$

(3) $P(B^c|A)=P(B^c)=1-P(B)$

$\qquad\qquad\quad =1-0.9=0.1$

2 두 선수 A, B가 한 번의 투구에서 스트라이크를 치는 사건을 각각 A, B라고 하면 두 사건 A, B는 서로 독립이므로 구하는 확률은

$P(A\cap B)=P(A)P(B)$

$\qquad\qquad =0.8\times0.7=0.56$

3 (1) 앞면이 2번 나오는 경우의 수는　${}_5C_2=10$

(2) 한 개의 동전을 한 번 던질 때, 앞면이 나올 확률은 $\dfrac{1}{2}$이므로 구하는 확률은

${}_5C_2\left(\dfrac{1}{2}\right)^2\left(1-\dfrac{1}{2}\right)^3=10\left(\dfrac{1}{2}\right)^2\left(\dfrac{1}{2}\right)^3=\dfrac{5}{16}$

교/과/서/속 **핵심유형+ 실전 문제**　p. 39

1 $A=\{2,\ 4,\ 6,\ 8,\ 10,\ 12,\ 14,\ 16,\ 18,\ 20\}$,

$B=\{3,\ 6,\ 9,\ 12,\ 15,\ 18\}$, $C=\{5,\ 10,\ 15,\ 20\}$이므로

$P(A)=\dfrac{1}{2}$, $P(B)=\dfrac{3}{10}$, $P(C)=\dfrac{1}{5}$

(1) $A\cap B=\{6,\ 12,\ 18\}$에서 $P(A\cap B)=\dfrac{3}{20}$이고,

$\quad P(A)P(B)=\dfrac{1}{2}\times\dfrac{3}{10}=\dfrac{3}{20}$이므로

$\quad P(A\cap B)=P(A)P(B)$　$\therefore$ A와 B는 서로 독립

(2) $B\cap C=\{15\}$에서 $P(B\cap C)=\dfrac{1}{20}$이고,

$\quad P(B)P(C)=\dfrac{3}{10}\times\dfrac{1}{5}=\dfrac{3}{50}$이므로

$\quad P(B\cap C)\neq P(B)P(C)$　$\therefore$ B와 C는 서로 종속

(3) $A\cap C^c=\{2,\ 4,\ 6,\ 8,\ 12,\ 14,\ 16,\ 18\}$에서

$\quad P(A\cap C^c)=\dfrac{2}{5}$이고, $P(A)P(C^c)=\dfrac{1}{2}\times\left(1-\dfrac{1}{5}\right)=\dfrac{2}{5}$

$\quad$이므로　$P(A\cap C^c)=P(A)P(C^c)$

$\quad \therefore$ A와 C^c은 서로 독립

2 $A=\{1,\ 3,\ 5\}$, $B=\{2,\ 3,\ 5\}$, $C=\{1,\ 2,\ 3,\ 6\}$이므로

$P(A)=\dfrac{1}{2}$, $P(B)=\dfrac{1}{2}$, $P(C)=\dfrac{2}{3}$

ㄱ. $A\cap B=\{3,\ 5\}$에서 $P(A\cap B)=\dfrac{1}{3}$이고,

$\quad P(A)P(B)=\dfrac{1}{2}\times\dfrac{1}{2}=\dfrac{1}{4}$이므로

$\quad P(A\cap B)\neq P(A)P(B)$

$\quad \therefore$ A와 B는 서로 종속

ㄴ. $B\cap C=\{2,\ 3\}$에서 $P(B\cap C)=\dfrac{1}{3}$이고,

$\quad P(B)P(C)=\dfrac{1}{2}\times\dfrac{2}{3}=\dfrac{1}{3}$이므로

$\quad P(B\cap C)=P(B)P(C)$　$\therefore$ B와 C는 서로 독립

ㄷ. $A^c\cap C=\{2,\ 6\}$에서 $P(A^c\cap C)=\dfrac{1}{3}$이고,

$\quad P(A^c)P(C)=\left(1-\dfrac{1}{2}\right)\times\dfrac{2}{3}=\dfrac{1}{3}$이므로

$\quad P(A^c\cap C)=P(A^c)P(C)$

$\quad \therefore$ A^c과 C는 서로 독립

따라서 서로 독립인 사건은 ㄴ, ㄷ이다.

3 첫 번째에 흰 공을 꺼내는 사건을 A, 두 번째에 흰 공을 꺼내는 사건을 B라고 하자.

(1) 꺼낸 공을 다시 넣는 경우에 두 사건 A, B는 서로 독립이므로

$\quad P(A\cap B)=P(A)P(B)=\dfrac{3}{10}\times\dfrac{3}{10}=\dfrac{9}{100}$

(2) $P(A)=\dfrac{3}{10}$, $P(B|A)=\dfrac{2}{9}$이므로

$\quad P(A\cap B)=P(A)P(B|A)=\dfrac{3}{10}\times\dfrac{2}{9}=\dfrac{1}{15}$

4 첫 번째에 빨간 구슬을 꺼내는 사건을 A, 두 번째에 빨간 구슬을 꺼내는 사건을 B라고 하자.

꺼낸 구슬을 다시 넣는 경우에 두 사건 A, B는 서로 독립이므로 두 번 모두 빨간 구슬이 나올 확률은

$$p=P(A\cap B)=P(A)P(B)=\frac{4}{10}\times\frac{4}{10}=\frac{4}{25}$$

꺼낸 구슬을 다시 넣지 않는 경우에

$$P(A)=\frac{4}{10}=\frac{2}{5}, \ P(B|A)=\frac{3}{9}=\frac{1}{3}$$

이므로 두 번 모두 빨간 구슬이 나올 확률은

$$q=P(A\cap B)=P(A)P(B|A)=\frac{2}{5}\times\frac{1}{3}=\frac{2}{15}$$

$$\therefore \ p-q=\frac{4}{25}-\frac{2}{15}=\frac{2}{75}$$

5 세 학생 A, B, C가 합격하는 사건을 각각 A, B, C라고 하자.

(1) 세 사건 A, B, C는 서로 독립이므로

$$P(A\cap B\cap C)=P(A)P(B)P(C)$$
$$=\frac{1}{5}\times\frac{3}{4}\times\frac{2}{7}=\frac{3}{70}$$

(2) 세 사건 A, B, C^c과 세 사건 A, B^c, C와 세 사건 A^c, B, C는 각각 서로 독립이므로

(i) A, B만 합격하고 C는 불합격할 확률은

$$P(A\cap B\cap C^c)=P(A)P(B)P(C^c)$$
$$=\frac{1}{5}\times\frac{3}{4}\times\left(1-\frac{2}{7}\right)=\frac{3}{28}$$

(ii) A, C만 합격하고 B는 불합격할 확률은

$$P(A\cap B^c\cap C)=P(A)P(B^c)P(C)$$
$$=\frac{1}{5}\times\left(1-\frac{3}{4}\right)\times\frac{2}{7}=\frac{1}{70}$$

(iii) B, C만 합격하고 A는 불합격할 확률은

$$P(A^c\cap B\cap C)=P(A^c)P(B)P(C)$$
$$=\left(1-\frac{1}{5}\right)\times\frac{3}{4}\times\frac{2}{7}=\frac{6}{35}$$

(i), (ii), (iii)에 의하여 구하는 확률은

$$P(A\cap B\cap C^c)+P(A\cap B^c\cap C)+P(A^c\cap B\cap C)$$
$$=\frac{3}{28}+\frac{1}{70}+\frac{6}{35}=\frac{41}{140}$$

(3) 세 사건 A^c, B^c, C^c은 서로 독립이므로

(적어도 한 학생이 합격할 확률)
$$=1-(세 \ 학생 \ 모두 \ 불합격할 \ 확률)$$
$$=1-P(A^c\cap B^c\cap C^c)=1-P(A^c)P(B^c)P(C^c)$$
$$=1-\left(1-\frac{1}{5}\right)\left(1-\frac{3}{4}\right)\left(1-\frac{2}{7}\right)=1-\frac{1}{7}=\frac{6}{7}$$

6 세 사격 선수 A, B, C가 명중시키는 사건을 각각 A, B, C라고 하면 세 사건 A^c, B^c, C^c은 서로 독립이므로

(적어도 한 선수가 명중시킬 확률)
$$=1-(세 \ 선수 \ 모두 \ 명중시키지 \ 못할 \ 확률)$$
$$=1-P(A^c\cap B^c\cap C^c)=1-P(A^c)P(B^c)P(C^c)$$
$$=1-(1-0.4)(1-0.7)(1-0.9)=1-0.018=0.982$$

7 (1) 자유투를 3번 던졌을 때, 두 번 성공할 확률은

$$_3C_2\left(\frac{4}{5}\right)^2\left(\frac{1}{5}\right)^1=\frac{48}{125}$$

(2) (적어도 한 번 성공할 확률)
$$=1-(3번 \ 모두 \ 성공하지 \ 못할 \ 확률)$$
$$=1-{_3C_0}\left(\frac{4}{5}\right)^0\left(\frac{1}{5}\right)^3$$
$$=1-\frac{1}{125}=\frac{124}{125}$$

8 (i) 5명의 환자 중에서 4명이 완치될 확률은

$$_5C_4\left(\frac{3}{4}\right)^4\left(\frac{1}{4}\right)^1=\frac{405}{1024}$$

(ii) 5명의 환자 모두 완치될 확률은

$$_5C_5\left(\frac{3}{4}\right)^5\left(\frac{1}{4}\right)^0=\frac{243}{1024}$$

(i), (ii)는 서로 배반사건이므로 구하는 확률은

$$\frac{405}{1024}+\frac{243}{1024}=\frac{81}{128}$$

족집게 기출문제

07~08강   p.40~43

1 $\frac{3}{8}$	2 ②	3 ①	4 $\frac{3}{7}$	5 $\frac{1}{20}$
6 4	7 ④	8 $\frac{17}{28}$	9 $\frac{8}{9}$	10 $\frac{9}{13}$
11 ⑤	12 ③	13 ⑤	14 ⑤	15 ③
16 ④	17 ②	18 ⑤	19 ①	20 $\frac{25}{52}$
21 $\frac{5}{16}$	22 $\frac{1}{4}$	23 0.064	24 $\frac{41}{81}$	
25 $P(A|B)=\frac{5}{9}, \ P(B|A)=\frac{5}{6}$			26 (1) 0.73	(2) $\frac{28}{73}$
27 $\frac{112}{625}$				

1 $P(A\cap B)=P(A)P(B|A)=\frac{1}{2}\times\frac{1}{4}=\frac{1}{8}$

$$\therefore \ P(A|B)=\frac{P(A\cap B)}{P(B)}=\frac{\frac{1}{8}}{\frac{1}{3}}=\frac{3}{8}$$

2 임의로 택한 학생 한 명이 여학생인 사건을 A, B형인 사건을 B라고 하면

$$P(A)=\frac{30}{80}=\frac{3}{8}, \ P(A\cap B)=\frac{8}{80}=\frac{1}{10}$$

따라서 구하는 확률은

$$P(B|A)=\frac{P(A\cap B)}{P(A)}=\frac{\frac{1}{10}}{\frac{3}{8}}=\frac{4}{15}$$

3 임의로 뽑은 회원 한 명이 A 동호회 회원인 사건을 A, 여자 회원인 사건을 C라 하고, A 동호회의 회원 수를 x명이라고 하면

(단위: 명)

	A 동호회	B 동호회	합계
남자 회원	$0.6x$	$0.7(60-x)$	$42-0.1x$
여자 회원	$0.4x$	$0.3(60-x)$	$18+0.1x$
합계	x	$60-x$	60

$P(C)=\dfrac{18+0.1x}{60}$, $P(A\cap C)=\dfrac{0.4x}{60}$이므로

$$P(A|C)=\frac{P(A\cap C)}{P(C)}=\frac{\dfrac{0.4x}{60}}{\dfrac{18+0.1x}{60}}=\frac{2}{5}$$

$5\times0.4x=2(18+0.1x)$, $1.8x=36$ $\quad\therefore x=20$

따라서 A 동호회의 회원은 총 20명이다.

4 나오는 눈의 수의 합이 5의 배수인 사건을 A, 두 번 모두 소수의 눈이 나오는 사건을 B라고 하면

$A=\{(1,4),(2,3),(3,2),(4,1),(4,6),$
$\qquad\qquad\qquad\qquad\qquad(5,5),(6,4)\}$

$B=\{(2,2),(2,3),(2,5),(3,2),(3,3),(3,5),$
$\qquad\qquad\qquad\qquad\qquad(5,2),(5,3),(5,5)\}$

$A\cap B=\{(2,3),(3,2),(5,5)\}$

따라서 $P(A)=\dfrac{7}{36}$, $P(A\cap B)=\dfrac{3}{36}=\dfrac{1}{12}$이므로 구하는 확률은

$$P(B|A)=\frac{P(A\cap B)}{P(A)}=\frac{\dfrac{1}{12}}{\dfrac{7}{36}}=\frac{3}{7}$$

5 네 번째까지 2개의 불량품을 꺼내는 사건을 A, 다섯 번째에 불량품을 꺼내는 사건을 B라고 하면

$P(A)=\dfrac{{}_7C_2\times{}_3C_2}{{}_{10}C_4}=\dfrac{3}{10}$, $P(B|A)=\dfrac{1}{6}$

따라서 구하는 확률은

$$P(A\cap B)=P(A)P(B|A)=\frac{3}{10}\times\frac{1}{6}=\frac{1}{20}$$

6 첫 번째에 주황색 탁구공을 꺼내는 사건을 A, 두 번째에 연두색 탁구공을 꺼내는 사건을 B라고 하면

$P(A)=\dfrac{6}{n+6}$, $P(B|A)=\dfrac{n}{n+5}$

이때 첫 번째는 주황색 탁구공, 두 번째는 연두색 탁구공을 꺼낼 확률이 $\dfrac{4}{15}$이므로

$$P(A\cap B)=P(A)P(B|A)$$
$$=\frac{6}{n+6}\times\frac{n}{n+5}$$
$$=\frac{6n}{(n+6)(n+5)}=\frac{4}{15}$$

$4(n+6)(n+5)=90n$, $2n^2-23n+60=0$

$(n-4)(2n-15)=0$ $\quad\therefore n=4$ ($\because n$은 자연수)

7 민준이가 3의 배수가 적힌 카드를 뽑는 사건을 A라고 하면

$P(A)=\dfrac{6}{20}=\dfrac{3}{10}$, $P(A^c)=\dfrac{14}{20}=\dfrac{7}{10}$

소리가 3의 배수가 적힌 카드를 뽑는 사건을 B라고 하면

(i) 민준이가 3의 배수가 적힌 카드를 뽑는 경우

$$P(A\cap B)=P(A)P(B|A)$$
$$=\frac{3}{10}\times\frac{5}{19}=\frac{3}{38}$$

(ii) 민준이가 3의 배수가 적힌 카드를 뽑지 않는 경우

$$P(A^c\cap B)=P(A^c)P(B|A^c)$$
$$=\frac{7}{10}\times\frac{6}{19}=\frac{21}{95}$$

(i), (ii)에 의하여 구하는 확률은

$$P(B)=P(A\cap B)+P(A^c\cap B)=\frac{3}{38}+\frac{21}{95}=\frac{3}{10}$$

8 주머니 A에서 공 2개를 꺼내는 경우는

(i) 흰 공 2개

(ii) 검은 공 2개

(iii) 흰 공 1개, 검은 공 1개

의 세 가지가 있다.

세 경우의 사건을 각각 A_1, A_2, A_3이라 하고, 주머니 B에서 임의로 꺼낸 공 1개가 흰 공인 사건을 B라고 하자.

(i) 주머니 A에서 흰 공 2개를 꺼내는 경우

$P(A_1)=\dfrac{{}_3C_2}{{}_7C_2}=\dfrac{1}{7}$, $P(B|A_1)=\dfrac{6}{8}=\dfrac{3}{4}$

$\therefore P(A_1\cap B)=P(A_1)P(B|A_1)=\dfrac{1}{7}\times\dfrac{3}{4}=\dfrac{3}{28}$

(ii) 주머니 A에서 검은 공 2개를 꺼내는 경우

$P(A_2)=\dfrac{{}_4C_2}{{}_7C_2}=\dfrac{2}{7}$, $P(B|A_2)=\dfrac{4}{8}=\dfrac{1}{2}$

$\therefore P(A_2\cap B)=P(A_2)P(B|A_2)=\dfrac{2}{7}\times\dfrac{1}{2}=\dfrac{1}{7}$

(iii) 주머니 A에서 흰 공 1개, 검은 공 1개를 꺼내는 경우

$P(A_3)=\dfrac{{}_3C_1\times{}_4C_1}{{}_7C_2}=\dfrac{4}{7}$, $P(B|A_3)=\dfrac{5}{8}$

$\therefore P(A_3\cap B)=P(A_3)P(B|A_3)=\dfrac{4}{7}\times\dfrac{5}{8}=\dfrac{5}{14}$

(i), (ii), (iii)에 의하여 구하는 확률은

$P(B)=P(A_1\cap B)+P(A_2\cap B)+P(A_3\cap B)$
$$=\frac{3}{28}+\frac{1}{7}+\frac{5}{14}=\frac{17}{28}$$

9 임의로 택한 한 명이 사범대 졸업생인 사건을 A, 비사범대 졸업생인 사건을 B, 고등학교로 발령이 나는 사건을 E라고 하면

$P(A)=0.8$, $P(B)=0.2$, $P(E|A)=0.4$, $P(E|B)=0.2$

임의로 택한 한 명이 고등학교로 발령이 날 확률은

$P(E)=P(A\cap E)+P(B\cap E)$
$$=P(A)P(E|A)+P(B)P(E|B)$$
$$=0.8\times0.4+0.2\times0.2=0.36$$

따라서 구하는 확률은

$$P(A|E)=\frac{P(A\cap E)}{P(E)}=\frac{0.8\times0.4}{0.36}=\frac{8}{9}$$

10 민수네 팀이 2승으로 우승할 수 있는 위치에 배정되는 사건을 A, 3승으로 우승할 수 있는 위치에 배정되는 사건을 B, 우승하는 사건을 E라고 하면

$P(A)=\dfrac{3}{5}$, $P(B)=\dfrac{2}{5}$

$P(E|A)=\left(\dfrac{2}{3}\right)^2=\dfrac{4}{9}$, $P(E|B)=\left(\dfrac{2}{3}\right)^3=\dfrac{8}{27}$

(ⅰ) 민수네 팀이 2승으로 우승할 확률은

$\quad P(A\cap E)=P(A)P(E|A)$

$\qquad\qquad\quad=\dfrac{3}{5}\times\dfrac{4}{9}=\dfrac{4}{15}$

(ⅱ) 민수네 팀이 3승으로 우승할 확률은

$\quad P(B\cap E)=P(B)P(E|B)$

$\qquad\qquad\quad=\dfrac{2}{5}\times\dfrac{8}{27}=\dfrac{16}{135}$

(ⅰ), (ⅱ)에 의하여 민수네 팀이 우승할 확률은

$P(E)=P(A\cap E)+P(B\cap E)$

$\qquad=\dfrac{4}{15}+\dfrac{16}{135}=\dfrac{52}{135}$

따라서 구하는 확률은

$P(A|E)=\dfrac{P(A\cap E)}{P(E)}=\dfrac{\frac{4}{15}}{\frac{52}{135}}=\dfrac{9}{13}$

11 수요일에 비가 오는 사건을 A, 목요일에 비가 오는 사건을 B, 금요일에 비가 오는 사건을 C라고 하면

$P(A)=0.6$, $P(A^c)=0.4$

$P(B|A)=0.6$, $P(B|A^c)=0.2$

$P(C|B)=0.6$, $P(C|B^c)=0.2$

목요일에 비가 올 확률은

$P(B)=P(A\cap B)+P(A^c\cap B)$

$\qquad=P(A)P(B|A)+P(A^c)P(B|A^c)$

$\qquad=0.6\times0.6+0.4\times0.2=0.44$

따라서 금요일에 비가 올 확률은

$P(C)=P(B\cap C)+P(B^c\cap C)$

$\qquad=P(B)P(C|B)+P(B^c)P(C|B^c)$

$\qquad=0.44\times0.6+(1-0.44)\times0.2$

$\qquad=0.376$

즉, 37.6 %이다.

[다른 풀이]

비가 오는 것을 ○, 비가 오지 않는 것을 ×로 나타내면 금요일에 비가 오는 경우와 그때의 확률은 다음 표와 같다.

	수	목	금	확률
(ⅰ)	○	○	○	$0.6\times0.6\times0.6=0.216$
(ⅱ)	○	×	○	$0.6\times0.4\times0.2=0.048$
(ⅲ)	×	○	○	$0.4\times0.2\times0.6=0.048$
(ⅳ)	×	×	○	$0.4\times0.8\times0.2=0.064$

(ⅰ)~(ⅳ)는 모두 서로 배반사건이므로 구하는 확률은

$0.216+0.048+0.048+0.064=0.376$

즉, 37.6 %이다.

12 3명의 고객 A, B, C의 집에 방문하는 사건을 각각 A, B, C라 하고, 볼펜을 두고 오는 사건을 E라고 하자.

A 고객의 집에 볼펜을 두고 왔을 확률은

$P(A\cap E)=\dfrac{1}{5}$

B 고객의 집에 볼펜을 두고 왔을 확률은

$P(B\cap E)=\dfrac{4}{5}\times\dfrac{1}{5}=\dfrac{4}{25}$

C 고객의 집에 볼펜을 두고 왔을 확률은

$P(C\cap E)=\dfrac{4}{5}\times\dfrac{4}{5}\times\dfrac{1}{5}=\dfrac{16}{125}$

3명의 고객 A, B, C의 집 중에서 한 곳에 볼펜을 두고 왔을 확률은

$P(E)=P(A\cap E)+P(B\cap E)+P(C\cap E)$

$\qquad=\dfrac{1}{5}+\dfrac{4}{25}+\dfrac{16}{125}=\dfrac{61}{125}$

따라서 구하는 확률은

$P(A|E)=\dfrac{P(A\cap E)}{P(E)}=\dfrac{\frac{1}{5}}{\frac{61}{125}}=\dfrac{25}{61}$

13 동전의 앞면을 H, 뒷면을 T라 하고, 100원짜리 동전과 500원짜리 동전이 나오는 면을 차례로 나타내자.

표본공간을 S라고 하면

$S=\{HH, HT, TH, TT\}$

$A=\{HH, HT\}$, $B=\{HH, TH\}$, $C=\{HT, TH\}$이므로

$P(A)=\dfrac{2}{4}=\dfrac{1}{2}$, $P(B)=\dfrac{2}{4}=\dfrac{1}{2}$, $P(C)=\dfrac{2}{4}=\dfrac{1}{2}$

ㄱ. $A\cap B=\{HH\}$에서 $P(A\cap B)=\dfrac{1}{4}$이고,

$\quad P(A)P(B)=\dfrac{1}{2}\times\dfrac{1}{2}=\dfrac{1}{4}$이므로

$\quad P(A\cap B)=P(A)P(B)$ $\quad\therefore$ A와 B는 서로 독립

ㄴ. $B\cap C=\{TH\}$에서 $P(B\cap C)=\dfrac{1}{4}$이고,

$\quad P(B)P(C)=\dfrac{1}{2}\times\dfrac{1}{2}=\dfrac{1}{4}$이므로

$\quad P(B\cap C)=P(B)P(C)$ $\quad\therefore$ B와 C는 서로 독립

ㄷ. $A\cap C=\{HT\}$에서 $P(A\cap C)=\dfrac{1}{4}$이고,

$\quad P(A)P(C)=\dfrac{1}{2}\times\dfrac{1}{2}=\dfrac{1}{4}$이므로

$\quad P(A\cap C)=P(A)P(C)$ $\quad\therefore$ A와 C는 서로 독립

따라서 서로 독립인 사건은 ㄱ, ㄴ, ㄷ이다.

14 두 사건 A, B는 서로 독립이므로

$P(A\cap B)=P(A)P(B)$

$\dfrac{1}{8}=P(A)\times\dfrac{5}{16}$ $\quad\therefore$ $P(A)=\dfrac{2}{5}$

두 사건 A, C는 서로 배반사건이므로

$P(A\cup C)=P(A)+P(C)$

$\dfrac{5}{8}=\dfrac{2}{5}+P(C)$ $\quad\therefore$ $P(C)=\dfrac{9}{40}$

15 ㄱ. A와 B가 서로 배반사건이면 $A \cap B = \varnothing$

즉, $P(A \cap B) = 0$이므로

$$P(A|B) = \frac{P(A \cap B)}{P(B)} = 0$$

ㄴ. A와 B가 서로 배반사건이면 $P(A \cap B) = 0$이지만 주어진 조건에서 $P(A)P(B) \neq 0$이므로

$$P(A \cap B) \neq P(A)P(B)$$

따라서 두 사건 A와 B는 서로 종속이다.

ㄷ. A와 B가 서로 독립이면

$$P(A|B) = P(A), \ P(B|A) = P(B)$$

이때 $P(A) \neq P(B)$이면 $P(A|B) \neq P(B|A)$이다.

ㄹ. A와 B가 서로 독립이면 $P(A \cap B) = P(A)P(B)$이므로

$$\{1 - P(A)\}\{1 - P(B)\}$$
$$= 1 - P(A) - P(B) + P(A)P(B)$$
$$= 1 - P(A) - P(B) + P(A \cap B)$$
$$= 1 - \{P(A) + P(B) - P(A \cap B)\}$$
$$= 1 - P(A \cup B)$$

따라서 옳은 것은 ㄱ, ㄹ이다.

16 LCD, CPU, GPU, RAM이 2년 이내에 고장이 나는 사건을 각각 A, B, C, D라고 하면 네 사건 A, B, C, D는 서로 독립이므로 A^c, B^c, C^c, D^c도 서로 독립이다.

따라서 구하는 확률은

$$P(A^c \cap B^c \cap C^c \cap D^c) = P(A^c)P(B^c)P(C^c)P(D^c)$$
$$= \left(1 - \frac{1}{4}\right)\left(1 - \frac{1}{5}\right)\left(1 - \frac{1}{6}\right)\left(1 - \frac{1}{7}\right)$$
$$= \frac{3}{7}$$

17 민영, 선주, 예림이가 서류 평가에 통과하는 사건을 각각 A, B, C라고 하면 세 사건 A, B, C는 서로 독립이므로 세 사건 A, B^c, C^c과 세 사건 A^c, B, C^c과 세 사건 A^c, B^c, C는 각각 서로 독립이다.

(i) 민영이만 통과할 확률은

$$P(A \cap B^c \cap C^c) = P(A)P(B^c)P(C^c)$$
$$= 0.7 \times (1 - 0.8) \times (1 - 0.6) = 0.056$$

(ii) 선주만 통과할 확률은

$$P(A^c \cap B \cap C^c) = P(A^c)P(B)P(C^c)$$
$$= (1 - 0.7) \times 0.8 \times (1 - 0.6) = 0.096$$

(iii) 예림이만 통과할 확률은

$$P(A^c \cap B^c \cap C) = P(A^c)P(B^c)P(C)$$
$$= (1 - 0.7) \times (1 - 0.8) \times 0.6 = 0.036$$

(i), (ii), (iii)에 의하여 구하는 확률은

$$P(A \cap B^c \cap C^c) + P(A^c \cap B \cap C^c) + P(A^c \cap B^c \cap C)$$
$$= 0.056 + 0.096 + 0.036$$
$$= 0.188$$

18 3개의 자가 발전기가 작동하는 사건을 각각 A, B, C라고 하면 세 사건 A, B, C는 서로 독립이므로 세 사건 A^c, B^c, C^c도 서로 독립이다.

∴ (전기가 공급될 확률)

$= 1 - $ (3개의 발전기가 모두 멈출 확률)
$= 1 - P(A^c \cap B^c \cap C^c)$
$= 1 - P(A^c)P(B^c)P(C^c)$
$= 1 - 0.01 \times 0.01 \times 0.01 = 0.999999$

19 (i) 지우가 3번의 시합만에 승리할 확률은

$$_3C_3 \left(\frac{3}{4}\right)^3 \left(\frac{1}{4}\right)^0 = \frac{27}{64}$$

(ii) 지우가 4번의 시합만에 승리할 확률은

$$_3C_2 \left(\frac{3}{4}\right)^2 \left(\frac{1}{4}\right)^1 \times \frac{3}{4} = \frac{81}{256}$$

(iii) 지우가 5번의 시합만에 승리할 확률은

$$_4C_2 \left(\frac{3}{4}\right)^2 \left(\frac{1}{4}\right)^2 \times \frac{3}{4} = \frac{81}{512}$$

(i), (ii), (iii)은 서로 배반사건이므로 구하는 확률은

$$\frac{27}{64} + \frac{81}{256} + \frac{81}{512} = \frac{459}{512}$$

20 1회의 시행에서 일어날 확률이 $\frac{1}{3}$인 사건 A가 50회의 독립시행에서 x회 일어날 확률 $P(x)$는

$$P(x) = {}_{50}C_x \left(\frac{1}{3}\right)^x \left(\frac{2}{3}\right)^{50-x}$$

$$\therefore \frac{P(26)}{P(25)} = \frac{{}_{50}C_{26} \left(\frac{1}{3}\right)^{26} \left(\frac{2}{3}\right)^{24}}{{}_{50}C_{25} \left(\frac{1}{3}\right)^{25} \left(\frac{2}{3}\right)^{25}} = \frac{\frac{50!}{26! \times 24!} \times \frac{1}{3}}{\frac{50!}{25! \times 25!} \times \frac{2}{3}} = \frac{25}{52}$$

21 동전의 앞면이 나올 확률은 $\frac{1}{2}$, 뒷면이 나올 확률은 $\frac{1}{2}$이고, 한 개의 주사위를 한 번 던져서 소수의 눈이 나올 확률은 $\frac{1}{2}$이다.

(i) 동전의 앞면이 나와서 주사위를 3번 던질 때, 소수의 눈이 2번 나올 확률은

$$\frac{1}{2} \times {}_3C_2 \left(\frac{1}{2}\right)^2 \left(\frac{1}{2}\right)^1 = \frac{3}{16}$$

(ii) 동전의 뒷면이 나와서 주사위를 2번 던질 때, 소수의 눈이 2번 나올 확률은

$$\frac{1}{2} \times {}_2C_2 \left(\frac{1}{2}\right)^2 \left(\frac{1}{2}\right)^0 = \frac{1}{8}$$

(i), (ii)는 서로 배반사건이므로 구하는 확률은

$$\frac{3}{16} + \frac{1}{8} = \frac{5}{16}$$

22 양면이 모두 빨간색인 카드, 양면이 모두 검은색인 카드, 한 면은 빨간색이고 다른 면은 검은색인 카드를 꺼내는 사건을 각각 A, B, C라 하고, 바닥에 놓인 카드의 윗면이 검은색인 사건을 E라고 하면

$$P(A) = \frac{2}{7}, \ P(B) = \frac{3}{7}, \ P(C) = \frac{2}{7}$$

$$P(E|A) = 0, \ P(E|B) = 1, \ P(E|C) = \frac{1}{2}$$

바닥에 놓인 카드의 윗면이 검은색일 확률은
$$P(E)=P(A\cap E)+P(B\cap E)+P(C\cap E)$$
$$=P(A)P(E|A)+P(B)P(E|B)+P(C)P(E|C)$$
$$=\frac{2}{7}\times0+\frac{3}{7}\times1+\frac{2}{7}\times\frac{1}{2}=\frac{4}{7}$$

따라서 구하는 확률은
$$P(C|E)=\frac{P(C\cap E)}{P(E)}=\frac{\frac{2}{7}\times\frac{1}{2}}{\frac{4}{7}}=\frac{1}{4}$$

23 전구에 불이 켜지려면 세 스위치 A, B, D가 닫히거나 두 스위치 C, D가 닫혀야 한다.

세 스위치 A, B, D가 닫히는 사건을 A, 두 스위치 C, D가 닫히는 사건을 B라고 하면
$$P(A)=0.5\times0.3\times0.2=0.03$$
$$P(B)=0.2\times0.2=0.04$$
$$P(A\cap B)=0.5\times0.3\times0.2\times0.2=0.006$$

따라서 구하는 확률은
$$P(A\cup B)=P(A)+P(B)-P(A\cap B)$$
$$=0.03+0.04-0.006=0.064$$

24 꼭짓점 A에서 출발한 점 P가 꼭짓점 A로 다시 돌아오려면 움직인 길이가 4, 8, 12이어야 한다.

주사위를 4번 던져서 5의 약수의 눈이 나온 횟수를 x, 그 외의 눈이 나온 횟수를 y라고 하면

(i) 점 P가 움직인 거리가 4인 경우
$$x+y=4,\ 3x+y=4$$
두 식을 연립하여 풀면 $x=0,\ y=4$
즉, 그 확률은 ${}_4C_0\left(\frac{1}{3}\right)^0\left(\frac{2}{3}\right)^4=\frac{16}{81}$

(ii) 점 P가 움직인 거리가 8인 경우
$$x+y=4,\ 3x+y=8$$
두 식을 연립하여 풀면 $x=2,\ y=2$
즉, 그 확률은 ${}_4C_2\left(\frac{1}{3}\right)^2\left(\frac{2}{3}\right)^2=\frac{8}{27}$

(iii) 점 P가 움직인 거리가 12인 경우
$$x+y=4,\ 3x+y=12$$
두 식을 연립하여 풀면 $x=4,\ y=0$
즉, 그 확률은 ${}_4C_4\left(\frac{1}{3}\right)^4\left(\frac{2}{3}\right)^0=\frac{1}{81}$

(i), (ii), (iii)에 의하여 구하는 확률은
$$\frac{16}{81}+\frac{8}{27}+\frac{1}{81}=\frac{41}{81}$$

25 $P(A^c\cap B^c)=P((A\cup B)^c)$
$$=1-P(A\cup B)=\frac{1}{6}$$
$$\therefore\ P(A\cup B)=\frac{5}{6} \qquad \cdots\cdots\text{(가)}$$
$$P(A\cap B)=P(A)+P(B)-P(A\cup B)$$
$$=\frac{1}{2}+\frac{3}{4}-\frac{5}{6}=\frac{5}{12} \qquad \cdots\cdots\text{(나)}$$

$$\therefore\ P(A|B)=\frac{P(A\cap B)}{P(B)}=\frac{\frac{5}{12}}{\frac{3}{4}}=\frac{5}{9}, \qquad \cdots\cdots\text{(다)}$$

$$P(B|A)=\frac{P(A\cap B)}{P(A)}=\frac{\frac{5}{12}}{\frac{1}{2}}=\frac{5}{6} \qquad \cdots\cdots\text{(라)}$$

채점 기준	배점
(가) $P(A\cup B)$를 구한다.	1점
(나) $P(A\cap B)$를 구한다.	1점
(다) $P(A|B)$를 구한다.	2점
(라) $P(B|A)$를 구한다.	2점

26 (1) 이 농장에서 생산한 토마토 중에서 임의로 고른 한 개가 '최상 등급', '1등급', '그 외 등급'인 사건을 각각 E_1, E_2, E_3이라 하고, 이 농장에서 생산한 토마토 한 개를 A 마트에서 판매하는 사건을 A라고 하면
$$P(E_1)=0.5,\ P(E_2)=0.3,\ P(E_3)=0.2,$$
$$P(A|E_1)=0.9,\ P(A|E_2)=0.8,\ P(A|E_3)=0.2$$
이 농장에서 생산한 토마토 중에서 임의로 고른 토마토 한 개를 A 마트에서 판매할 확률은
$$P(A)=P(E_1\cap A)+P(E_2\cap A)+P(E_3\cap A)$$
$$=P(E_1)P(A|E_1)+P(E_2)P(A|E_2)$$
$$+P(E_3)P(A|E_3)$$
$$=0.5\times0.9+0.3\times0.8+0.2\times0.2$$
$$=0.73 \qquad \cdots\cdots\text{(가)}$$

(2) A 마트에서 판매하는 토마토 중에서 임의로 고른 한 개가 '최상 등급'일 확률은
$$P(E_1|A)=\frac{P(E_1\cap A)}{P(A)}$$
$$=\frac{0.5\times0.9}{0.73}=\frac{45}{73} \qquad \cdots\cdots\text{(나)}$$

따라서 구하는 확률은 $1-\frac{45}{73}=\frac{28}{73}$ $\qquad \cdots\cdots\text{(다)}$

채점 기준	배점
(가) 토마토를 A 마트에서 판매할 확률을 구한다.	4점
(나) 토마토가 '최상 등급'일 확률을 구한다.	2점
(다) 토마토가 '최상 등급'이 아닐 확률을 구한다.	1점

27 (i) 4문제 중 3문제의 정답을 맞힐 확률은
$${}_4C_3\left(\frac{2}{5}\right)^3\left(\frac{3}{5}\right)^1=\frac{96}{625} \qquad \cdots\cdots\text{(가)}$$

(ii) 4문제 모두 정답을 맞힐 확률은
$${}_4C_4\left(\frac{2}{5}\right)^4\left(\frac{3}{5}\right)^0=\frac{16}{625} \qquad \cdots\cdots\text{(나)}$$

(i), (ii)는 서로 배반사건이므로 구하는 확률은
$$\frac{96}{625}+\frac{16}{625}=\frac{112}{625} \qquad \cdots\cdots\text{(다)}$$

채점 기준	배점
(가) 3문제의 정답을 맞힐 확률을 구한다.	2점
(나) 4문제 모두 정답을 맞힐 확률을 구한다.	2점
(다) 3문제 이상의 정답을 맞힐 확률을 구한다.	2점

1 (1) 5의 눈이 나오는 횟수를 확률변수 X라고 하면 표본공간 S는 $S=\{0, 1, 2, \cdots, 200\}$
따라서 X는 이산확률변수이다.

(2) 버스를 탈 때까지 기다리는 시간을 확률변수 X라고 하면 표본공간 S는 $S=\{x \,|\, 0 \le x \le 5$인 실수$\}$
따라서 X는 연속확률변수이다.

(3) 박물관에 입장한 여행자 수를 확률변수 X라고 하면 표본공간 S는 $S=\{0, 1, 2, \cdots, 500\}$
따라서 X는 이산확률변수이다.

2 확률변수 X가 가지는 값은 0, 1, 2이고, 각 값을 가질 확률은
$P(X=0)=\dfrac{1}{4}$, $P(X=1)=\dfrac{2}{4}=\dfrac{1}{2}$, $P(X=2)=\dfrac{1}{4}$
따라서 X의 확률분포를 표로 나타내면 다음과 같다.

X	0	1	2	합계
$P(X=x)$	$\dfrac{1}{4}$	$\dfrac{1}{2}$	$\dfrac{1}{4}$	1

1 (1) 동전 한 개를 5번 던질 때, 각 시행은 독립시행이므로 X의 확률질량함수는
$P(X=x)={}_5C_x\left(\dfrac{1}{2}\right)^x\left(\dfrac{1}{2}\right)^{5-x}={}_5C_x\left(\dfrac{1}{2}\right)^5$
$(x=0, 1, 2, 3, 4, 5)$

(2) 확률변수 X가 가질 수 있는 값은 0, 1, 2, 3, 4, 5이고, 그 확률은 각각
$P(X=0)={}_5C_0\left(\dfrac{1}{2}\right)^5=\dfrac{1}{32}$
$P(X=1)={}_5C_1\left(\dfrac{1}{2}\right)^5=\dfrac{5}{32}$
$P(X=2)={}_5C_2\left(\dfrac{1}{2}\right)^5=\dfrac{5}{16}$
$P(X=3)={}_5C_3\left(\dfrac{1}{2}\right)^5=\dfrac{5}{16}$
$P(X=4)={}_5C_4\left(\dfrac{1}{2}\right)^5=\dfrac{5}{32}$
$P(X=5)={}_5C_5\left(\dfrac{1}{2}\right)^5=\dfrac{1}{32}$
따라서 X의 확률분포를 표로 나타내면 다음과 같다.

X	0	1	2	3	4	5	합계
$P(X=x)$	$\dfrac{1}{32}$	$\dfrac{5}{32}$	$\dfrac{5}{16}$	$\dfrac{5}{16}$	$\dfrac{5}{32}$	$\dfrac{1}{32}$	1

(3) $P(X \le 2)=P(X=0)+P(X=1)+P(X=2)$
$=\dfrac{1}{32}+\dfrac{5}{32}+\dfrac{5}{16}=\dfrac{1}{2}$

2 남학생 6명과 여학생 4명 중에서 대표 3명을 뽑는 경우의 수는 ${}_{10}C_3$이고, 뽑힌 학생 중에서 남학생이 x명인 경우의 수는 ${}_6C_x \times {}_4C_{3-x}$이므로 확률변수 X의 확률질량함수는
$P(X=x)=\dfrac{{}_6C_x \times {}_4C_{3-x}}{{}_{10}C_3}$ $(x=0, 1, 2, 3)$
X가 가질 수 있는 값은 0, 1, 2, 3이고, 그 확률은 각각
$P(X=0)=\dfrac{{}_6C_0 \times {}_4C_3}{{}_{10}C_3}=\dfrac{1}{30}$
$P(X=1)=\dfrac{{}_6C_1 \times {}_4C_2}{{}_{10}C_3}=\dfrac{3}{10}$
$P(X=2)=\dfrac{{}_6C_2 \times {}_4C_1}{{}_{10}C_3}=\dfrac{1}{2}$
$P(X=3)=\dfrac{{}_6C_3 \times {}_4C_0}{{}_{10}C_3}=\dfrac{1}{6}$
X의 확률분포를 표로 나타내면 다음과 같다.

X	0	1	2	3	합계
$P(X=x)$	$\dfrac{1}{30}$	$\dfrac{3}{10}$	$\dfrac{1}{2}$	$\dfrac{1}{6}$	1

$\therefore P(X \ge 1)=1-P(X=0)$
$=1-\dfrac{1}{30}=\dfrac{29}{30}$

3 (1) 확률의 총합은 1이므로
$\dfrac{3}{7}+\dfrac{1}{7}+a+\dfrac{2}{7}=1$, $\dfrac{6}{7}+a=1$ $\therefore a=\dfrac{1}{7}$

(2) $P(X>1)=P(X=2)+P(X=3)$
$=a+\dfrac{2}{7}=\dfrac{1}{7}+\dfrac{2}{7}=\dfrac{3}{7}$

4 확률의 총합은 1이므로
$2a+3a+a+2a=1$, $8a=1$ $\therefore a=\dfrac{1}{8}$
$\therefore P(X^2=1)=P(X=-1$ 또는 $X=1)$
$=P(X=-1)+P(X=1)$
$=2a+a=3a=3 \times \dfrac{1}{8}=\dfrac{3}{8}$

5 (1) 확률의 총합은 1이므로
$P(X=1)+P(X=2)+P(X=3)+P(X=4)=1$
$\dfrac{a}{12}+\dfrac{2a}{12}+\dfrac{3a}{12}+\dfrac{4a}{12}=1$
$\dfrac{10a}{12}=1$ $\therefore a=\dfrac{6}{5}$

(2) $P(X \ge 3)=P(X=3)+P(X=4)$
$=\dfrac{3a}{12}+\dfrac{4a}{12}=\dfrac{7a}{12}=\dfrac{7}{12} \times \dfrac{6}{5}=\dfrac{7}{10}$

6 확률의 총합은 1이므로
$P(X=1)+P(X=2)+P(X=3)+P(X=4)=1$
$\dfrac{k}{1 \times 2}+\dfrac{k}{2 \times 3}+\dfrac{k}{3 \times 4}+\dfrac{k}{4 \times 5}=1$

$$k\left\{\left(1-\frac{1}{2}\right)+\left(\frac{1}{2}-\frac{1}{3}\right)+\left(\frac{1}{3}-\frac{1}{4}\right)+\left(\frac{1}{4}-\frac{1}{5}\right)\right\}=1$$

$$k\left(1-\frac{1}{5}\right)=1, \ \frac{4}{5}k=1 \quad \therefore \ k=\frac{5}{4}$$

$$\therefore \ \mathrm{P}(2\le X\le 3)=\mathrm{P}(X=2)+\mathrm{P}(X=3)$$
$$=\frac{k}{2\times 3}+\frac{k}{3\times 4}=\frac{k}{4}=\frac{1}{4}\times\frac{5}{4}=\frac{5}{16}$$

10강 이산확률변수의 기댓값과 표준편차

확인 문제 p.46

1 (1) $\mathrm{E}(X)=0\times\frac{1}{3}+1\times\frac{1}{9}+2\times\frac{4}{9}+3\times\frac{1}{9}=\frac{4}{3}$

(2) $\mathrm{E}(X^2)=0^2\times\frac{1}{3}+1^2\times\frac{1}{9}+2^2\times\frac{4}{9}+3^2\times\frac{1}{9}=\frac{26}{9}$이므로

$\mathrm{V}(X)=\mathrm{E}(X^2)-\{\mathrm{E}(X)\}^2=\frac{26}{9}-\left(\frac{4}{3}\right)^2=\frac{10}{9}$

(3) $\sigma(X)=\sqrt{\mathrm{V}(X)}=\sqrt{\frac{10}{9}}=\frac{\sqrt{10}}{3}$

2 $\mathrm{E}(X)=6, \ \mathrm{V}(X)=25$이므로

(1) $\mathrm{E}(5X)=5\mathrm{E}(X)=5\times 6=30$

$\mathrm{V}(5X)=5^2\mathrm{V}(X)=25\times 25=625$

따라서 X의 평균은 30, 분산은 625이다.

(2) $\mathrm{E}(X+3)=\mathrm{E}(X)+3=6+3=9$

$\mathrm{V}(X+3)=\mathrm{V}(X)=25$

따라서 X의 평균은 9, 분산은 25이다.

(3) $\mathrm{E}(2X-10)=2\mathrm{E}(X)-10=2\times 6-10=2$

$\mathrm{V}(2X-10)=2^2\mathrm{V}(X)=4\times 25=100$

따라서 X의 평균은 2, 분산은 100이다.

교/과/서/속 핵심유형+ 실전 문제 p.47

1 (1) 확률의 총합은 1이므로

$\frac{1}{10}+\frac{1}{5}+a+\frac{2}{5}=1 \quad \therefore \ a=\frac{3}{10}$

(2) $\mathrm{E}(X)=1\times\frac{1}{10}+2\times\frac{1}{5}+3\times\frac{3}{10}+4\times\frac{2}{5}=3$

$\mathrm{E}(X^2)=1^2\times\frac{1}{10}+2^2\times\frac{1}{5}+3^2\times\frac{3}{10}+4^2\times\frac{2}{5}=10$

$\therefore \ \mathrm{V}(X)=\mathrm{E}(X^2)-\{\mathrm{E}(X)\}^2=10-3^2=1$

$\therefore \ \sigma(X)=\sqrt{\mathrm{V}(X)}=1$

따라서 X의 평균은 3, 분산은 1, 표준편차는 1이다.

2 확률의 총합은 1이므로

$\frac{1}{6}+\frac{1}{4}+\frac{1}{3}+a=1$

$\therefore \ a=\frac{1}{4}$

확률변수 X에 대하여

$\mathrm{E}(X)=(-1)\times\frac{1}{6}+0\times\frac{1}{4}+1\times\frac{1}{3}+2\times\frac{1}{4}=\frac{2}{3}$

$\mathrm{E}(X^2)=(-1)^2\times\frac{1}{6}+0^2\times\frac{1}{4}+1^2\times\frac{1}{3}+2^2\times\frac{1}{4}=\frac{3}{2}$

$\therefore \ \mathrm{V}(X)=\mathrm{E}(X^2)-\{\mathrm{E}(X)\}^2$
$=\frac{3}{2}-\left(\frac{2}{3}\right)^2=\frac{19}{18}$

따라서 X의 분산은 $\frac{19}{18}$이다.

3 (1) 확률변수 X가 가질 수 있는 값은 0, 1, 2이고, 그 확률은 각각

$\mathrm{P}(X=0)=\frac{{}_3\mathrm{C}_0\times{}_{12}\mathrm{C}_2}{{}_{15}\mathrm{C}_2}=\frac{22}{35}$

$\mathrm{P}(X=1)=\frac{{}_3\mathrm{C}_1\times{}_{12}\mathrm{C}_1}{{}_{15}\mathrm{C}_2}=\frac{12}{35}$

$\mathrm{P}(X=2)=\frac{{}_3\mathrm{C}_2\times{}_{12}\mathrm{C}_0}{{}_{15}\mathrm{C}_2}=\frac{1}{35}$

X의 확률분포를 표로 나타내면 다음과 같다.

X	0	1	2	합계
$\mathrm{P}(X=x)$	$\frac{22}{35}$	$\frac{12}{35}$	$\frac{1}{35}$	1

(2) $\mathrm{E}(X)=0\times\frac{22}{35}+1\times\frac{12}{35}+2\times\frac{1}{35}=\frac{2}{5}$

$\mathrm{E}(X^2)=0^2\times\frac{22}{35}+1^2\times\frac{12}{35}+2^2\times\frac{1}{35}=\frac{16}{35}$

$\therefore \ \mathrm{V}(X)=\mathrm{E}(X^2)-\{\mathrm{E}(X)\}^2=\frac{16}{35}-\left(\frac{2}{5}\right)^2=\frac{52}{175}$

$\therefore \ \sigma(X)=\sqrt{\mathrm{V}(X)}=\sqrt{\frac{52}{175}}=\frac{2\sqrt{91}}{35}$

따라서 X의 평균은 $\frac{2}{5}$, 분산은 $\frac{52}{175}$, 표준편차는 $\frac{2\sqrt{91}}{35}$이다.

4 확률변수 X가 가질 수 있는 값은 0, 1, 2, 3이고, 그 확률은 각각

$\mathrm{P}(X=0)=\frac{{}_5\mathrm{C}_0\times{}_5\mathrm{C}_3}{{}_{10}\mathrm{C}_3}=\frac{1}{12}$

$\mathrm{P}(X=1)=\frac{{}_5\mathrm{C}_1\times{}_5\mathrm{C}_2}{{}_{10}\mathrm{C}_3}=\frac{5}{12}$

$\mathrm{P}(X=2)=\frac{{}_5\mathrm{C}_2\times{}_5\mathrm{C}_1}{{}_{10}\mathrm{C}_3}=\frac{5}{12}$

$\mathrm{P}(X=3)=\frac{{}_5\mathrm{C}_3\times{}_5\mathrm{C}_0}{{}_{10}\mathrm{C}_3}=\frac{1}{12}$

X의 확률분포를 표로 나타내면 다음과 같다.

X	0	1	2	3	합계
$\mathrm{P}(X=x)$	$\frac{1}{12}$	$\frac{5}{12}$	$\frac{5}{12}$	$\frac{1}{12}$	1

$$E(X)=0\times\frac{1}{12}+1\times\frac{5}{12}+2\times\frac{5}{12}+3\times\frac{1}{12}=\frac{3}{2}$$

$$E(X^2)=0^2\times\frac{1}{12}+1^2\times\frac{5}{12}+2^2\times\frac{5}{12}+3^2\times\frac{1}{12}=\frac{17}{6}$$

$$\therefore V(X)=E(X^2)-\{E(X)\}^2=\frac{17}{6}-\left(\frac{3}{2}\right)^2=\frac{7}{12}$$

$$\therefore \sigma(X)=\sqrt{V(X)}=\sqrt{\frac{7}{12}}=\frac{\sqrt{21}}{6}$$

5 상금을 확률변수 X라고 하면 X가 가질 수 있는 값은 1000, 2000, 3000이고, 그 확률은 각각

$$P(X=1000)=\frac{{}_{10}C_0\times{}_{15}C_2}{{}_{25}C_2}=\frac{7}{20}$$

$$P(X=2000)=\frac{{}_{10}C_1\times{}_{15}C_1}{{}_{25}C_2}=\frac{1}{2}$$

$$P(X=3000)=\frac{{}_{10}C_2\times{}_{15}C_0}{{}_{25}C_2}=\frac{3}{20}$$

X의 확률분포를 표로 나타내면 다음과 같다.

X	1000	2000	3000	합계
$P(X=x)$	$\frac{7}{20}$	$\frac{1}{2}$	$\frac{3}{20}$	1

$$\therefore E(X)=1000\times\frac{7}{20}+2000\times\frac{1}{2}+3000\times\frac{3}{20}=1800$$

따라서 상금의 기댓값은 1800원이다.

6 상금을 확률변수 X라고 하면 X가 가질 수 있는 값은 1400, 2100, 2800이고, 그 확률은 각각

$$P(X=1400)=\frac{{}_3C_2\times{}_4C_0}{{}_7C_2}=\frac{1}{7}$$

$$P(X=2100)=\frac{{}_3C_1\times{}_4C_1}{{}_7C_2}=\frac{4}{7}$$

$$P(X=2800)=\frac{{}_3C_0\times{}_4C_2}{{}_7C_2}=\frac{2}{7}$$

X의 확률분포를 표로 나타내면 다음과 같다.

X	1400	2100	2800	합계
$P(X=x)$	$\frac{1}{7}$	$\frac{4}{7}$	$\frac{2}{7}$	1

$$\therefore E(X)=1400\times\frac{1}{7}+2100\times\frac{4}{7}+2800\times\frac{2}{7}=2200$$

따라서 X의 기댓값은 2200원이다.

7 $$E(X)=0\times\frac{2}{7}+1\times\frac{3}{7}+2\times\frac{1}{7}+3\times\frac{1}{7}=\frac{8}{7}$$

$$E(X^2)=0^2\times\frac{2}{7}+1^2\times\frac{3}{7}+2^2\times\frac{1}{7}+3^2\times\frac{1}{7}=\frac{16}{7}$$

$$\therefore V(X)=E(X^2)-\{E(X)\}^2=\frac{16}{7}-\left(\frac{8}{7}\right)^2=\frac{48}{49}$$

$$\therefore \sigma(X)=\sqrt{V(X)}=\sqrt{\frac{48}{49}}=\frac{4\sqrt{3}}{7}$$

이때 $Y=7X+2$의 평균과 표준편차를 구하면

$$E(Y)=E(7X+2)=7E(X)+2=7\times\frac{8}{7}+2=10$$

$$\sigma(Y)=\sigma(7X+2)=|7|\sigma(X)=7\times\frac{4\sqrt{3}}{7}=4\sqrt{3}$$

따라서 Y의 평균은 10, 표준편차는 $4\sqrt{3}$이다.

8 $$E(X)=(-1)\times\frac{1}{5}+0\times\frac{4}{15}+1\times\frac{1}{3}+2\times\frac{1}{5}=\frac{8}{15}$$

$$E(X^2)=(-1)^2\times\frac{1}{5}+0^2\times\frac{4}{15}+1^2\times\frac{1}{3}+2^2\times\frac{1}{5}=\frac{4}{3}$$

$$\therefore V(X)=E(X^2)-\{E(X)\}^2=\frac{4}{3}-\left(\frac{8}{15}\right)^2=\frac{236}{225}$$

$$\therefore V(15X-6)=15^2V(X)=225\times\frac{236}{225}=236$$

 **계산력 다지기**

p. 48~49

1 (1) 확률의 총합은 1이므로

$$\frac{1}{15}+\frac{2}{15}+\frac{1}{5}+a+\frac{1}{3}=1$$

$$\therefore a=\frac{4}{15}$$

(2) $$P(2\leq X\leq 4)=P(X=2)+P(X=3)+P(X=4)$$

$$=\frac{2}{15}+\frac{1}{5}+\frac{4}{15}=\frac{3}{5}$$

(3) $$P(X\leq 5a)=P\left(X\leq\frac{4}{3}\right)=P(X=1)=\frac{1}{15}$$

(4) $$E(X)=1\times\frac{1}{15}+2\times\frac{2}{15}+3\times\frac{1}{5}+4\times\frac{4}{15}+5\times\frac{1}{3}$$

$$=\frac{11}{3}$$

$$E(X^2)=1^2\times\frac{1}{15}+2^2\times\frac{2}{15}+3^2\times\frac{1}{5}+4^2\times\frac{4}{15}+5^2\times\frac{1}{3}$$

$$=15$$

$$\therefore V(X)=E(X^2)-\{E(X)\}^2=15-\left(\frac{11}{3}\right)^2=\frac{14}{9}$$

$$\therefore \sigma(X)=\sqrt{V(X)}=\sqrt{\frac{14}{9}}=\frac{\sqrt{14}}{3}$$

따라서 X의 평균은 $\frac{11}{3}$, 분산은 $\frac{14}{9}$, 표준편차는 $\frac{\sqrt{14}}{3}$ 이다.

(5) $$E(9X)=9E(X)=9\times\frac{11}{3}=33$$

$$V(9X)=9^2V(X)=81\times\frac{14}{9}=126$$

$$\sigma(9X)=|9|\sigma(X)=9\times\frac{\sqrt{14}}{3}=3\sqrt{14}$$

따라서 $9X$의 평균은 33, 분산은 126, 표준편차는 $3\sqrt{14}$ 이다.

(6) $$E(3X+2)=3E(X)+2=3\times\frac{11}{3}+2=13$$

$$V(3X+2)=3^2V(X)=9\times\frac{14}{9}=14$$

$$\sigma(3X+2)=|3|\sigma(X)=3\times\frac{\sqrt{14}}{3}=\sqrt{14}$$

따라서 $3X+2$의 평균은 13, 분산은 14, 표준편차는 $\sqrt{14}$이다.

2 (1) 확률의 총합은 1이므로

$P(X=1)+P(X=2)+P(X=3)+P(X=4)=1$

$\dfrac{a}{8}+\dfrac{2a}{8}+\dfrac{3a}{8}+\dfrac{4a}{8}=1$

$\dfrac{5a}{4}=1$ $\therefore a=\dfrac{4}{5}$

(2)

X	1	2	3	4	합계
$P(X=x)$	$\dfrac{1}{10}$	$\dfrac{1}{5}$	$\dfrac{3}{10}$	$\dfrac{2}{5}$	1

(3) $P\left(X \geq \dfrac{5}{2}a\right)$

$=P(X \geq 2)$

$=P(X=2)+P(X=3)+P(X=4)$

$=\dfrac{1}{5}+\dfrac{3}{10}+\dfrac{2}{5}=\dfrac{9}{10}$

(4) $E(X)=1\times\dfrac{1}{10}+2\times\dfrac{1}{5}+3\times\dfrac{3}{10}+4\times\dfrac{2}{5}=3$

$E(X^2)=1^2\times\dfrac{1}{10}+2^2\times\dfrac{1}{5}+3^2\times\dfrac{3}{10}+4^2\times\dfrac{2}{5}=10$

$\therefore V(X)=E(X^2)-\{E(X)\}^2=10-3^2=1$

$\therefore \sigma(X)=\sqrt{V(X)}=1$

따라서 X의 평균은 3, 분산은 1, 표준편차는 1이다.

(5) $E\left(\dfrac{1}{2}X\right)=\dfrac{1}{2}E(X)=\dfrac{1}{2}\times3=\dfrac{3}{2}$

$V\left(\dfrac{1}{2}X\right)=\left(\dfrac{1}{2}\right)^2V(X)=\dfrac{1}{4}\times1=\dfrac{1}{4}$

$\sigma\left(\dfrac{1}{2}X\right)=\left|\dfrac{1}{2}\right|\sigma(X)=\dfrac{1}{2}\times1=\dfrac{1}{2}$

따라서 $\dfrac{1}{2}X$의 평균은 $\dfrac{3}{2}$, 분산은 $\dfrac{1}{4}$, 표준편차는 $\dfrac{1}{2}$이다.

(6) $E(-X+4)=-E(X)+4=-3+4=1$

$V(-X+4)=(-1)^2V(X)=1\times1=1$

$\sigma(-X+4)=|-1|\sigma(X)=1\times1=1$

따라서 $-X+4$의 평균은 1, 분산은 1, 표준편차는 1이다.

3 (1) $P(X=x)=\dfrac{{}_3C_x\times{}_9C_{2-x}}{{}_{12}C_2}$ $(x=0,\ 1,\ 2)$

(2)

X	0	1	2	합계
$P(X=x)$	$\dfrac{6}{11}$	$\dfrac{9}{22}$	$\dfrac{1}{22}$	1

(3) $P(X=0$ 또는 $X=2)$

$=P(X=0)+P(X=2)$

$=\dfrac{6}{11}+\dfrac{1}{22}=\dfrac{13}{22}$

(4) $P(X \geq 1)$

$=P(X=1)+P(X=2)$

$=\dfrac{9}{22}+\dfrac{1}{22}=\dfrac{5}{11}$

(5) $E(X)=0\times\dfrac{6}{11}+1\times\dfrac{9}{22}+2\times\dfrac{1}{22}=\dfrac{1}{2}$

$E(X^2)=0^2\times\dfrac{6}{11}+1^2\times\dfrac{9}{22}+2^2\times\dfrac{1}{22}=\dfrac{13}{22}$

$\therefore V(X)=E(X^2)-\{E(X)\}^2=\dfrac{13}{22}-\left(\dfrac{1}{2}\right)^2=\dfrac{15}{44}$

$\therefore \sigma(X)=\sqrt{V(X)}=\sqrt{\dfrac{15}{44}}=\dfrac{\sqrt{165}}{22}$

따라서 X의 평균은 $\dfrac{1}{2}$, 분산은 $\dfrac{15}{44}$, 표준편차는 $\dfrac{\sqrt{165}}{22}$이다.

(6) $E(2X+5)=2E(X)+5=2\times\dfrac{1}{2}+5=6$

$V(2X+5)=2^2V(X)=4\times\dfrac{15}{44}=\dfrac{15}{11}$

$\sigma(2X+5)=|2|\sigma(X)=2\times\dfrac{\sqrt{165}}{22}=\dfrac{\sqrt{165}}{11}$

따라서 $2X+5$의 평균은 6, 분산은 $\dfrac{15}{11}$, 표준편차는 $\dfrac{\sqrt{165}}{11}$이다.

4 (1) $P(X=x)=\dfrac{{}_5C_x\times{}_3C_{3-x}}{{}_8C_3}$ $(x=0,\ 1,\ 2,\ 3)$

(2)

X	0	1	2	3	합계
$P(X=x)$	$\dfrac{1}{56}$	$\dfrac{15}{56}$	$\dfrac{15}{28}$	$\dfrac{5}{28}$	1

(3) $P(2 \leq X \leq 3)$

$=P(X=2)+P(X=3)$

$=\dfrac{15}{28}+\dfrac{5}{28}=\dfrac{5}{7}$

(4) $P(X<3)=1-P(X=3)$

$=1-\dfrac{5}{28}=\dfrac{23}{28}$

(5) $E(X)=0\times\dfrac{1}{56}+1\times\dfrac{15}{56}+2\times\dfrac{15}{28}+3\times\dfrac{5}{28}$

$=\dfrac{15}{8}$

$E(X^2)=0^2\times\dfrac{1}{56}+1^2\times\dfrac{15}{56}+2^2\times\dfrac{15}{28}+3^2\times\dfrac{5}{28}$

$=\dfrac{225}{56}$

$\therefore V(X)=E(X^2)-\{E(X)\}^2=\dfrac{225}{56}-\left(\dfrac{15}{8}\right)^2=\dfrac{225}{448}$

$\therefore \sigma(X)=\sqrt{V(X)}=\sqrt{\dfrac{225}{448}}=\dfrac{15\sqrt{7}}{56}$

따라서 X의 평균은 $\dfrac{15}{8}$, 분산은 $\dfrac{225}{448}$, 표준편차는 $\dfrac{15\sqrt{7}}{56}$이다.

(6) $E(-4X+9)=-4E(X)+9$

$=-4\times\dfrac{15}{8}+9=\dfrac{3}{2}$

$V(-4X+9)=(-4)^2V(X)$

$=16\times\dfrac{225}{448}=\dfrac{225}{28}$

$\sigma(-4X+9)=|-4|\sigma(X)$

$=4\times\dfrac{15\sqrt{7}}{56}=\dfrac{15\sqrt{7}}{14}$

따라서 $-4X+9$의 평균은 $\dfrac{3}{2}$, 분산은 $\dfrac{225}{28}$, 표준편차는 $\dfrac{15\sqrt{7}}{14}$이다.

1 ①	2 $\dfrac{7}{9}$	3 ④	4 $\dfrac{5}{8}$	5 ③
6 ③	7 ②	8 12	9 ②	10 ②
11 ①	12 $\dfrac{1}{9}$	13 ②	14 120	15 ⑤
16 $\dfrac{7}{2}$	17 1	18 ③	19 ②	20 ①
21 $\dfrac{115}{2}$	22 ④	23 (1) $\dfrac{1}{6}$ (2) $\dfrac{2}{3}$		24 $\dfrac{5}{3}$
25 6				

1 $P(X=x)=\dfrac{a}{\sqrt{x}+\sqrt{x+1}}$

$\qquad=\dfrac{a(\sqrt{x+1}-\sqrt{x})}{(\sqrt{x+1}+\sqrt{x})(\sqrt{x+1}-\sqrt{x})}$

$\qquad=a(\sqrt{x+1}-\sqrt{x})\ (x=1,\,2,\,3,\,\cdots,\,35)$

확률의 총합은 1이므로

$P(X=1)+P(X=2)+P(X=3)+\cdots+P(X=35)=1$

$a\{(\sqrt{2}-\sqrt{1})+(\sqrt{3}-\sqrt{2})+(\sqrt{4}-\sqrt{3})$

$\qquad\qquad+\cdots+(\sqrt{35}-\sqrt{34})+(\sqrt{36}-\sqrt{35})\}$

$=1$

$(\sqrt{36}-\sqrt{1})a=1,\ 5a=1$

$\therefore\ a=\dfrac{1}{5}$

2 확률의 총합은 1이므로

$P(X=1)+P(X=2)+P(X=3)+P(X=4)=1$

$\dfrac{k}{6}+\dfrac{k}{3}+(k-1)+\left(k-\dfrac{4}{3}\right)=1$

$\dfrac{5}{2}k-\dfrac{7}{3}=1,\ \dfrac{5}{2}k=\dfrac{10}{3}\qquad\therefore\ k=\dfrac{4}{3}$

$\therefore\ P(X=x)=\begin{cases}\dfrac{2}{9}x & (x=1,\,2)\\[2mm]\dfrac{4}{3}-\dfrac{x}{3} & (x=3,\,4)\end{cases}$

따라서 구하는 확률은

$P(2\le X\le 3)=P(X=2)+P(X=3)$

$\qquad\qquad\qquad=\dfrac{4}{9}+\left(\dfrac{4}{3}-1\right)=\dfrac{7}{9}$

3 확률의 총합은 1이므로

$2a+a+b=1\qquad\therefore\ 3a+b=1\quad\cdots\cdots\ ㉠$

$P(X=1)=\dfrac{1}{2}P(X=-1)$에서

$b=\dfrac{1}{2}\times 2a\qquad\therefore\ b=a\quad\cdots\cdots\ ㉡$

㉠, ㉡을 연립하여 풀면 $a=\dfrac{1}{4},\ b=\dfrac{1}{4}$

$\therefore\ P(0\le X\le 1)=P(X=0)+P(X=1)$

$\qquad\qquad\qquad=a+b=\dfrac{1}{4}+\dfrac{1}{4}=\dfrac{1}{2}$

4 확률의 총합은 1이므로

$a^2+\dfrac{3}{8}+\dfrac{1}{4}+\dfrac{a}{4}=1,\ 8a^2+2a-3=0$

$(4a+3)(2a-1)=0\qquad\therefore\ a=-\dfrac{3}{4}$ 또는 $a=\dfrac{1}{2}$

이때 $0\le P(X=x)\le 1$이므로 $a=\dfrac{1}{2}$

$\therefore\ P(2X^2-7X+3<0)=P((2X-1)(X-3)<0)$

$\qquad\qquad\qquad=P\left(\dfrac{1}{2}<X<3\right)$

$\qquad\qquad\qquad=P(X=1)+P(X=2)$

$\qquad\qquad\qquad=a^2+\dfrac{3}{8}=\left(\dfrac{1}{2}\right)^2+\dfrac{3}{8}=\dfrac{5}{8}$

5 5개의 귤과 4개의 한라봉이 들어 있는 바구니에서 임의로 3개의 과일을 동시에 꺼내는 경우의 수는 $_9C_3$이고, 꺼낸 과일 중에서 한라봉이 x개인 경우의 수는 $_4C_x\times{}_5C_{3-x}$이므로 확률변수 X의 확률질량함수는

$P(X=x)=\dfrac{_4C_x\times{}_5C_{3-x}}{_9C_3}\ (x=0,\,1,\,2,\,3)$

$\therefore\ P(1\le X\le 2)=P(X=1)+P(X=2)$

$\qquad\qquad\qquad=\dfrac{_4C_1\times{}_5C_2}{_9C_3}+\dfrac{_4C_2\times{}_5C_1}{_9C_3}$

$\qquad\qquad\qquad=\dfrac{10}{21}+\dfrac{5}{14}=\dfrac{5}{6}$

6 바닥에 닿는 면에 적힌 두 수를 a, b라고 하면 a, b의 순서쌍 $(a,\,b)$에 대하여

(i) $a+b=3$인 경우는 $(1,\,2)$, $(2,\,1)$의 2개

(ii) $a+b=5$인 경우는 $(1,\,4)$, $(2,\,3)$, $(3,\,2)$, $(4,\,1)$의 4개

(i), (ii)에 의하여 그 확률은 각각

$P(X=3)=\dfrac{2}{16}=\dfrac{1}{8},\ P(X=5)=\dfrac{4}{16}=\dfrac{1}{4}$

$\therefore\ P(X=3\ 또는\ X=5)=P(X=3)+P(X=5)$

$\qquad\qquad\qquad\qquad=\dfrac{1}{8}+\dfrac{1}{4}=\dfrac{3}{8}$

7 동전의 앞면을 H, 뒷면을 T라 하고 나오는 모든 경우와 그때의 상금을 표로 나타내면 다음과 같다.

100원	500원	상금(원)
H	HH	1100
H	HT	600
H	TH	600
H	TT	100
T	HH	1000
T	HT	500
T	TH	500
T	TT	0

상금을 확률변수 X라고 하면 X가 가질 수 있는 값은 0, 100, 500, 600, 1000, 1100이고, 그 확률은 각각

$P(X=0)=\dfrac{1}{8},\ P(X=100)=\dfrac{1}{8}$

$P(X=500)=\dfrac{1}{4},\ P(X=600)=\dfrac{1}{4}$

$P(X=1000)=\dfrac{1}{8}$, $P(X=1100)=\dfrac{1}{8}$

X의 확률분포를 표로 나타내면 다음과 같다.

X	0	100	500	600	1000	1100	합계
$P(X=x)$	$\dfrac{1}{8}$	$\dfrac{1}{8}$	$\dfrac{1}{4}$	$\dfrac{1}{4}$	$\dfrac{1}{8}$	$\dfrac{1}{8}$	1

$$\therefore \ E(X)=0\times\dfrac{1}{8}+100\times\dfrac{1}{8}+500\times\dfrac{1}{4}+600\times\dfrac{1}{4}$$
$$+1000\times\dfrac{1}{8}+1100\times\dfrac{1}{8}$$
$$=550$$

따라서 상금의 기댓값은 550원이다.

8 받을 수 있는 금액을 확률변수 X라고 하면 X가 가질 수 있는 값은 -1000, 5000이고, 그 확률은 각각

$P(X=-1000)=\dfrac{x}{6+x}$, $P(X=5000)=\dfrac{6}{6+x}$

X의 확률분포를 표로 나타내면 다음과 같다.

X	-1000	5000	합계
$P(X=x)$	$\dfrac{x}{6+x}$	$\dfrac{6}{6+x}$	1

이때 X의 기댓값이 1000원이므로

$$-1000\times\dfrac{x}{6+x}+5000\times\dfrac{6}{6+x}=1000$$

$$\dfrac{-1000x+30000}{6+x}=1000$$

$$-x+30=6+x \qquad \therefore \ x=12$$

9 확률의 총합은 1이므로 $\dfrac{1}{4}+a+\dfrac{1}{8}+b=1$

$$\therefore \ a+b=\dfrac{5}{8} \qquad \cdots\cdots \ \bigcirc$$

$E(X)=\dfrac{11}{4}$이므로

$$0\times\dfrac{1}{4}+2a+4\times\dfrac{1}{8}+6b=\dfrac{11}{4}$$

$$\therefore \ a+3b=\dfrac{9}{8} \qquad \cdots\cdots \ \bigcirc$$

$\bigcirc$, $\bigcirc$을 연립하여 풀면 $a=\dfrac{3}{8}$, $b=\dfrac{1}{4}$

$$\therefore \ a-b=\dfrac{1}{8}$$

10 X의 확률분포를 표로 나타내면 다음과 같다.

X	1	2	3	합계
$P(X=x)$	$\dfrac{1}{12}$	$\dfrac{1}{3}$	$\dfrac{7}{12}$	1

$E(X)=1\times\dfrac{1}{12}+2\times\dfrac{1}{3}+3\times\dfrac{7}{12}=\dfrac{5}{2}$

$E(X^2)=1^2\times\dfrac{1}{12}+2^2\times\dfrac{1}{3}+3^2\times\dfrac{7}{12}=\dfrac{20}{3}$

$$\therefore \ V(X)=E(X^2)-\{E(X)\}^2=\dfrac{20}{3}-\left(\dfrac{5}{2}\right)^2=\dfrac{5}{12}$$

11 확률변수 X가 가질 수 있는 값은 0, 1, 2, 3이고, 그 확률은 각각

$P(X=0)=\dfrac{{}_4C_0\times{}_6C_3}{{}_{10}C_3}=\dfrac{1}{6}$, $P(X=1)=\dfrac{{}_4C_1\times{}_6C_2}{{}_{10}C_3}=\dfrac{1}{2}$

$P(X=2)=\dfrac{{}_4C_2\times{}_6C_1}{{}_{10}C_3}=\dfrac{3}{10}$, $P(X=3)=\dfrac{{}_4C_3\times{}_6C_0}{{}_{10}C_3}=\dfrac{1}{30}$

X의 확률분포를 표로 나타내면 다음과 같다.

X	0	1	2	3	합계
$P(X=x)$	$\dfrac{1}{6}$	$\dfrac{1}{2}$	$\dfrac{3}{10}$	$\dfrac{1}{30}$	1

$E(X)=0\times\dfrac{1}{6}+1\times\dfrac{1}{2}+2\times\dfrac{3}{10}+3\times\dfrac{1}{30}=\dfrac{6}{5}$

$E(X^2)=0^2\times\dfrac{1}{6}+1^2\times\dfrac{1}{2}+2^2\times\dfrac{3}{10}+3^2\times\dfrac{1}{30}=2$

$$\therefore \ V(X)=E(X^2)-\{E(X)\}^2=2-\left(\dfrac{6}{5}\right)^2=\dfrac{14}{25}$$

12 확률의 총합은 1이므로 $a+\dfrac{1}{3}+b=1$

$$\therefore \ a+b=\dfrac{2}{3} \qquad \cdots\cdots \ \bigcirc$$

$E(X)=0\times a+1\times\dfrac{1}{3}+2b=\dfrac{1}{3}+2b$

$E(X^2)=0^2\times a+1^2\times\dfrac{1}{3}+2^2\times b=\dfrac{1}{3}+4b$

$$\therefore \ V(X)=E(X^2)-\{E(X)\}^2$$
$$=\dfrac{1}{3}+4b-\left(\dfrac{1}{3}+2b\right)^2$$
$$=-4\left(b-\dfrac{1}{3}\right)^2+\dfrac{2}{3}$$

즉, $b=\dfrac{1}{3}$일 때 분산이 최대이다.

$b=\dfrac{1}{3}$을 $\bigcirc$에 대입하면 $a+\dfrac{1}{3}=\dfrac{2}{3}$ $\qquad \therefore \ a=\dfrac{1}{3}$

$$\therefore \ ab=\dfrac{1}{3}\times\dfrac{1}{3}=\dfrac{1}{9}$$

13 $V(X)=E(X^2)-\{E(X)\}^2=125-5^2=100$이므로

$$V(Y)=V\left(\dfrac{2}{5}X+40\right)=\left(\dfrac{2}{5}\right)^2 V(X)$$
$$=\dfrac{4}{25}\times100=16$$

$$\therefore \ \sigma(Y)=\sqrt{V(Y)}=\sqrt{16}=4$$

14 $E(X)=m$, $\sigma(X)=\sigma$이므로

$$E(T)=E\left(20\times\dfrac{X-m}{\sigma}+100\right)$$
$$=\dfrac{20}{\sigma}E(X)-\dfrac{20m}{\sigma}+100$$
$$=\dfrac{20m}{\sigma}-\dfrac{20m}{\sigma}+100=100$$

$$\sigma(T)=\sigma\left(20\times\dfrac{X-m}{\sigma}+100\right)$$
$$=\left|\dfrac{20}{\sigma}\right|\sigma(X)=\dfrac{20}{\sigma}\times\sigma=20$$

$$\therefore \ E(T)+\sigma(T)=100+20=120$$

15

$E(X)=770$, $\sigma(X)=70$이므로

$E(Y)=E\left(\dfrac{8}{7}X+160\right)=\dfrac{8}{7}E(X)+160$

$\qquad\qquad=\dfrac{8}{7}\times770+160=1040$

$\sigma(Y)=\sigma\left(\dfrac{8}{7}X+160\right)=\left|\dfrac{8}{7}\right|\sigma(X)$

$\qquad\qquad=\dfrac{8}{7}\times70=80$

$\therefore \dfrac{E(Y)}{\sigma(Y)}=\dfrac{1040}{80}=13$

16

$E(Y)=E(4X-2)=4E(X)-2$이므로

$6=4E(X)-2 \qquad \therefore E(X)=2$

$E(Y)=6$, $E(Y^2)=60$이므로

$V(Y)=E(Y^2)-\{E(Y)\}^2$

$\qquad\quad=60-6^2=24$

한편 $V(Y)=V(4X-2)=4^2V(X)$이므로

$24=4^2V(X)$

$\therefore V(X)=\dfrac{3}{2}$

$\therefore E(X)+V(X)=2+\dfrac{3}{2}=\dfrac{7}{2}$

다른 풀이

$Y=4X-2$에서 $Y^2=16X^2-16X+4$

이것을 $E(Y^2)=60$에 대입하면

$E(16X^2-16X+4)=60$

$16E(X^2)-16E(X)+4=60$

이때 $E(Y)=E(4X-2)=4E(X)-2$에서 $E(X)=2$이므로

$16E(X^2)-32+4=60$, $16E(X^2)=88$

$\therefore E(X^2)=\dfrac{11}{2}$

$\therefore V(X)=E(X^2)-\{E(X)\}^2$

$\qquad\quad=\dfrac{11}{2}-2^2=\dfrac{3}{2}$

$\therefore E(X)+V(X)=2+\dfrac{3}{2}=\dfrac{7}{2}$

17

확률의 총합은 1이므로

$a+b+c=1 \qquad\cdots\cdots\ \text{㉠}$

$E(X)=1$이므로

$b+2c=1 \qquad\cdots\cdots\ \text{㉡}$

이때 $E(X^2)=b+4c$, $V(X)=\dfrac{1}{3}$이므로

$V(X)=E(X^2)-\{E(X)\}^2$

$\qquad\quad=b+4c-1=\dfrac{1}{3}$

$\therefore b+4c=\dfrac{4}{3} \qquad\cdots\cdots\ \text{㉢}$

㉡, ㉢을 연립하여 풀면

$b=\dfrac{2}{3}$, $c=\dfrac{1}{6}$

$b=\dfrac{2}{3}$, $c=\dfrac{1}{6}$을 ㉠에 대입하면

$a+\dfrac{2}{3}+\dfrac{1}{6}=1 \qquad \therefore a=\dfrac{1}{6}$

$\therefore E(2aX+b)=2aE(X)+b$

$\qquad\qquad=2\times\dfrac{1}{6}\times1+\dfrac{2}{3}=1$

18

확률의 총합은 1이므로

$P(X=1)+P(X=2)+P(X=3)+P(X=4)=1$

$k+4k+9k+16k=1$

$30k=1 \qquad \therefore k=\dfrac{1}{30}$

X의 확률분포를 표로 나타내면 다음과 같다.

X	1	2	3	4	합계
$P(X=x)$	$\dfrac{1}{30}$	$\dfrac{2}{15}$	$\dfrac{3}{10}$	$\dfrac{8}{15}$	1

$\therefore E(X)=1\times\dfrac{1}{30}+2\times\dfrac{2}{15}+3\times\dfrac{3}{10}+4\times\dfrac{8}{15}=\dfrac{10}{3}$

$\therefore E(6X-5)=6E(X)-5$

$\qquad\qquad=6\times\dfrac{10}{3}-5=15$

19

확률변수 X가 가질 수 있는 값은 9, 11, 13, 15이고, 그 확률은 모두 $\dfrac{1}{4}$이므로 X의 확률분포를 표로 나타내면 다음과 같다.

X	9	11	13	15	합계
$P(X=x)$	$\dfrac{1}{4}$	$\dfrac{1}{4}$	$\dfrac{1}{4}$	$\dfrac{1}{4}$	1

$E(X)=9\times\dfrac{1}{4}+11\times\dfrac{1}{4}+13\times\dfrac{1}{4}+15\times\dfrac{1}{4}=12$

$E(X^2)=9^2\times\dfrac{1}{4}+11^2\times\dfrac{1}{4}+13^2\times\dfrac{1}{4}+15^2\times\dfrac{1}{4}=149$

$\therefore V(X)=E(X^2)-\{E(X)\}^2=149-12^2=5$

$\therefore V(2X+4)=2^2V(X)=4\times5=20$

20

확률변수 X가 가질 수 있는 값은 0, 2, 4이고, 그 확률은 각각 다음과 같다.

(ⅰ) $X=0$인 경우

(짝, 홀, 짝), (홀, 짝, 홀)이므로 그 경우의 수는 2

$\therefore P(X=0)=2\times\left(\dfrac{1}{2}\times\dfrac{1}{2}\times\dfrac{1}{2}\right)=\dfrac{1}{4}$

(ⅱ) $X=2$인 경우

(짝, 짝, 홀), (홀, 짝, 짝), (홀, 홀, 짝), (짝, 홀, 홀)이므로 그 경우의 수는 4

$\therefore P(X=2)=4\times\left(\dfrac{1}{2}\times\dfrac{1}{2}\times\dfrac{1}{2}\right)=\dfrac{1}{2}$

(ⅲ) $X=4$인 경우

(짝, 짝, 짝), (홀, 홀, 홀)이므로 그 경우의 수는 2

$\therefore P(X=4)=2\times\left(\dfrac{1}{2}\times\dfrac{1}{2}\times\dfrac{1}{2}\right)=\dfrac{1}{4}$

X의 확률분포를 표로 나타내면 다음과 같다.

X	0	2	4	합계
$P(X=x)$	$\frac{1}{4}$	$\frac{1}{2}$	$\frac{1}{4}$	1

$E(X)=0\times\frac{1}{4}+2\times\frac{1}{2}+4\times\frac{1}{4}=2$

$E(X^2)=0^2\times\frac{1}{4}+2^2\times\frac{1}{2}+4^2\times\frac{1}{4}=6$

$\therefore V(X)=E(X^2)-\{E(X)\}^2=6-2^2=2$

$\therefore \sigma(X)=\sqrt{V(X)}=\sqrt{2}$

21 색종이의 한 변의 길이를 확률변수 X라고 하면 둘레의 길이는 $4X$이므로

$E(4X)=30$에서 $4E(X)=30$

$\therefore E(X)=\frac{15}{2}$

$V(4X)=20$에서 $4^2V(X)=20$

$\therefore V(X)=\frac{5}{4}$

이때 한 변의 길이가 X인 색종이의 넓이는 X^2이고,
$V(X)=E(X^2)-\{E(X)\}^2$이므로 색종이의 넓이의 평균은

$E(X^2)=V(X)+\{E(X)\}^2$
$=\frac{5}{4}+\left(\frac{15}{2}\right)^2=\frac{115}{2}$

22 확률변수 X가 가질 수 있는 값은 $1,\sqrt{2},\sqrt{3}$이고, 그 확률은 각각 다음과 같다.

(i) $X=1$인 경우

정육면체의 모서리의 양 끝점을 택해야 하므로

$P(X=1)=\frac{12}{{}_8C_2}=\frac{3}{7}$

(ii) $X=\sqrt{2}$인 경우

정육면체의 각 면의 대각선의 양 끝점을 택해야 하므로

$P(X=\sqrt{2})=\frac{6\times2}{{}_8C_2}=\frac{3}{7}$

(iii) $X=\sqrt{3}$인 경우

정육면체의 대각선의 양 끝점을 택해야 하므로

$P(X=\sqrt{3})=\frac{4}{{}_8C_2}=\frac{1}{7}$

X의 확률분포를 표로 나타내면 다음과 같다.

X	1	$\sqrt{2}$	$\sqrt{3}$	합계
$P(X=x)$	$\frac{3}{7}$	$\frac{3}{7}$	$\frac{1}{7}$	1

$\therefore E(X^2)=1^2\times\frac{3}{7}+(\sqrt{2})^2\times\frac{3}{7}+(\sqrt{3})^2\times\frac{1}{7}=\frac{12}{7}$

$\therefore E(14X^2)=14E(X^2)=14\times\frac{12}{7}=24$

23 (1) 확률의 총합은 1이므로

$P(X=-1)+P(X=0)+P(X=1)=1$

$a+2a+3a=1,\ 6a=1$ $\therefore a=\frac{1}{6}$ ······ (가)

(2) $P(X^2=1)$
$=P(X=-1$ 또는 $X=1)$
$=P(X=-1)+P(X=1)$ ······ (나)
$=\frac{1}{6}+\frac{1}{2}=\frac{2}{3}$ ······ (다)

채점 기준	배점
(가) a의 값을 구한다.	2점
(나) $P(X^2=1)$이 나타내는 확률을 찾는다.	2점
(다) $P(X^2=1)$을 구한다.	2점

24 확률변수 X가 가질 수 있는 값은 1, 2, 3이고, 그 확률은 각각 다음과 같다.

(i) $X=1$인 경우

나머지 카드에 적힌 숫자는 2, 3, 4로 3가지이므로

$P(X=1)=\frac{3}{{}_4C_2}=\frac{1}{2}$

(ii) $X=2$인 경우

나머지 카드에 적힌 숫자는 3, 4로 2가지이므로

$P(X=2)=\frac{2}{{}_4C_2}=\frac{1}{3}$

(iii) $X=3$인 경우

나머지 카드에 적힌 숫자는 4로 1가지이므로

$P(X=3)=\frac{1}{{}_4C_2}=\frac{1}{6}$

X의 확률분포를 표로 나타내면 다음과 같다.

X	1	2	3	합계
$P(X=x)$	$\frac{1}{2}$	$\frac{1}{3}$	$\frac{1}{6}$	1

······ (가)

$\therefore E(X)=1\times\frac{1}{2}+2\times\frac{1}{3}+3\times\frac{1}{6}=\frac{5}{3}$ ······ (나)

채점 기준	배점
(가) X가 가질 수 있는 값과 그 확률을 각각 구한다.	4점
(나) X의 평균을 구한다.	3점

25 $E(X)=m$, $E(X^2)=4m+5$이므로

$V(X)=E(X^2)-\{E(X)\}^2$
$=4m+5-m^2$
$=-(m-2)^2+9$ ······ (가)

$\sigma(X)=\sqrt{-(m-2)^2+9}$이므로

$\sigma(-2X+5)=|-2|\sigma(X)$
$=2\sigma(X)$
$=2\sqrt{-(m-2)^2+9}$ ······ (나)

따라서 $m=2$일 때, $\sigma(-2X+5)$는 최댓값 6을 갖는다.

······ (다)

채점 기준	배점
(가) $V(X)$를 m에 대한 식으로 나타낸다.	2점
(나) $\sigma(-2X+5)$를 m에 대한 식으로 나타낸다.	2점
(다) $\sigma(-2X+5)$의 최댓값을 구한다.	2점

11강 이항분포

확인 문제 p. 54

1 화살을 10발 쏘는 시행은 독립시행이고, 명중률은 0.8이므로 확률변수 X의 확률분포는 이항분포 $B(10, 0.8)$이다.

2 (1) $E(X)=15\times\dfrac{1}{3}=5$

(2) $V(X)=15\times\dfrac{1}{3}\times\dfrac{2}{3}=\dfrac{10}{3}$

(3) $\sigma(X)=\sqrt{\dfrac{10}{3}}=\dfrac{\sqrt{30}}{3}$

3 $\dfrac{1}{6}$

실전 문제 p. 55

1 (1) 6명의 환자가 주사를 맞는 시행은 독립시행이고, 주사를 맞고 치유될 확률이 $\dfrac{1}{3}$이므로 확률변수 X는 이항분포 $B\left(6, \dfrac{1}{3}\right)$을 따른다.

따라서 X의 확률질량함수는

$P(X=x)={}_6C_x\left(\dfrac{1}{3}\right)^x\left(\dfrac{2}{3}\right)^{6-x}$ $(x=0, 1, 2, \cdots, 6)$

(2) $P(X=4)={}_6C_4\left(\dfrac{1}{3}\right)^4\left(\dfrac{2}{3}\right)^2=\dfrac{20}{243}$

2 10명이 이벤트에 응모하는 시행은 독립시행이고, 이벤트에 당첨될 확률이 $\dfrac{2}{5}$이므로 확률변수 X는 이항분포 $B\left(10, \dfrac{2}{5}\right)$를 따른다.

즉, X의 확률질량함수는

$P(X=x)={}_{10}C_x\left(\dfrac{2}{5}\right)^x\left(\dfrac{3}{5}\right)^{10-x}$ $(x=0, 1, 2, \cdots, 10)$

$\therefore P(X\ge1)=1-P(X=0)$
$=1-{}_{10}C_0\left(\dfrac{2}{5}\right)^0\left(\dfrac{3}{5}\right)^{10}=1-\left(\dfrac{3}{5}\right)^{10}$

따라서 $P(X\ge1)$은 ④이다.

3 자유투가 성공하는 횟수를 확률변수 X라고 하면 자유투가 성공할 확률이 0.2이므로 X는 이항분포 $B(10, 0.2)$를 따른다.

즉, X의 확률질량함수는

$P(X=x)={}_{10}C_x\,0.2^x\,0.8^{10-x}$ $(x=0, 1, 2, \cdots, 10)$

따라서 자유투가 성공한 횟수가 한 번 이하일 확률은

$P(X\le1)=P(X=0)+P(X=1)$
$={}_{10}C_0\,0.2^0\,0.8^{10}+{}_{10}C_1\,0.2^1\,0.8^9$
$=0.107+0.268=0.375$

4 정답을 맞히는 문항 수를 확률변수 X라고 하면 정답을 맞힐 확률이 $\dfrac{1}{2}$이므로 X는 이항분포 $B\left(10, \dfrac{1}{2}\right)$을 따른다.

즉, X의 확률질량함수는

$P(X=x)={}_{10}C_x\left(\dfrac{1}{2}\right)^x\left(\dfrac{1}{2}\right)^{10-x}={}_{10}C_x\left(\dfrac{1}{2}\right)^{10}$
$(x=0, 1, 2, \cdots, 10)$

따라서 시험 점수가 45점 이상이려면 $X\ge9$이어야 하므로 합격할 확률은

$P(X\ge9)=P(X=9)+P(X=10)$
$={}_{10}C_9\left(\dfrac{1}{2}\right)^{10}+{}_{10}C_{10}\left(\dfrac{1}{2}\right)^{10}$
$=\dfrac{10}{1024}+\dfrac{1}{1024}=\dfrac{11}{1024}$

5 확률변수 X는 이항분포 $B\left(36, \dfrac{2}{3}\right)$를 따르므로

$E(X)=36\times\dfrac{2}{3}=24$, $\sigma(X)=\sqrt{36\times\dfrac{2}{3}\times\dfrac{1}{3}}=2\sqrt{2}$

6 확률변수 X는 이항분포 $B(20, p)$를 따른다.

$E(X)=4$이므로 $20p=4$ $\therefore p=\dfrac{1}{5}$

이때 $V(X)=20\times\dfrac{1}{5}\times\dfrac{4}{5}=\dfrac{16}{5}$이고,

$V(X)=E(X^2)-\{E(X)\}^2$이므로

$E(X^2)=V(X)+\{E(X)\}^2=\dfrac{16}{5}+4^2=\dfrac{96}{5}$

7 확률변수 X는 이항분포 $B(60, 0.05)$를 따르므로
$E(X)=60\times0.05=3$
$V(X)=60\times0.05\times0.95=2.85$
따라서 X의 평균은 3, 분산은 2.85이다.

8 확률변수 X는 이항분포 $B\left(50, \dfrac{2}{5}\right)$를 따르므로

$E(X)=50\times\dfrac{2}{5}=20$, $V(X)=50\times\dfrac{2}{5}\times\dfrac{3}{5}=12$

$\therefore E(X)+V(X)=20+12=32$

12강 정규분포

확인 문제 p. 56

1 구하는 확률은 $y=f(x)$의 그래프와 x축 및 두 직선 $x=0$, $x=1$로 둘러싸인 부분의 넓이와 같으므로

$P(0\le X\le1)=\dfrac{1}{2}\times1\times\dfrac{1}{2}=\dfrac{1}{4}$

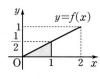

2 (1) $N(6, 2^2)$

(2) $N(-3, 3^2)$

핵심유형 교/과/서/속 **실전 문제**   p. 57

1 $y=f(x)$의 그래프와 x축 및 y축으로 둘러싸인 도형의 넓이가 1이므로

$\dfrac{1}{2} \times 3 \times a = 1$ $\therefore a = \dfrac{2}{3}$

2 $y=f(x)$의 그래프는 오른쪽 그림과 같고, $y=f(x)$의 그래프와 x축 및 두 직선 $x=0$, $x=4$로 둘러싸인 도형의 넓이가 1이므로

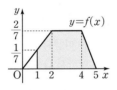

$\dfrac{1}{2} \times (2a+6a) \times 4 = 1$, $16a=1$

$\therefore a = \dfrac{1}{16}$

3 $y=f(x)$의 그래프와 x축으로 둘러싸인 도형의 넓이가 1이므로

$\dfrac{1}{2} \times (2+5) \times a = 1$

$\dfrac{7}{2} a = 1$ $\therefore a = \dfrac{2}{7}$

따라서 구하는 확률은 오른쪽 그림에서 $y=f(x)$의 그래프와 x축 및 두 직선 $x=1$, $x=5$로 둘러싸인 도형의 넓이와 같으므로

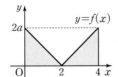

$P(1 \le X \le 5) = 1 - P(0 \le X \le 1)$

$\qquad\qquad = 1 - \dfrac{1}{2} \times 1 \times \dfrac{1}{7} = \dfrac{13}{14}$

4 $y=f(x)$의 그래프와 x축 및 두 직선 $x=0$, $x=4$로 둘러싸인 도형의 넓이가 1이므로

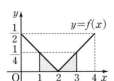

$2 \times \left(\dfrac{1}{2} \times 2 \times 2a \right) = 1$

$4a=1$ $\therefore a = \dfrac{1}{4}$

따라서 구하는 확률은 오른쪽 그림에서 $y=f(x)$의 그래프와 x축 및 두 직선 $x=1$, $x=3$으로 둘러싸인 도형의 넓이와 같으므로

$P(1 \le X \le 3) = 2 \times \left(\dfrac{1}{2} \times 1 \times \dfrac{1}{4} \right)$

$\qquad\qquad = \dfrac{1}{4}$

따라서 $P(1 \le X \le 3)$은 ④이다.

5 (1) 세 곡선 A, B, C는 각각 직선 $x=m_1$, $x=m_2$, $x=m_3$에 대하여 대칭이므로

$m_1 < m_2 < m_3$

(2) 표준편차가 클수록 곡선의 가운데 부분의 높이는 낮아지고 양쪽으로 넓게 퍼진 모양이므로

$\sigma_2 < \sigma_1 < \sigma_3$

6 ㄱ. 확률변수 X_1의 확률밀도함수의 그래프의 대칭축이 확률변수 X_2의 확률밀도함수의 그래프의 대칭축보다 왼쪽에 있으므로

$E(X_1) < E(X_2)$

ㄴ. 확률변수 X_1의 확률밀도함수의 그래프의 가운데 부분의 높이가 확률변수 X_2의 확률밀도함수의 그래프의 가운데 부분의 높이보다 낮으므로

$\sigma(X_2) < \sigma(X_1)$

ㄷ. $E(X_1) < a$이므로 $P(X_1 \ge a) < 0.5$

$E(X_2) > a$이므로 $P(X_2 \ge a) > 0.5$

$\therefore P(X_1 \ge a) \ne P(X_2 \ge a)$

따라서 옳은 것은 ㄱ, ㄴ이다.

13강 | 표준정규분포

확인 문제   p. 58

1 (1) $P(Z \ge 1.5) = P(Z \ge 0) - P(0 \le Z \le 1.5)$

$\qquad\qquad\quad = 0.5 - 0.4332$

$\qquad\qquad\quad = 0.0668$

(2) $P(Z \le 1) = P(Z \le 0) + P(0 \le Z \le 1)$

$\qquad\qquad = 0.5 + 0.3413$

$\qquad\qquad = 0.8413$

(3) $P(-2 \le Z \le 0.5)$

$= P(-2 \le Z \le 0) + P(0 \le Z \le 0.5)$

$= P(0 \le Z \le 2) + P(0 \le Z \le 0.5)$

$= 0.4772 + 0.1915 = 0.6687$

2 확률변수 X는 이항분포 $B\left(400, \dfrac{1}{2} \right)$을 따르고, $n=400$,

$p = \dfrac{1}{2}$이다.

이때 n이 충분히 크고

$np = 400 \times \dfrac{1}{2} = 200$,

$npq = 400 \times \dfrac{1}{2} \times \dfrac{1}{2} = 100$

이므로 X는 근사적으로 정규분포 $N(200, 10^2)$을 따른다.

1 확률변수 X는 정규분포 $N(60, 10^2)$을 따르므로 $Z=\dfrac{X-60}{10}$으로 놓으면 표준정규분포 $N(0, 1)$을 따른다.

(1) $P(55 \le X \le 65) = P\left(\dfrac{55-60}{10} \le Z \le \dfrac{65-60}{10}\right)$
$= P(-0.5 \le Z \le 0.5)$
$= P(-0.5 \le Z \le 0) + P(0 \le Z \le 0.5)$
$= P(0 \le Z \le 0.5) + P(0 \le Z \le 0.5)$
$= 2P(0 \le Z \le 0.5)$
$= 2 \times 0.1915 = 0.383$

(2) $P(X \ge 75) = P\left(Z \ge \dfrac{75-60}{10}\right) = P(Z \ge 1.5)$
$= P(Z \ge 0) - P(0 \le Z \le 1.5)$
$= 0.5 - 0.4332 = 0.0668$

2 확률변수 X는 정규분포 $N(44, 8^2)$을 따르므로 $Z=\dfrac{X-44}{8}$로 놓으면 Z는 표준정규분포 $N(0, 1)$을 따른다.

$\therefore P(36 \le X \le 48) = P\left(\dfrac{36-44}{8} \le Z \le \dfrac{48-44}{8}\right)$
$= P(-1 \le Z \le 0.5)$
$= P(-1 \le Z \le 0) + P(0 \le Z \le 0.5)$
$= P(0 \le Z \le 1) + P(0 \le Z \le 0.5)$
$= 0.3413 + 0.1915 = 0.5328$

3 지원자들의 점수를 확률변수 X라고 하면 X는 정규분포 $N(420, 12^2)$을 따르므로 $Z=\dfrac{X-420}{12}$으로 놓으면 Z는 표준정규분포 $N(0, 1)$을 따른다.

(1) $P(402 \le X \le 432) = P\left(\dfrac{402-420}{12} \le Z \le \dfrac{432-420}{12}\right)$
$= P(-1.5 \le Z \le 1)$
$= P(-1.5 \le Z \le 0) + P(0 \le Z \le 1)$
$= P(0 \le Z \le 1.5) + P(0 \le Z \le 1)$
$= 0.4332 + 0.3413 = 0.7745$

따라서 점수가 402점 이상 432점 이하인 지원자는 전체의 77.45 %이다.

(2) $P(X \ge 426) = P\left(Z \ge \dfrac{426-420}{12}\right) = P(Z \ge 0.5)$
$= P(Z \ge 0) - P(0 \le Z \le 0.5)$
$= 0.5 - 0.1915 = 0.3085$

따라서 구하는 지원자의 수는
$6000 \times 0.3085 = 1851$(명)

4 신입생의 키를 확률변수 X라고 하면 X는 정규분포 $N(165, 4^2)$을 따르므로 $Z=\dfrac{X-165}{4}$로 놓으면 Z는 표준정규분포 $N(0, 1)$을 따른다.

신입생의 키가 171 cm 이하일 확률은
$P(X \le 171) = P\left(Z \le \dfrac{171-165}{4}\right) = P(Z \le 1.5)$
$= P(Z \le 0) + P(0 \le Z \le 1.5)$
$= 0.5 + 0.4332 = 0.9332$

따라서 구하는 신입생의 수는
$10000 \times 0.9332 = 9332$(명)

5 400명 중에서 초대권으로 입장한 관람객의 수를 확률변수 X라고 하면 X는 $n=400$, $p=0.2$인 이항분포 $B(400, 0.2)$를 따른다.

이때 n이 충분히 크고
$np = 400 \times 0.2 = 80$, $npq = 400 \times 0.2 \times 0.8 = 64$
이므로 X는 근사적으로 정규분포 $N(80, 8^2)$을 따른다.

즉, $Z=\dfrac{X-80}{8}$으로 놓으면 Z는 표준정규분포 $N(0, 1)$을 따른다.

따라서 초대권으로 입장한 관람객이 96명 이상일 확률은
$P(X \ge 96) = P\left(Z \ge \dfrac{96-80}{8}\right) = P(Z \ge 2)$
$= P(Z \ge 0) - P(0 \le Z \le 2)$
$= 0.5 - 0.4772 = 0.0228$

6 600명 중에서 O형인 학생 수를 확률변수 X라고 하면 X는 $n=600$, $p=0.4$인 이항분포 $B(600, 0.4)$를 따른다.

이때 n이 충분히 크고
$np = 600 \times 0.4 = 240$, $npq = 600 \times 0.4 \times 0.6 = 144$
이므로 X는 근사적으로 정규분포 $N(240, 12^2)$을 따른다.

즉, $Z=\dfrac{X-240}{12}$으로 놓으면 Z는 표준정규분포 $N(0, 1)$을 따른다.

따라서 O형인 학생이 246명 이상 258명 이하일 확률은
$P(246 \le X \le 258) = P\left(\dfrac{246-240}{12} \le Z \le \dfrac{258-240}{12}\right)$
$= P(0.5 \le Z \le 1.5)$
$= P(0 \le Z \le 1.5) - P(0 \le Z \le 0.5)$
$= 0.4332 - 0.1915 = 0.2417$

11~13강 족집게 기출문제   p. 60~63

1 ③	2 40	3 60	4 ②	5 ②
6 ②	7 ㄴ, ㅁ	8 5	9 ⑤	10 ⑤
11 45	12 39	13 ②	14 ③	
15 1637명	16 67.8점	17 ①	18 ②	19 36
20 0.3848	21 0.8185	22 0.16	23 (1) $\dfrac{2}{3}$	(2) $\dfrac{5}{6}$
24 $\dfrac{7}{64}$	25 81점			

1 명중시키는 횟수를 확률변수 X라고 하면 X는 이항분포 $B\left(5, \frac{2}{5}\right)$를 따르므로 X의 확률질량함수는

$P(X=x)=_5C_x\left(\frac{2}{5}\right)^x\left(\frac{3}{5}\right)^{5-x}$ $(x=0, 1, 2, \cdots, 5)$

따라서 이 선수가 4발 이상 명중시킬 확률은

$P(X\geq 4)=P(X=4)+P(X=5)$

$\quad=_5C_4\left(\frac{2}{5}\right)^4\left(\frac{3}{5}\right)^1+_5C_5\left(\frac{2}{5}\right)^5\left(\frac{3}{5}\right)^0$

$\quad=\dfrac{240}{3125}+\dfrac{32}{3125}=\dfrac{272}{3125}$

2 $E(X)=18p=6$에서 $p=\frac{1}{3}$

$\therefore V(X)=18\times\dfrac{1}{3}\times\dfrac{2}{3}=4$

$V(X)=E(X^2)-\{E(X)\}^2$이므로

$E(X^2)=V(X)+\{E(X)\}^2=4+6^2=40$

3 $P(X=x)=_{80}C_x\dfrac{3^x}{4^{80}}=_{80}C_x\left(\dfrac{3}{4}\right)^x\left(\dfrac{1}{4}\right)^{80-x}$

$\quad\quad\quad\quad\quad\quad\quad\quad (x=0, 1, 2, \cdots, 80)$

이므로 확률변수 X는 이항분포 $B\left(80, \dfrac{3}{4}\right)$을 따른다.

$\therefore E(X)=80\times\dfrac{3}{4}=60$

4 확률변수 X는 이항분포 $B(20, 0.8)$을 따르므로

$V(X)=20\times0.8\times0.2=3.2$

5 5종류의 액세서리 중에서 2종류를 택할 때, 2종류 모두 목걸이일 확률은 $\dfrac{_2C_2}{_5C_2}=\dfrac{1}{10}$

따라서 확률변수 X는 이항분포 $B\left(100, \dfrac{1}{10}\right)$을 따르므로

$\sigma(X)=\sqrt{100\times\dfrac{1}{10}\times\dfrac{9}{10}}=3$

6 동전 한 개를 20번 던질 때, 앞면이 나오는 횟수를 확률변수 X, 총점을 확률변수 Y라고 하면

$Y=3X-(20-X)=4X-20$

X는 이항분포 $B\left(20, \dfrac{1}{2}\right)$을 따르므로

$E(X)=20\times\dfrac{1}{2}=10$

$\therefore E(Y)=E(4X-20)=4E(X)-20$

$\quad\quad\quad\quad\quad\quad=4\times10-20=20$

따라서 총점의 기댓값은 20점이다.

7 ㄱ. $-2\leq x<-1$에서 $f(x)<0$이므로 확률밀도함수가 아니다.

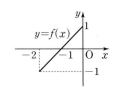

ㄴ. $-2\leq x\leq0$에서 $g(x)\geq0$이고 $y=g(x)$의 그래프와 x축 및 두 직선 $x=-2$, $x=0$으로 둘러싸인 도형의 넓이가

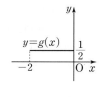

$2\times\dfrac{1}{2}=1$

이므로 확률밀도함수이다.

ㄷ. $y=h(x)$의 그래프와 x축 및 두 직선 $x=-2$, $x=0$으로 둘러싸인 도형의 넓이가

$\dfrac{1}{2}\times2\times2=2$

이므로 확률밀도함수가 아니다.

ㄹ. $y=i(x)$의 그래프와 x축 및 두 직선 $x=-2$, $x=0$으로 둘러싸인 도형의 넓이가

$\dfrac{1}{2}\times2\times2=2$

이므로 확률밀도함수가 아니다.

ㅁ. $-2\leq x\leq0$에서 $j(x)\geq0$이고 $y=j(x)$의 그래프와 x축 및 두 직선 $x=-2$, $x=0$으로 둘러싸인 도형의 넓이가

$\dfrac{1}{2}\times2\times1=1$

이므로 확률밀도함수이다.

따라서 확률밀도함수가 될 수 있는 것은 ㄴ, ㅁ이다.

8 $y=f(x)$의 그래프와 x축 및 두 직선 $x=0$, $x=6$으로 둘러싸인 도형의 넓이가 1이므로

$\dfrac{1}{2}\times(4+6)\times a=1$, $5a=1$ $\quad\therefore a=\dfrac{1}{5}$

$P(X\leq k)=\dfrac{4}{5}$이고 $P(X\leq k)$는 오른쪽 그림에서 $y=f(x)$의 그래프와 x축 및 두 직선 $x=0$, $x=k$로 둘러싸인 도형의 넓이와 같으므로

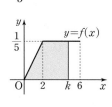

$\dfrac{1}{2}\times(k-2+k)\times\dfrac{1}{5}=\dfrac{4}{5}$

$2k-2=8$ $\quad\therefore k=5$

9 ㄱ. 정규분포 곡선은 직선 $x=m$에 대하여 대칭이므로 $P(X\geq m)=0.5$

ㄴ. 정규분포 곡선과 x축 사이의 넓이가 1이므로 $P(X\leq a)+P(X\geq a)=1$

ㄷ. $a<b$일 때,

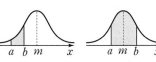

$\therefore P(a\leq X\leq b)=P(X\leq b)-P(X\leq a)$

따라서 옳은 것은 ㄱ, ㄴ, ㄷ이다.

10 $E(X)=8$이므로 X의 확률밀도함수의 그래프는 직선 $x=8$에 대하여 대칭이다.

따라서 $P(a \le X \le a+4)$가 최대가 되려면

$$\frac{a+(a+4)}{2}=8$$

$2a+4=16$ $\qquad \therefore a=6$

11 $P(X \le k)=0.9772>0.5$이므로

$P(X \le m)+P(m \le X \le k)=0.9772$

$0.5+P(m \le X \le k)=0.9772$

$\therefore P(m \le X \le k)=0.4772$ $\qquad$ ······ ㉠

한편 $P(X \le m-2\sigma)=0.0228<0.5$이므로

$P(X \le m)-P(m-2\sigma \le X \le m)=0.0228$

$0.5-P(m-2\sigma \le X \le m)=0.0228$

$\therefore P(m-2\sigma \le X \le m)=0.4772$ $\qquad$ ······ ㉡

㉠, ㉡에 의하여

$$P(m \le X \le k)=P(m-2\sigma \le X \le m)$$
$$\qquad\qquad\qquad =P(m \le X \le m+2\sigma)$$

$\therefore k=m+2\sigma=25+2\times10=45$

12 두 확률변수 X, Y가 각각 정규분포 $N(45, 6^2)$, $N(56, 10^2)$을 따르므로 $Z_X=\dfrac{X-45}{6}$, $Z_Y=\dfrac{Y-56}{10}$으로 놓으면 Z_X, Z_Y는 모두 표준정규분포 $N(0, 1)$을 따른다.

$$P(33 \le X \le k)=P\left(\frac{33-45}{6} \le Z_X \le \frac{k-45}{6}\right)$$
$$=P\left(-2 \le Z_X \le \frac{k-45}{6}\right)$$

$$P(66 \le Y \le 76)=P\left(\frac{66-56}{10} \le Z_Y \le \frac{76-56}{10}\right)$$
$$=P(1 \le Z_Y \le 2)$$
$$=P(-2 \le Z_Y \le -1)$$

$P(33 \le X \le k)=P(66 \le Y \le 76)$이므로

$\dfrac{k-45}{6}=-1$, $k-45=-6$ $\qquad \therefore k=39$

13 화영이의 수학 시험 점수를 각각 표준화하면

1학기 중간고사: $\dfrac{72-45}{12}=2.25$

1학기 기말고사: $\dfrac{80-50}{15}=2$

2학기 중간고사: $\dfrac{95-60}{20}=1.75$

2학기 기말고사: $\dfrac{86-56}{16}=1.875$

따라서 상대적으로 1학기 중간고사 성적이 가장 높고, 2학기 중간고사 성적이 가장 낮다.

14 감귤 한 개의 무게를 확률변수 X라고 하면 X는 정규분포 $N(100, 20^2)$을 따르므로 $Z=\dfrac{X-100}{20}$으로 놓으면 Z는 표준정규분포 $N(0, 1)$을 따른다.

따라서 택한 감귤의 무게가 $80\,g$ 이하일 확률은

$$P(X \le 80)=P\left(Z \le \frac{80-100}{20}\right)$$
$$=P(Z \le -1)$$
$$=P(Z \le 0)-P(-1 \le Z \le 0)$$
$$=0.5-P(0 \le Z \le 1)$$
$$=0.5-0.3413$$
$$=0.1587$$

15 학생들의 몸무게를 확률변수 X라고 하면 X는 정규분포 $N(62, 6^2)$을 따르므로 $Z=\dfrac{X-62}{6}$로 놓으면 Z는 표준정규분포 $N(0, 1)$을 따른다.

몸무게가 $56\,kg$ 이상 $74\,kg$ 이하일 확률은

$$P(56 \le X \le 74)=P\left(\frac{56-62}{6} \le Z \le \frac{74-62}{6}\right)$$
$$=P(-1 \le Z \le 2)$$
$$=P(-1 \le Z \le 0)+P(0 \le Z \le 2)$$
$$=P(0 \le Z \le 1)+P(0 \le Z \le 2)$$
$$=0.3413+0.4772$$
$$=0.8185$$

따라서 구하는 학생 수는

$2000 \times 0.8185=1637$(명)

16 지원자들의 점수를 확률변수 X라고 하면 X는 정규분포 $N(60, 20^2)$을 따르므로 $Z=\dfrac{X-60}{20}$으로 놓으면 Z는 표준정규분포 $N(0, 1)$을 따른다.

입사 가능한 최저 점수를 a점이라고 하면

$$P(X \ge a)=\frac{3500}{10000}=0.35$$

$$P\left(Z \ge \frac{a-60}{20}\right)=0.35$$

$$P(Z \ge 0)-P\left(0 \le Z \le \frac{a-60}{20}\right)=0.35$$

$$0.5-P\left(0 \le Z \le \frac{a-60}{20}\right)=0.35$$

$$\therefore P\left(0 \le Z \le \frac{a-60}{20}\right)=0.15$$

이때 $P(0 \le Z \le 0.39)=0.15$이므로

$\dfrac{a-60}{20}=0.39$ $\qquad \therefore a=67.8$

따라서 입사 가능한 최저 점수는 67.8점이다.

17 확률변수 X가 이항분포 $B\left(450, \dfrac{2}{3}\right)$를 따르므로 $n=450$, $p=\dfrac{2}{3}$이다.

이때 n이 충분히 크고

$np=450 \times \dfrac{2}{3}=300$,

$npq=450 \times \dfrac{2}{3} \times \dfrac{1}{3}=100$

이므로 X는 근사적으로 정규분포 $N(300, 10^2)$을 따른다.

즉, $Z=\dfrac{X-300}{10}$으로 놓으면 Z는 표준정규분포 $N(0,\ 1)$을 따른다.

$$\therefore\ P(X\leq 280)=P\left(Z\leq\frac{280-300}{10}\right)$$
$$=P(Z\leq -2)$$
$$=P(Z\leq 0)-P(-2\leq Z\leq 0)$$
$$=0.5-P(0\leq Z\leq 2)$$
$$=0.5-0.4772=0.0228$$

18 영화 B를 예매할 확률은 0.2

400명의 관객 중 영화 B를 예매하는 관객 수를 확률변수 X라고 하면 X는 $n=400,\ p=0.2$인 이항분포 $B(400,\ 0.2)$를 따른다.

이때 n이 충분히 크고

$np=400\times 0.2=80,$

$npq=400\times 0.2\times 0.8=64$

이므로 X는 근사적으로 정규분포 $N(80,\ 8^2)$을 따른다.

즉, $Z=\dfrac{X-80}{8}$으로 놓으면 Z는 표준정규분포 $N(0,\ 1)$을 따른다.

따라서 영화 B를 예매하는 관객이 72명 이상일 확률은

$$P(X\geq 72)=P\left(Z\geq\frac{72-80}{8}\right)$$
$$=P(Z\geq -1)$$
$$=P(-1\leq Z\leq 0)+P(Z\geq 0)$$
$$=P(0\leq Z\leq 1)+0.5$$
$$=0.3413+0.5$$
$$=0.8413$$

19 108번 중에서 화살을 항아리에 넣는 횟수를 확률변수 X라고 하면 X는 $n=108,\ p=\dfrac{1}{4}$인 이항분포 $B\left(108,\ \dfrac{1}{4}\right)$을 따른다.

이때 n이 충분히 크고

$np=108\times\dfrac{1}{4}=27,$

$npq=108\times\dfrac{1}{4}\times\dfrac{3}{4}=\dfrac{81}{4}$

이므로 X는 근사적으로 정규분포 $N\left(27,\ \left(\dfrac{9}{2}\right)^2\right)$을 따른다.

즉, $Z=\dfrac{X-27}{\dfrac{9}{2}}$로 놓으면 Z는 표준정규분포 $N(0,\ 1)$을 따른다.

이때 성공한 횟수가 k번 이상일 확률이 0.023이므로

$$P(X\geq k)=0.023$$

$$P\left(Z\geq\frac{k-27}{\dfrac{9}{2}}\right)=0.023$$

$$P(Z\geq 0)-P\left(0\leq Z\leq\frac{k-27}{\dfrac{9}{2}}\right)=0.023$$

$$0.5-P\left(0\leq Z\leq\frac{k-27}{\dfrac{9}{2}}\right)=0.023$$

$$\therefore\ P\left(0\leq Z\leq\frac{k-27}{\dfrac{9}{2}}\right)=0.477$$

이때 $P(0\leq Z\leq 2)=0.477$이므로

$$\frac{k-27}{\dfrac{9}{2}}=2,\ k-27=9$$

$$\therefore\ k=36$$

20 한 팩에 들어 있는 당도가 12브릭스 미만인 딸기의 개수를 확률변수 X라고 하면 X는 이항분포 $B(20,\ 0.05)$를 따른다. 즉, X의 확률질량함수는

$P(X=x)={}_{20}C_x 0.05^x 0.95^{20-x}\ (x=0,\ 1,\ 2,\ \cdots,\ 20)$

한 팩에 당도가 12브릭스 미만인 딸기가 2알 이상 들어 있을 확률은

$$P(X\geq 2)=1-P(X<2)$$
$$=1-\{P(X=0)+P(X=1)\}$$
$$=1-({}_{20}C_0 0.05^0 0.95^{20}+{}_{20}C_1 0.05^1 0.95^{19})$$
$$=1-(0.36+0.38)=0.26$$

따라서 2팩 중에서 한 팩의 딸기 값을 지불하지 않을 확률은

${}_2C_1\times 0.26\times(1-0.26)=0.3848$

21 ㈎에서 $f(80-x)=f(80+x)$이면 $f(x)$의 그래프는 직선 $x=80$에 대하여 대칭이므로

$m=80$

확률변수 X는 정규분포 $N(80,\ \sigma^2)$을 따르므로

$Z=\dfrac{X-80}{\sigma}$으로 놓으면 Z는 표준정규분포 $N(0,\ 1)$을 따른다.

$$P(m-6\leq X\leq m+6)=P(80-6\leq X\leq 80+6)$$
$$=P(74\leq X\leq 86)$$
$$=P\left(\frac{74-80}{\sigma}\leq Z\leq\frac{86-80}{\sigma}\right)$$
$$=P\left(-\frac{6}{\sigma}\leq Z\leq\frac{6}{\sigma}\right)$$
$$=2P\left(0\leq Z\leq\frac{6}{\sigma}\right)$$
$$=0.8664$$

$$\therefore\ P\left(0\leq Z\leq\frac{6}{\sigma}\right)=0.4332$$

이때 $P(0\leq Z\leq 1.5)=0.4332$이므로

$$\frac{6}{\sigma}=1.5\quad\therefore\ \sigma=4$$

$$\therefore\ P(72\leq X\leq 84)=P\left(\frac{72-80}{4}\leq Z\leq\frac{84-80}{4}\right)$$
$$=P(-2\leq Z\leq 1)$$
$$=P(-2\leq Z\leq 0)+P(0\leq Z\leq 1)$$
$$=P(0\leq Z\leq 2)+P(0\leq Z\leq 1)$$
$$=0.4772+0.3413$$
$$=0.8185$$

22 치약 한 개의 무게를 확률변수 X라고 하면 X는 정규분포 $N(160, 5^2)$을 따르므로 $Z_X = \dfrac{X-160}{5}$으로 놓으면 Z_X는 표준정규분포 $N(0, 1)$을 따른다.

치약 한 개의 무게가 $150\,g$ 이하일 확률은

$$
\begin{aligned}
P(X \leq 150) &= P\left(Z_X \leq \frac{150-160}{5}\right) \\
&= P(Z_X \leq -2) \\
&= P(Z_X \leq 0) - P(-2 \leq Z_X \leq 0) \\
&= 0.5 - P(0 \leq Z_X \leq 2) \\
&= 0.5 - 0.48 \\
&= 0.02
\end{aligned}
$$

한편 제품 2500개 중에서 출고하지 않은 치약의 개수를 확률변수 Y라고 하면 Y는 $n=2500$, $p=0.02$인 이항분포 $B(2500, 0.02)$를 따른다.

이때 n이 충분히 크고

$np = 2500 \times 0.02 = 50$,

$npq = 2500 \times 0.02 \times 0.98 = 49$

이므로 Y는 근사적으로 정규분포 $N(50, 7^2)$을 따른다.

즉, $Z_Y = \dfrac{Y-50}{7}$으로 놓으면 Z_Y는 표준정규분포 $N(0, 1)$을 따른다.

따라서 구하는 확률은

$$
\begin{aligned}
P(Y \geq 57) &= P\left(Z_Y \geq \frac{57-50}{7}\right) \\
&= P(Z_Y \geq 1) \\
&= P(Z_Y \geq 0) - P(0 \leq Z_Y \leq 1) \\
&= 0.5 - 0.34 \\
&= 0.16
\end{aligned}
$$

23 (1) $y=f(x)$의 그래프와 x축으로 둘러싸인 도형의 넓이가 1이므로

$$\frac{1}{2} \times 3 \times k = 1, \quad \frac{3}{2}k = 1$$

$$\therefore k = \frac{2}{3} \qquad \cdots\cdots \text{㉮}$$

(2) 구하는 확률은 다음 그림에서 $y=f(x)$의 그래프와 x축 및 두 직선 $x=1$, $x=3$으로 둘러싸인 도형의 넓이와 같으므로

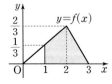

$$
\begin{aligned}
P(1 \leq X \leq 3) &= 1 - P(0 \leq X \leq 1) \\
&= 1 - \frac{1}{2} \times 1 \times \frac{1}{3} \\
&= \frac{5}{6} \qquad \cdots\cdots \text{㉯}
\end{aligned}
$$

채점 기준	배점
㉮ k의 값을 구한다.	3점
㉯ $P(1 \leq X \leq 3)$을 구한다.	3점

24 배터리의 충전 후 사용 가능 시간은 평균 48시간인 정규분포를 따르므로 배터리 한 개가 48시간 이상 사용 가능할 확률은 $\dfrac{1}{2}$이다. $\qquad \cdots\cdots \text{㉮}$

충전 후 사용 가능 시간이 48시간 이상인 배터리의 개수를 확률변수 X라고 하면 X는 $n=6$, $p=\dfrac{1}{2}$인 이항분포 $B\left(6, \dfrac{1}{2}\right)$을 따른다.

즉, X의 확률질량함수는

$$
\begin{aligned}
P(X=x) &= {}_6C_x \left(\frac{1}{2}\right)^x \left(\frac{1}{2}\right)^{6-x} \\
&= {}_6C_x \left(\frac{1}{2}\right)^6 \ (x=0, 1, 2, \cdots, 6)
\end{aligned}
$$

따라서 충전 후 사용 가능 시간이 48시간 이상인 배터리가 5개 이상일 확률은

$$
\begin{aligned}
P(X \geq 5) &= P(X=5) + P(X=6) \\
&= {}_6C_5 \left(\frac{1}{2}\right)^6 + {}_6C_6 \left(\frac{1}{2}\right)^6 \\
&= \frac{6}{64} + \frac{1}{64} \\
&= \frac{7}{64} \qquad \cdots\cdots \text{㉯}
\end{aligned}
$$

채점 기준	배점
㉮ 충전 후 48시간 이상 사용 가능할 확률을 구한다.	3점
㉯ 충전 후 사용 가능 시간이 48시간 이상인 배터리가 5개 이상일 확률을 구한다.	4점

25 학생들의 영어 점수를 확률변수 X라고 하면 X는 정규분포 $N(68, 10^2)$을 따른다.

즉, $Z = \dfrac{X-68}{10}$로 놓으면 Z는 표준정규분포 $N(0, 1)$을 따른다. $\qquad \cdots\cdots \text{㉮}$

상위 $10\,\%$ 이내에 속하기 위한 최소 점수를 c점이라고 하면

$$P(X \geq c) = 0.1$$

$$P\left(Z \geq \frac{c-68}{10}\right) = 0.1$$

$$P(Z \geq 0) - P\left(0 \leq Z \leq \frac{c-68}{10}\right) = 0.1$$

$$0.5 - P\left(0 \leq Z \leq \frac{c-68}{10}\right) = 0.1$$

$$\therefore P\left(0 \leq Z \leq \frac{c-68}{10}\right) = 0.4$$

이때 $P(0 \leq Z \leq 1.3) = 0.4$이므로

$$\frac{c-68}{10} = 1.3$$

$$c - 68 = 13$$

$$\therefore c = 81$$

따라서 최소 81점 이상이어야 한다. $\qquad \cdots\cdots \text{㉯}$

채점 기준	배점
㉮ 확률변수 X를 정하고 표준화한다.	2점
㉯ 상위 $10\,\%$ 이내에 속하기 위한 최소 점수를 구한다.	5점

14강 표본평균의 분포

확인 문제 p. 64

1 (1) 표본조사
(2) 전수조사

2 모평균은 $m=8$, 모분산은 $\sigma^2=16$, 표본의 크기는 $n=16$
이므로
$$E(\overline{X})=m=8, \ V(\overline{X})=\frac{\sigma^2}{n}=\frac{16}{16}=1$$
따라서 $\overline{X}$의 평균은 8, 분산은 1이다.

핵심 유형 + 실전 문제 p. 65

1 모평균은 5, 모표준편차는 3, 표본의 크기는 25이므로
$$E(\overline{X})=5, \ \sigma(\overline{X})=\frac{3}{\sqrt{25}}=\frac{3}{5}$$
따라서 $\overline{X}$의 평균은 5, 표준편차는 $\frac{3}{5}$이다.

2 모평균은 10, 모분산은 $6^2=36$, 표본의 크기는 9이므로
$$E(\overline{X})=10, \ V(\overline{X})=\frac{36}{9}=4$$
$V(\overline{X})=E(\overline{X}^2)-\{E(\overline{X})\}^2$이므로
$$E(\overline{X}^2)=V(\overline{X})+\{E(\overline{X})\}^2=4+10^2=104$$

3 $E(X)=0\times\frac{1}{10}+1\times\frac{3}{10}+2\times\frac{1}{5}+3\times\frac{2}{5}=\frac{19}{10}$

$E(X^2)=0^2\times\frac{1}{10}+1^2\times\frac{3}{10}+2^2\times\frac{1}{5}+3^2\times\frac{2}{5}=\frac{47}{10}$

$\therefore \ V(X)=E(X^2)-\{E(X)\}^2=\frac{47}{10}-\left(\frac{19}{10}\right)^2=\frac{109}{100}$

이때 표본의 크기가 $n=109$이므로
$$E(\overline{X})=\frac{19}{10}, \ V(\overline{X})=\frac{\frac{109}{100}}{109}=\frac{1}{100}$$

따라서 $\overline{X}$의 평균은 $\frac{19}{10}$, 분산은 $\frac{1}{100}$이다.

4 상자에서 카드 한 장을 꺼낼 때, 카드에 적힌 숫자를 확률변수 X라 하고 X의 확률분포를 표로 나타내면 다음과 같다.

X	3	5	7	합계
$P(X=x)$	$\frac{2}{7}$	$\frac{3}{7}$	$\frac{2}{7}$	1

$E(X)=3\times\frac{2}{7}+5\times\frac{3}{7}+7\times\frac{2}{7}=5$

$E(X^2)=3^2\times\frac{2}{7}+5^2\times\frac{3}{7}+7^2\times\frac{2}{7}=\frac{191}{7}$

$\therefore \ V(X)=E(X^2)-\{E(X)\}^2=\frac{191}{7}-5^2=\frac{16}{7}$

이때 표본의 크기가 $n=3$이므로
$$E(\overline{X})=5, \ V(\overline{X})=\frac{\frac{16}{7}}{3}=\frac{16}{21}$$

5 음식 배달 시간을 확률변수 X라고 하면 X는 정규분포 $N(27, 9^2)$을 따르므로 9번 측정한 배달 시간의 표본평균 $\overline{X}$는 정규분포 $N\left(27, \frac{9^2}{9}\right)$, 즉 $N(27, 3^2)$을 따른다.

즉, $Z=\dfrac{\overline{X}-27}{3}$로 놓으면 Z는 표준정규분포 $N(0, 1)$을 따른다.

(1) $P(\overline{X}\geq 33)=P\left(Z\geq\frac{33-27}{3}\right)$
$=P(Z\geq 2)$
$=P(Z\geq 0)-P(0\leq Z\leq 2)$
$=0.5-0.4772=0.0228$

(2) $P(30\leq \overline{X}\leq 33)=P\left(\frac{30-27}{3}\leq Z\leq\frac{33-27}{3}\right)$
$=P(1\leq Z\leq 2)$
$=P(0\leq Z\leq 2)-P(0\leq Z\leq 1)$
$=0.4772-0.3413=0.1359$

6 달걀 한 개의 무게를 확률변수 X라고 하면 X는 정규분포 $N(55, 8^2)$을 따르므로 달걀 16개의 무게의 표본평균 $\overline{X}$는 정규분포 $N\left(55, \frac{8^2}{16}\right)$, 즉 $N(55, 2^2)$을 따른다.

즉, $Z=\dfrac{\overline{X}-55}{2}$로 놓으면 Z는 표준정규분포 $N(0, 1)$을 따르므로 달걀 한 개의 평균 무게가 $53\,g$ 이상 $60\,g$ 이하일 확률은
$P(53\leq \overline{X}\leq 60)=P\left(\frac{53-55}{2}\leq Z\leq\frac{60-55}{2}\right)$
$=P(-1\leq Z\leq 2.5)$
$=P(-1\leq Z\leq 0)+P(0\leq Z\leq 2.5)$
$=P(0\leq Z\leq 1)+P(0\leq Z\leq 2.5)$
$=0.3413+0.4938=0.8351$

15강 모평균의 추정

확인 문제 p. 66

1 모표준편차는 $\sigma=3$, 표본의 크기는 $n=100$, 표본평균은 $\overline{x}=70$이므로 모평균 m에 대한 신뢰도 95 %의 신뢰구간은
$$70-1.96\times\frac{3}{\sqrt{100}}\leq m\leq 70+1.96\times\frac{3}{\sqrt{100}}$$
$$\therefore \ 69.412\leq m\leq 70.588$$

2 모표준편차는 $\sigma=5$, 표본의 크기는 $n=25$이므로

(1) 신뢰도 95 %의 신뢰구간의 길이는

$$2\times 1.96\times\frac{5}{\sqrt{25}}=3.92$$

(2) 신뢰도 99 %의 신뢰구간의 길이는

$$2\times 2.58\times\frac{5}{\sqrt{25}}=5.16$$

5 모표준편차는 $\sigma=2$, 표본의 크기는 $n=400$이므로

(1) 신뢰도 95 %의 신뢰구간의 길이는

$$2\times 1.96\times\frac{2}{\sqrt{400}}=0.392$$

(2) 신뢰도 99 %의 신뢰구간의 길이는

$$2\times 2.58\times\frac{2}{\sqrt{400}}=0.516$$

6 모표준편차는 $\sigma=7$, 표본의 크기는 $n=196$이므로 신뢰도 95 %로 추정한 모평균에 대한 신뢰구간의 길이는

$$a=2\times 1.96\times\frac{7}{\sqrt{196}}=1.96$$

또 신뢰도 99 %로 추정한 모평균에 대한 신뢰구간의 길이는

$$b=2\times 2.58\times\frac{7}{\sqrt{196}}=2.58$$

$$\therefore\ b-a=0.62$$

실전 문제

p. 67

1 모표준편차는 $\sigma=30$, 표본의 크기는 $n=400$, 표본평균은 $\overline{x}=1200$이므로 모평균 m에 대하여

(1) 신뢰도 95 %의 신뢰구간은

$$1200-1.96\times\frac{30}{\sqrt{400}}\leq m\leq 1200+1.96\times\frac{30}{\sqrt{400}}$$

$$\therefore\ 1197.06\leq m\leq 1202.94$$

(2) 신뢰도 99 %의 신뢰구간은

$$1200-2.58\times\frac{30}{\sqrt{400}}\leq m\leq 1200+2.58\times\frac{30}{\sqrt{400}}$$

$$\therefore\ 1196.13\leq m\leq 1203.87$$

2 모표준편차는 $\sigma=40$, 표본의 크기는 $n=100$, 표본평균은 $\overline{x}=1000$이므로 모평균 m에 대하여 신뢰도 95 %의 신뢰구간은

$$1000-1.96\times\frac{40}{\sqrt{100}}\leq m\leq 1000+1.96\times\frac{40}{\sqrt{100}}$$

$$\therefore\ 992.16\leq m\leq 1007.84$$

3 표본의 크기는 $n=100$으로 충분히 크고, 표본평균은 $\overline{x}=170$, 표본표준편차는 $S=16$이므로 모평균 m에 대하여

(1) 신뢰도 95 %의 신뢰구간은

$$170-1.96\times\frac{16}{\sqrt{100}}\leq m\leq 170+1.96\times\frac{16}{\sqrt{100}}$$

$$\therefore\ 166.864\leq m\leq 173.136$$

(2) 신뢰도 99 %의 신뢰구간은

$$170-2.58\times\frac{16}{\sqrt{100}}\leq m\leq 170+2.58\times\frac{16}{\sqrt{100}}$$

$$\therefore\ 165.872\leq m\leq 174.128$$

4 표본의 크기는 $n=400$으로 충분히 크고, 표본평균은 $\overline{x}=1200$, 표본표준편차는 $S=40$이므로 모평균 m에 대하여 신뢰도 99 %의 신뢰구간은

$$1200-2.58\times\frac{40}{\sqrt{400}}\leq m\leq 1200+2.58\times\frac{40}{\sqrt{400}}$$

$$\therefore\ 1194.84\leq m\leq 1205.16$$

기출문제

14~15강 족집게

p. 68~71

1 ②	2 ④	3 ①	4 9	5 ⑤
6 4	7 ①	8 9		
9 $54.12\leq m\leq 65.88$		10 ②	11 ②	12 396
13 ①	14 ③	15 400	16 ④	17 ⑤
18 ③	19 0.0228	20 90	21 25	22 11
23 8	24 $22.16\leq m\leq 37.84$			

1 모평균은 $m=30$, 모분산은 $\sigma^2=16$, 표본의 크기는 n이므로

$$\mathrm{E}(\overline{X})=m=30$$

$$\mathrm{V}(\overline{X})=\frac{16}{n}=\frac{1}{2}\qquad\therefore\ n=32$$

$$\therefore\ m+n=62$$

2 모표준편차는 $\sigma=18$, 표본의 크기는 n이므로

$$\sigma(\overline{X})=\frac{18}{\sqrt{n}}\leq 3\text{에서}\quad\sqrt{n}\geq 6\qquad\therefore\ n\geq 36$$

따라서 n의 최솟값은 36이다.

3 상자에서 구슬 한 개를 꺼낼 때, 구슬에 적힌 숫자를 확률변수 X라 하고 X의 확률분포를 표로 나타내면 다음과 같다.

X	-1	1	3	합계
$\mathrm{P}(X=x)$	$\frac{1}{3}$	$\frac{1}{2}$	$\frac{1}{6}$	1

$$\mathrm{E}(X)=(-1)\times\frac{1}{3}+1\times\frac{1}{2}+3\times\frac{1}{6}=\frac{2}{3}$$

$$\mathrm{E}(X^2)=(-1)^2\times\frac{1}{3}+1^2\times\frac{1}{2}+3^2\times\frac{1}{6}=\frac{7}{3}$$

$$\therefore\ \mathrm{V}(X)=\mathrm{E}(X^2)-\{\mathrm{E}(X)\}^2=\frac{7}{3}-\left(\frac{2}{3}\right)^2=\frac{17}{9}$$

이때 표본의 크기는 $n=3$이므로

$$\mathrm{E}(\overline{X})=\frac{2}{3}, \quad \mathrm{V}(\overline{X})=\frac{\frac{17}{9}}{3}=\frac{17}{27}$$

$\mathrm{V}(\overline{X})=\mathrm{E}(\overline{X}^2)-\{\mathrm{E}(\overline{X})\}^2$에서

$$\begin{aligned}\mathrm{E}(\overline{X}^2)&=\mathrm{V}(\overline{X})+\{\mathrm{E}(\overline{X})\}^2\\&=\frac{17}{27}+\left(\frac{2}{3}\right)^2=\frac{29}{27}\end{aligned}$$

4 $\mathrm{E}(X)=0\times\frac{1}{5}+1\times\frac{1}{2}+2\times\frac{3}{10}=\frac{11}{10}$

$\mathrm{E}(X^2)=0^2\times\frac{1}{5}+1^2\times\frac{1}{2}+2^2\times\frac{3}{10}=\frac{17}{10}$

$$\begin{aligned}\therefore\ \mathrm{V}(X)&=\mathrm{E}(X^2)-\{\mathrm{E}(X)\}^2\\&=\frac{17}{10}-\left(\frac{11}{10}\right)^2=\frac{49}{100}\end{aligned}$$

이때 $\mathrm{V}(\overline{X})=\frac{49}{900}$이므로

$$\frac{\frac{49}{100}}{n}=\frac{49}{900} \qquad \therefore\ n=9$$

5 로션 한 개의 용량을 확률변수 X라고 하면 X는 정규분포 $\mathrm{N}(200, 4^2)$을 따르므로 로션 64개의 용량의 표본평균 $\overline{X}$는 정규분포 $\mathrm{N}\left(200, \frac{4^2}{64}\right)$, 즉 $\mathrm{N}(200, 0.5^2)$을 따른다.

즉, $Z=\dfrac{\overline{X}-200}{0.5}$으로 놓으면 Z는 표준정규분포 $\mathrm{N}(0, 1)$을 따른다.

따라서 로션의 평균 용량이 $199\,\mathrm{mL}$ 이상 $201\,\mathrm{mL}$ 이하일 확률은

$$\begin{aligned}\mathrm{P}(199\le\overline{X}\le201)&=\mathrm{P}\left(\frac{199-200}{0.5}\le Z\le\frac{201-200}{0.5}\right)\\&=\mathrm{P}(-2\le Z\le2)\\&=2\mathrm{P}(0\le Z\le2)\\&=2\times0.4772=0.9544\end{aligned}$$

6 모집단이 정규분포 $\mathrm{N}(80, 10^2)$을 따르고 표본의 크기가 n이므로 표본평균 $\overline{X}$는 정규분포 $\mathrm{N}\left(80, \frac{10^2}{n}\right)$을 따른다.

즉, $Z=\dfrac{\overline{X}-80}{\frac{10}{\sqrt{n}}}$으로 놓으면 Z는 표준정규분포 $\mathrm{N}(0, 1)$을 따르므로 $\mathrm{P}(\overline{X}\le75)=0.1587$에서

$$\mathrm{P}\left(Z\le\frac{75-80}{\frac{10}{\sqrt{n}}}\right)=0.1587$$

$$\mathrm{P}\left(Z\le-\frac{\sqrt{n}}{2}\right)=0.1587$$

$$\mathrm{P}\left(Z\ge\frac{\sqrt{n}}{2}\right)=0.1587$$

$$0.5-\mathrm{P}\left(0\le Z\le\frac{\sqrt{n}}{2}\right)=0.1587$$

$$\therefore\ \mathrm{P}\left(0\le Z\le\frac{\sqrt{n}}{2}\right)=0.3413$$

이때 $\mathrm{P}(0\le Z\le1)=0.3413$이므로

$$\frac{\sqrt{n}}{2}=1, \quad \sqrt{n}=2$$

$$\therefore\ n=4$$

7 모집단이 정규분포 $\mathrm{N}(m, 20^2)$을 따르고 표본의 크기가 25이므로 표본평균 $\overline{X}$는 정규분포 $\mathrm{N}\left(m, \frac{20^2}{25}\right)$, 즉 $\mathrm{N}(m, 4^2)$을 따른다.

즉, $Z=\dfrac{\overline{X}-m}{4}$으로 놓으면 Z는 표준정규분포 $\mathrm{N}(0, 1)$을 따르므로

$$\begin{aligned}\mathrm{P}(|\overline{X}-m|\le4)&=\mathrm{P}(-4\le\overline{X}-m\le4)\\&=\mathrm{P}(m-4\le\overline{X}\le m+4)\\&=\mathrm{P}\left(\frac{m-4-m}{4}\le Z\le\frac{m+4-m}{4}\right)\\&=\mathrm{P}(-1\le Z\le1)\\&=2\mathrm{P}(0\le Z\le1)\\&=2\times0.3413\\&=0.6826\end{aligned}$$

8 고속버스를 타고 이동하는 데 걸리는 시간을 확률변수 X라고 하면 X는 정규분포 $\mathrm{N}(4.5, 0.5^2)$을 따르므로 n번 측정한 시간의 표본평균 $\overline{X}$는 정규분포 $\mathrm{N}\left(4.5, \frac{0.5^2}{n}\right)$을 따른다.

즉, $Z=\dfrac{\overline{X}-4.5}{\frac{0.5}{\sqrt{n}}}$로 놓으면 Z는 표준정규분포 $\mathrm{N}(0, 1)$을 따르므로 $\mathrm{P}(\overline{X}\ge5)=0.0013$에서

$$\mathrm{P}\left(Z\ge\frac{5-4.5}{\frac{0.5}{\sqrt{n}}}\right)=0.0013$$

$$\mathrm{P}(Z\ge\sqrt{n})=0.0013$$

$$\mathrm{P}(Z\ge0)-\mathrm{P}(0\le Z\le\sqrt{n})=0.0013$$

$$0.5-\mathrm{P}(0\le Z\le\sqrt{n})=0.0013$$

$$\therefore\ \mathrm{P}(0\le Z\le\sqrt{n})=0.4987$$

이때 $\mathrm{P}(0\le Z\le3)=0.4987$이므로

$$\sqrt{n}=3 \qquad \therefore\ n=9$$

9 표본평균은 $\overline{x}=60$, 모표준편차는 $\sigma=15$, 표본의 크기는 $n=25$이므로 모평균 m에 대한 신뢰도 $95\,\%$의 신뢰구간은

$$60-1.96\times\frac{15}{\sqrt{25}}\le m\le60+1.96\times\frac{15}{\sqrt{25}}$$

$$\therefore\ 54.12\le m\le65.88$$

10 표본의 크기는 $n=400$으로 충분히 크고, 표본평균은 $\overline{x}=50$, 표본표준편차는 $S=15$이므로 모평균 m에 대한 신뢰도 $95\,\%$의 신뢰구간은

$$50-1.96\times\frac{15}{\sqrt{400}}\le m\le50+1.96\times\frac{15}{\sqrt{400}}$$

$$\therefore\ 48.53\le m\le51.47$$

따라서 신뢰구간에 속하는 정수는 49, 50, 51의 3개이다.

11 모표준편차는 $\sigma=4$, 표본평균은 $\overline{x}=27$이므로 모평균 m에 대한 신뢰도 99 %의 신뢰구간은

$$27-2.58\times\frac{4}{\sqrt{n}}\leq m\leq 27+2.58\times\frac{4}{\sqrt{n}}$$

이때 $26.14\leq m\leq 27.86$이므로

$$2.58\times\frac{4}{\sqrt{n}}=0.86,\ \sqrt{n}=12 \qquad \therefore n=144$$

12 표본평균은 $\overline{x}$, 모표준편차는 5이므로 모평균 m에 대한 신뢰도 95 %의 신뢰구간은

$$\overline{x}-1.96\times\frac{5}{\sqrt{n}}\leq m\leq\overline{x}+1.96\times\frac{5}{\sqrt{n}}$$

이때 $199.3\leq m\leq 200.7$이므로

$$\overline{x}-1.96\times\frac{5}{\sqrt{n}}=199.3,\ \overline{x}+1.96\times\frac{5}{\sqrt{n}}=200.7$$

위의 두 식을 연립하여 풀면

$$\overline{x}=200,\ n=196$$
$$\therefore n+\overline{x}=396$$

13 표본의 크기는 $n=900$으로 충분히 크고, 표본표준편차는 $S=2$이므로 모평균 m에 대한 신뢰도 99 %의 신뢰구간의 길이는

$$2\times 2.58\times\frac{2}{\sqrt{900}}=0.344$$

14 $P(|Z|\leq a)=0.9$, $P(|Z|\leq b)=0.95$, $P(|Z|\leq c)=0.99$ 라고 하면 각각의 신뢰구간의 길이는

① $2a\times\dfrac{\sigma}{\sqrt{100}}=\dfrac{a\sigma}{5}$

② $2b\times\dfrac{\sigma}{\sqrt{100}}=\dfrac{b\sigma}{5}$

③ $2c\times\dfrac{\sigma}{\sqrt{100}}=\dfrac{c\sigma}{5}$

④ $2b\times\dfrac{\sigma}{\sqrt{400}}=\dfrac{b\sigma}{10}$

⑤ $2c\times\dfrac{\sigma}{\sqrt{400}}=\dfrac{c\sigma}{10}$

이때 $a<b<c$이므로

$$\frac{a\sigma}{5}<\frac{b\sigma}{5}<\frac{c\sigma}{5},\ \frac{b\sigma}{10}<\frac{c\sigma}{10}<\frac{c\sigma}{5}$$

따라서 신뢰구간의 길이가 가장 긴 것은 ③이다.

15 모표준편차를 σ, $P(|Z|\leq k)=\dfrac{\alpha}{100}$라 하고, 모평균을 신뢰도 α %로 추정할 때, 표본의 크기는 100, 신뢰구간의 길이는 16이므로

$$2k\times\frac{\sigma}{\sqrt{100}}=16 \qquad \therefore k\sigma=80$$

모평균을 신뢰도 α %로 추정할 때, 구하는 표본의 크기를 n이라고 하면 신뢰구간의 길이는 8이므로 $\quad 2k\times\dfrac{\sigma}{\sqrt{n}}=8$

이때 $k\sigma=80$이므로

$$\frac{160}{\sqrt{n}}=8,\ \sqrt{n}=20 \qquad \therefore n=400$$

따라서 표본의 크기는 400으로 해야 한다.

16 모표준편차는 $\sigma=10$이고, 모평균 m에 대한 신뢰도 95 %의 신뢰구간의 길이가 0.98 이하가 되어야 하므로

$$2\times 1.96\times\frac{10}{\sqrt{n}}\leq 0.98$$

$$\sqrt{n}\geq 40$$

$$\therefore n\geq 1600$$

따라서 n의 최솟값은 1600이다.

17 표본평균은 $\overline{x}$, 모표준편차는 $\sigma=30$이고, 표본의 크기를 n이라고 하면 신뢰도 95 %로 추정한 모평균 m에 대한 신뢰구간은

$$\overline{x}-2\times\frac{30}{\sqrt{n}}\leq m\leq\overline{x}+2\times\frac{30}{\sqrt{n}}$$

$$-\frac{60}{\sqrt{n}}\leq m-\overline{x}\leq\frac{60}{\sqrt{n}}$$

$$\therefore |m-\overline{x}|\leq\frac{60}{\sqrt{n}}$$

모평균 m과 표본평균 $\overline{x}$의 차가 6 이하가 되려면

$$\frac{60}{\sqrt{n}}\leq 6,\ \sqrt{n}\geq 10$$

$$\therefore n\geq 100$$

따라서 최소 100개의 표본을 조사해야 한다.

18 정규분포 $N(m,\ \sigma^2)\ (\sigma>0)$을 따르는 모집단에서 크기가 n인 표본을 임의추출할 때, 모평균 m에 대한 신뢰도 α %의 신뢰구간의 길이는

$$2k\times\frac{\sigma}{\sqrt{n}}\ \left(\text{단},\ P(|Z|\leq k)=\frac{\alpha}{100}\right)$$

ㄱ. 신뢰도 α %가 일정하면 k의 값이 일정하므로 표본의 크기 n이 커질수록 $2k\times\dfrac{\sigma}{\sqrt{n}}$의 값은 작아진다.

즉, 신뢰구간의 길이는 짧아진다.

ㄴ. 표본의 크기 n이 일정할 때, 신뢰도 α %를 높일수록 k의 값이 커지므로 $2k\times\dfrac{\sigma}{\sqrt{n}}$의 값은 커진다.

즉, 신뢰구간의 길이는 길어진다.

ㄷ. 표본의 크기 n을 크게 하여도 신뢰도 α %를 높이면 k의 값이 같이 커지므로 $2k\times\dfrac{\sigma}{\sqrt{n}}$의 값이 반드시 작아진다고 할 수 없다.

즉, 신뢰구간의 길이는 짧아진다고 할 수 없다.

따라서 옳은 것은 ㄱ, ㄴ이다.

19 초콜릿 한 개의 무게를 확률변수 X라고 하면 X는 정규분포 $N(6,\ 1^2)$을 따르므로 초콜릿 4개의 무게의 평균을 $\overline{X}$라고 하면 $\overline{X}$는 정규분포 $N\left(6,\ \dfrac{1^2}{4}\right)$, 즉 $N(6,\ 0.5^2)$을 따른다.

즉, $Z=\dfrac{\overline{X}-6}{0.5}$으로 놓으면 Z는 표준정규분포 $N(0,\ 1)$을 따른다.

초콜릿 4개가 들어 있는 세트 한 개의 무게는

$$X_1+X_2+X_3+X_4=4\overline{X}$$

따라서 초콜릿 세트가 중량 미달로 판매되지 못할 확률은

$$P(4\overline{X}\le 20)=P(\overline{X}\le 5)$$
$$=P\left(Z\le \frac{5-6}{0.5}\right)$$
$$=P(Z\le -2)$$
$$=P(Z\le 0)-P(-2\le Z\le 0)$$
$$=0.5-P(0\le Z\le 2)$$
$$=0.5-0.4772=0.0228$$

20 $P(|Z|\le k)=\dfrac{\alpha}{100}$ 라고 하면 모표준편차는 $\sigma=10$, 표본의 크기는 $n=100$, 표본평균은 $\overline{x}=70$ 이므로 모평균 m 에 대한 신뢰도 $\alpha\%$ 의 신뢰구간은

$$70-k\times \frac{10}{\sqrt{100}}\le m\le 70+k\times \frac{10}{\sqrt{100}}$$
$$\therefore\ 70-k\le m\le 70+k$$

$68.35\le m\le 71.65$ 이므로 $k=1.65$

이때 $P(0\le Z\le 1.65)=0.45$ 이므로

$$P(|Z|\le 1.65)=P(-1.65\le Z\le 1.65)$$
$$=2P(0\le Z\le 1.65)$$
$$=2\times 0.45=0.9$$

따라서 $0.9=\dfrac{\alpha}{100}$ 이므로 $\alpha=90$

21 모표준편차를 σ 라고 하면

$$b-a=2\times 2.58\times \frac{\sigma}{\sqrt{100}}=0.516\sigma$$
$$d-c=2\times 2.58\times \frac{\sigma}{\sqrt{n}}=5.16\times \frac{\sigma}{\sqrt{n}}$$

$d-c=2(b-a)$ 이므로

$$5.16\times \frac{\sigma}{\sqrt{n}}=2\times 0.516\sigma$$
$$\sqrt{n}=5\quad \therefore\ n=25$$

22 주머니에서 한 개의 공을 꺼낼 때, 공에 적힌 숫자를 확률변수 X 라 하고 X 의 확률분포를 표로 나타내면 다음과 같다.

X	1	2	3	합계
$P(X=x)$	$\dfrac{1}{6}$	$\dfrac{1}{3}$	$\dfrac{1}{2}$	1

$$E(X)=1\times \frac{1}{6}+2\times \frac{1}{3}+3\times \frac{1}{2}=\frac{7}{3}$$
$$E(X^2)=1^2\times \frac{1}{6}+2^2\times \frac{1}{3}+3^2\times \frac{1}{2}=6$$
$$\therefore\ V(X)=E(X^2)-\{E(X)\}^2$$
$$=6-\left(\frac{7}{3}\right)^2=\frac{5}{9}\qquad \cdots\cdots\ (가)$$

이때 표본의 크기는 $n=4$ 이므로

$$E(\overline{X})=\frac{7}{3},\ V(\overline{X})=\frac{\frac{5}{9}}{4}=\frac{5}{36}\qquad \cdots\cdots\ (나)$$
$$E(3\overline{X}-1)=3E(\overline{X})-1=3\times \frac{7}{3}-1=6$$
$$V(6\overline{X})=6^2 V(\overline{X})=36\times \frac{5}{36}=5$$

$$\therefore\ E(3\overline{X}-1)+V(6\overline{X})=6+5=11\qquad \cdots\cdots\ (다)$$

채점 기준	배점
(가) 모평균 $E(X)$ 와 모분산 $V(X)$ 를 구한다.	2점
(나) 표본평균 $E(\overline{X})$ 와 표본분산 $V(\overline{X})$ 를 구한다.	2점
(다) $E(3\overline{X}-1)+V(6\overline{X})$ 의 값을 구한다.	2점

23 감나무에 달린 감의 개수를 확률변수 X 라고 하면 X 는 정규분포 $N(200,\ 50^2)$ 을 따르므로 n 그루에 달린 감의 개수의 표본평균 $\overline{X}$ 는 정규분포 $N\left(200,\ \dfrac{50^2}{n}\right)$ 을 따른다.

즉, $Z=\dfrac{\overline{X}-200}{\dfrac{50}{\sqrt{n}}}$ 으로 놓으면 Z 는 표준정규분포 $N(0,\ 1)$ 을 따른다. $\qquad \cdots\cdots\ (가)$

$P(\overline{X}\ge 200+8\sqrt{n})\le 0.1$ 에서

$$P\left(Z\ge \frac{200+8\sqrt{n}-200}{\dfrac{50}{\sqrt{n}}}\right)\le 0.1$$

$$P(Z\ge 0.16n)\le 0.1$$
$$P(Z\ge 0)-P(0\le Z\le 0.16n)\le 0.1$$
$$0.5-P(0\le Z\le 0.16n)\le 0.1$$
$$\therefore\ P(0\le Z\le 0.16n)\ge 0.4\qquad \cdots\cdots\ (나)$$

이때 $P(0\le Z\le 1.28)=0.4$ 이므로

$$0.16n\ge 1.28\qquad \therefore\ n\ge 8$$

따라서 n 의 최솟값은 8이다. $\qquad \cdots\cdots\ (다)$

채점 기준	배점
(가) $\overline{X}$ 가 따르는 확률분포를 구하고 표준화한다.	2점
(나) $P(\overline{X}\ge 200+8\sqrt{n})\le 0.1$ 을 확률변수 Z 에 대한 식으로 변형한다.	3점
(다) n 의 최솟값을 구한다.	2점

24 표본평균을 $\overline{x}$ 라고 하면 모표준편차는 σ, 표본의 크기는 n 이므로 모평균 m 에 대한 신뢰도 99% 의 신뢰구간은

$$\overline{x}-2.58\times \frac{\sigma}{\sqrt{n}}\le m\le \overline{x}+2.58\times \frac{\sigma}{\sqrt{n}}\qquad \cdots\cdots\ (가)$$

이때 $19.68\le m\le 40.32$ 이므로

$$\overline{x}-2.58\times \frac{\sigma}{\sqrt{n}}=19.68$$
$$\overline{x}+2.58\times \frac{\sigma}{\sqrt{n}}=40.32$$

위의 두 식을 연립하여 풀면

$$\overline{x}=30,\ \frac{\sigma}{\sqrt{n}}=4\qquad \cdots\cdots\ (나)$$

따라서 모평균 m 에 대한 신뢰도 95% 의 신뢰구간은

$$30-1.96\times 4\le m\le 30+1.96\times 4$$
$$\therefore\ 22.16\le m\le 37.84\qquad \cdots\cdots\ (다)$$

채점 기준	배점
(가) 모평균 m 에 대한 신뢰도 99% 의 신뢰구간을 구한다.	2점
(나) 표본평균 $\overline{x}$ 의 값과 $\dfrac{\sigma}{\sqrt{n}}$ 의 값을 구한다.	3점
(다) 모평균 m 에 대한 신뢰도 95% 의 신뢰구간을 구한다.	2점

1 A, B를 한 명으로 생각하면 $(n-1)$명이 원탁에 둘러앉는 경우의 수는 $(n-2)!$
이때 A, B가 서로 자리를 바꾸어 앉는 경우의 수는
$2!=2$
따라서 A, B가 이웃하게 원탁에 둘러앉는 경우의 수는
$(n-2)!\times2$
이 경우의 수가 240이므로
$(n-2)!\times2=240$, $(n-2)!=120=5!$
$n-2=5$　　∴ $n=7$

2 이웃한 두 수의 곱이 항상 짝수이려면 홀수끼리 이웃하지 않도록 배열해야 하므로 짝수를 원형으로 배열한 후 그 사이사이의 자리에 홀수를 배열하면 된다.
짝수 2, 4, 6, 8, 10을 원형으로 배열하는 방법의 수는
$(5-1)!=4!=24$
짝수 사이사이의 5개의 자리에 홀수 1, 3, 5, 7, 9를 배열하는 방법의 수는　$5!=120$
따라서 구하는 방법의 수는
$24\times120=2880$

3 정육각형 모양의 영역을 칠하는 방법의 수는 2이다.
반원 6개를 나머지 6가지 색으로 칠하는 방법의 수는
$(6-1)!=5!=120$
따라서 구하는 방법의 수는
$2\times120=240$

4 8명을 원형으로 배열하는 방법의 수는
$(8-1)!=7!$
이때 직사각형 모양의 탁자에서는 원형으로 배열하는 한 가지 방법에 대하여 다음 그림과 같이 서로 다른 경우가 4가지씩 있다.

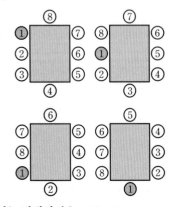

따라서 구하는 방법의 수는　$7!\times4$

5 전구 4개를 각각 켜거나 끄는 경우의 수는
$_2\Pi_4=2^4=16$
이때 전구가 모두 꺼진 경우는 신호에서 제외해야 하므로 구하는 신호의 개수는　$16-1=15$

6 만들 수 있는 한 자리의 자연수의 개수는　3
만들 수 있는 두 자리의 자연수의 개수는
$3\times_4\Pi_1=3\times4=12$
만들 수 있는 세 자리의 자연수의 개수는
$3\times_4\Pi_2=3\times4^2=48$
즉, 1000보다 작은 자연수의 개수는
$3+12+48=63$
따라서 1000은 64번째 수이다.

7 $f(2)\neq5$이므로 $f(2)$의 값이 될 수 있는 수는 1, 3, 7, 9의 4개이고, Y의 원소 1, 3, 5, 7, 9의 5개에서 중복을 허용하여 2개를 택하여 X의 원소 1, 3에 대응시키면 된다.
따라서 구하는 함수의 개수는
$4\times_5\Pi_2=4\times5^2=100$

8 7개의 숫자 1, 1, 1, 2, 2, 3, 3을 일렬로 배열하는 경우의 수는
$\dfrac{7!}{3!\times2!\times2!}=210$
이때 1112233은 제외하므로 구하는 자연수의 개수는
$210-1=209$

9 8개의 문자를 일렬로 배열하는 경우의 수는
$\dfrac{8!}{2!\times2!}=10080$
이때 양 끝에 서로 다른 문자를 배열하는 경우의 수는 전체 경우의 수에서 양 끝에 서로 같은 문자를 배열하는 경우의 수를 빼면 된다.
(i) 양 끝에 t를 배열하는 경우
　나머지 문자 e, x, b, o, o, k를 일렬로 배열하는 경우의 수는　$\dfrac{6!}{2!}=360$
(ii) 양 끝에 o를 배열하는 경우
　나머지 문자 t, e, x, t, b, k를 일렬로 배열하는 경우의 수는　$\dfrac{6!}{2!}=360$
(i), (ii)에 의하여 양 끝에 서로 같은 문자를 배열하는 경우의 수는　$360+360=720$
따라서 구하는 경우의 수는　$10080-720=9360$

10 오른쪽 그림과 같이 세 지점 P, Q, R를 잡으면 지점 A에서 지점 B까지 가는 최단 경로의 수는 다음과 같이 나누어 생각할 수 있다.

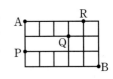

(i) A → P → B인 경우: $1 \times \dfrac{6!}{5!} = 6$

(ii) A → Q → B인 경우: $\dfrac{4!}{3!} \times \dfrac{4!}{2! \times 2!} = 24$

(iii) A → R → B인 경우: $1 \times \dfrac{4!}{3!} = 4$

(i), (ii), (iii)에 의하여 구하는 최단 경로의 수는

$6 + 24 + 4 = 34$

다른 풀이

오른쪽 그림과 같이 두 도로 l, m이 있다고 가정하면 지점 A에서 지점 B까지 가는 최단 경로의 수는

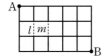

$\dfrac{8!}{5! \times 3!} = 56$

지점 A에서 도로 l을 거쳐 지점 B까지 가는 최단 경로의 수는 $2! \times 1 \times \dfrac{5!}{4!} = 10$

지점 A에서 도로 m을 거쳐 지점 B까지 가는 최단 경로의 수는 $\dfrac{3!}{2!} \times 1 \times \dfrac{4!}{3!} = 12$

따라서 구하는 최단 경로의 수는 $56 - (10 + 12) = 34$

11 성호의 자리를 고정하면 윤주가 앉는 방법의 수는 1

...... (가)

나머지 6명이 앉는 방법의 수는 6명을 일렬로 배열하는 순열의 수와 같으므로

$6! = 720$

...... (나)

따라서 구하는 방법의 수는

$1 \times 720 = 720$

...... (다)

채점 기준	배점
(가) 성호, 윤주가 앉는 방법의 수를 구한다.	4점
(나) 나머지 6명이 앉는 방법의 수를 구한다.	4점
(다) 8명의 학생이 앉는 방법의 수를 구한다.	2점

12 5의 배수이려면 일의 자리의 숫자가 0이어야 하므로 일의 자리에 올 수 있는 숫자는 0으로 1개이다. ...... (가)

이때 십만의 자리에 올 수 있는 숫자는 0을 제외한 2개이다.

...... (나)

또 나머지 자리에 올 수 있는 숫자는 각각 3개이다. ...... (다)

따라서 구하는 5의 배수의 개수는

$1 \times 2 \times {}_3\Pi_4 = 1 \times 2 \times 3^4 = 162$

...... (라)

채점 기준	배점
(가) 일의 자리에 올 수 있는 숫자의 개수를 구한다.	2점
(나) 십만의 자리에 올 수 있는 숫자의 개수를 구한다.	2점
(다) 나머지 각 자리에 올 수 있는 숫자의 개수를 구한다.	2점
(라) 5의 배수의 개수를 구한다.	4점

13 4개의 문자를 택하는 방법은

a, a, a, b 또는 a, a, a, c 또는 a, a, b, b 또는 a, a, b, c 또는 a, b, b, c

로 5가지 경우가 있다.

(i) a, a, a, b 또는 a, a, a, c를 일렬로 배열하는 방법의 수는 각각 $\dfrac{4!}{3!} = 4$

(ii) a, a, b, b를 일렬로 배열하는 방법의 수는

$\dfrac{4!}{2! \times 2!} = 6$

(iii) a, a, b, c 또는 a, b, b, c를 일렬로 배열하는 방법의 수는 각각 $\dfrac{4!}{2!} = 12$

...... (가)

(i), (ii), (iii)에 의하여 구하는 방법의 수는

$2 \times 4 + 6 + 2 \times 12 = 38$

...... (나)

채점 기준	배점
(가) 4개의 문자를 택하는 각 경우에 대하여 일렬로 배열하는 방법의 수를 구한다.	6점
(나) 4개의 문자를 일렬로 배열하는 방법의 수를 구한다.	4점

03~04강 내공 점검 p. 76~77

1 ⑤	2 ⑤	3 ③	4 165	5 ⑤
6 $\dfrac{4}{3}$	7 ③	8 1	9 ③	10 ③
11 ③	12 210	13 2	14 11	

1 구하는 방법의 수는 서로 다른 3개 중에서 8개를 택하는 중복조합의 수와 같으므로 ${}_3H_8 = {}_{10}C_8 = {}_{10}C_2 = 45$

2 먼저 사과, 포도, 딸기, 배를 각각 1개씩 꺼내고, 나머지 4개의 과일을 꺼내면 된다.

따라서 구하는 경우의 수는 서로 다른 4개에서 4개를 택하는 중복조합의 수와 같으므로 ${}_4H_4 = {}_7C_4 = {}_7C_3 = 35$

3 $(a+b+c)$에서 서로 다른 항의 개수는 3이다.

$(x+y+z)^5$을 전개할 때 생기는 서로 다른 항의 개수는 서로 다른 3개의 문자 x, y, z 중에서 5개를 택하는 중복조합의 수와 같으므로 ${}_3H_5 = {}_7C_5 = {}_7C_2 = 21$

따라서 구하는 항의 개수는 $3 \times 21 = 63$

4 $X = x+1$, $Y = y$, $Z = z-1$, $W = w-2$로 놓으면 X, Y, Z, W는 음이 아닌 정수이다.

이때 $x = X-1$, $y = Y$, $z = Z+1$, $w = W+2$를 방정식 $x+y+z+w = 10$에 대입하면

$(X-1) + Y + (Z+1) + (W+2) = 10$

$\therefore X+Y+Z+W = 8$ ...... ㉠

따라서 구하는 순서쌍 (x, y, z, w)의 개수는 방정식 ㉠의 음이 아닌 정수해의 개수와 같다.

즉, 구하는 순서쌍 (x, y, z, w)의 개수는 4개의 문자 X, Y, Z, W 중에서 8개를 택하는 중복조합의 수와 같으므로

${}_4H_8 = {}_{11}C_8 = {}_{11}C_3 = 165$

5 주어진 조건을 만족하려면 집합 Y의 5개의 원소 중에서 중복을 허용하여 3개를 택한 후 작은 수부터 차례로 정의역의 원소 1, 2, 3에 대응시키면 된다.

따라서 구하는 함수의 개수는

$_5H_3 = {_7C_3} = 35$

6 $(x+ay)^6$의 전개식의 일반항은

$_6C_r x^{6-r}(ay)^r = {_6C_r} a^r x^{6-r} y^r$

$x^2 y^4$항은 $6-r=2$, $r=4$일 때이므로 $r=4$

즉, $x^2 y^4$의 계수는 $_6C_4 \times a^4 = 15a^4$

$x^3 y^3$항은 $6-r=3$, $r=3$일 때이므로 $r=3$

즉, $x^3 y^3$의 계수는 $_6C_3 \times a^3 = 20a^3$

이때 $x^2 y^4$의 계수와 $x^3 y^3$의 계수가 같으므로

$15a^4 = 20a^3$, $5a^3(3a-4)=0$

$\therefore a = \dfrac{4}{3}$ $(\because a > 0)$

7 $\dfrac{(x+1)^6 - x^4}{x}$의 전개식에서 x^3의 계수는 $(1+x)^6 - x^4$의 전개식에서 x^4의 계수와 같다.

$(1+x)^6$의 전개식의 일반항은

$_6C_r 1^{6-r} x^r = {_6C_r} x^r$

즉, $(1+x)^6$의 전개식에서 x^4항은 $r=4$일 때이므로 x^4의 계수는

$_6C_4 = {_6C_2} = 15$

따라서 구하는 x^3의 계수는 $15 - 1 = 14$

8 $(1+x)^5$의 전개식의 일반항은

$_5C_r 1^{5-r} x^r = {_5C_r} x^r$

$(a+x)^3$의 전개식의 일반항은

$_3C_s a^{3-s} x^s$

따라서 주어진 식의 전개식의 일반항은

$_5C_r x^r \times {_3C_s} a^{3-s} x^s = {_5C_r} {_3C_s} a^{3-s} x^{r+s}$ $\cdots\cdots$ ㉠

x의 계수는 $r+s=1$ $(0 \le r \le 5,\ 0 \le s \le 3)$일 때이므로

(i) $r=0$, $s=1$인 경우

㉠에서 $_5C_0 \times {_3C_1} \times a^2 = 3a^2$

(ii) $r=1$, $s=0$인 경우

㉠에서 $_5C_1 \times {_3C_0} \times a^3 = 5a^3$

(i), (ii)에 의하여 x의 계수는

$3a^2 + 5a^3 = 8$, $5a^3 + 3a^2 - 8 = 0$

$(a-1)(5a^2 + 8a + 8) = 0$

$\therefore a = 1$ $(\because a$는 실수$)$

9 $_1C_0 + {_2C_1} + {_3C_2} + \cdots + {_7C_6}$

$= {_2C_0} + {_2C_1} + {_3C_2} + \cdots + {_7C_6}$

$= {_3C_1} + {_3C_2} + {_4C_3} + \cdots + {_7C_6}$

$= {_4C_2} + {_4C_3} + {_5C_4} + {_6C_5} + {_7C_6}$

$\vdots$

$= {_7C_5} + {_7C_6}$

$= {_8C_6}$

10 $(1+2x)^n$의 전개식의 일반항은

$_nC_r 1^{n-r}(2x)^r = {_nC_r} 2^r x^r$

이므로 $n \ge 3$인 자연수 n에 대하여 $(1+2x)^n$의 전개식에서 x^3의 계수는 $_nC_3 \times 2^3$이다.

주어진 식의 전개식에서 x^3의 계수는 각 항의 전개식에서 x^3의 계수의 합이므로 구하는 계수는

$_3C_3 2^3 + {_4C_3} 2^3 + {_5C_3} 2^3 + \cdots + {_{10}C_3} 2^3$

$= 2^3({_3C_3} + {_4C_3} + {_5C_3} + \cdots + {_{10}C_3})$

$= 2^3({_4C_4} + {_4C_3} + {_5C_3} + \cdots + {_{10}C_3})$

$= 2^3({_5C_4} + {_5C_3} + {_6C_3} + \cdots + {_{10}C_3})$

$= 2^3({_6C_4} + {_6C_3} + {_7C_3} + {_8C_3} + {_9C_3} + {_{10}C_3})$

$\vdots$

$= 2^3({_{10}C_4} + {_{10}C_3})$

$= 2^3 \times {_{11}C_4}$

$= 8 \times 330$

$= 2640$

11 $_{2n}C_1 + {_{2n}C_3} + {_{2n}C_5} + \cdots + {_{2n}C_{2n-1}} = 2^{2n-1}$이므로

$2^{2n-1} = 128 = 2^7$

따라서 $2n-1 = 7$이므로 $n=4$

12 $a \le b \le c \le d$인 경우는 8개의 자연수 중에서 중복을 허락하여 4개를 뽑은 후 크기가 작은 수부터 a, b, c, d에 차례로 대응시키면 된다.

즉, $a \le b \le c \le d$인 경우의 수는

$_8H_4 = {_{11}C_4} = 330$ $\cdots\cdots$ ㈎

$a \le b \le c = d$인 경우는 8개의 자연수 중에서 중복을 허락하여 3개를 뽑은 후 크기가 작은 수부터 a, b, c에 차례로 대응시키고, d는 c와 같은 수를 대응시키면 된다.

즉, $a \le b \le c = d$인 경우의 수는

$_8H_3 = {_{10}C_3} = 120$ $\cdots\cdots$ ㈏

따라서 구하는 경우의 수는

$330 - 120 = 210$ $\cdots\cdots$ ㈐

채점 기준	배점
㈎ $a \le b \le c \le d$인 경우의 수를 구한다.	3점
㈏ $a \le b \le c = d$인 경우의 수를 구한다.	3점
㈐ $a \le b \le c < d$인 경우의 수를 구한다.	2점

13 $\left(x - \dfrac{a}{x}\right)^5$의 전개식의 일반항은

$_5C_r x^{5-r}\left(-\dfrac{a}{x}\right)^r = {_5C_r}(-1)^r a^r \dfrac{x^{5-r}}{x^r}$ $\cdots\cdots$ ㉠

$(x-4)\left(x - \dfrac{a}{x}\right)^5$의 전개식에서 x^2항은 x와 ㉠의 x항, -4와 ㉠의 x^2항이 곱해질 때 나타난다.

(i) ㉠에서 x항은 $(5-r) - r = 1$, 즉 $r=2$일 때이므로

$_5C_2 \times (-1)^2 \times a^2 x = 10a^2 x$

즉, 주어진 전개식에서 x^2의 계수는

$1 \times 10a^2 = 10a^2$

(ii) ㉠에서 x^2항은 $(5-r)-r=2$, 즉 $r=\dfrac{3}{2}$일 때이다.

　그런데 r는 자연수이어야 하므로 ㉠에서 x^2항은 존재하지 않는다.

(i), (ii)에 의하여 주어진 전개식에서 x^2의 계수는 $10a^2$이다.

　　　　　　　　　　　　　　　　　　　…… (가)

한편 $(x-4)\left(x-\dfrac{a}{x}\right)^5$의 전개식에서 x^3항은 x와 ㉠의 x^2항, -4와 ㉠의 x^3항이 곱해질 때 나타난다.

그런데 (ii)에서 ㉠의 x^2항이 존재하지 않으므로 x^3항은 -4와 ㉠의 x^3항이 곱해질 때 나타난다.

㉠에서 x^3항은 $(5-r)-r=3$, 즉 $r=1$일 때이므로

$_5C_1 \times (-1) \times ax^3 = -5ax^3$

따라서 주어진 전개식에서 x^3의 계수는

$-4 \times (-5a) = 20a$　　　　　　　　　…… (나)

이때 x^2의 계수와 x^3의 계수가 같으므로

$10a^2 = 20a$

$10a(a-2) = 0$

$\therefore a = 2 \ (\because a > 0)$　　　　　　　　…… (다)

채점 기준	배점
(가) 주어진 전개식에서 x^2의 계수를 구한다.	3점
(나) 주어진 전개식에서 x^3의 계수를 구한다.	3점
(다) a의 값을 구한다.	2점

14 $_nC_0 + {_nC_1} + {_nC_2} + \cdots + {_nC_n} = 2^n$이므로

$_nC_1 + {_nC_2} + {_nC_3} + \cdots + {_nC_n} = 2^n - 1$　　…… (가)

따라서 주어진 부등식은

$2000 < 2^n - 1 < 3000$

$\therefore 2001 < 2^n < 3001$　　　　　　　…… (나)

이때 $2^{10} = 1024$, $2^{11} = 2048$, $2^{12} = 4096$이므로

$n = 11$　　　　　　　　　　　　　　…… (다)

채점 기준	배점
(가) $_nC_0 + {_nC_1} + {_nC_2} + \cdots + {_nC_n}$을 2^n에 대한 식으로 나타낸다.	3점
(나) 주어진 부등식을 2^n에 대한 부등식으로 나타낸다.	2점
(다) n의 값을 구한다.	2점

05~06강 내공 점검　　　　　　p. 78~79

1 ④	2 ③	3 ③	4 ②	5 ②
6 $\dfrac{7}{32}$	7 $\dfrac{1}{3}$	8 $\dfrac{3}{5}$	9 ②	10 ⑤
11 166	12 $\dfrac{9}{14}$	13 $\dfrac{5}{7}$		

1 $A = \{(1,5), (2,4), (3,3), (4,2), (5,1)\}$
$B = \{(2,4), (4,2)\}$
$C = \{(2,2), (2,4), (2,6), (4,2), (4,4), (4,6),$
　　　　　　　　　　$(6,2), (6,4), (6,6)\}$
$D = \{(1,1), (2,2), (3,3), (4,4), (5,5), (6,6)\}$
④ $B \cap D = \varnothing$이므로 B와 D는 서로 배반사건이다.

2 11명 중에서 대표 3명을 뽑는 경우의 수는

$_{11}C_3 = 165$

남학생 2명과 여학생 1명을 뽑는 경우의 수는

$_6C_2 \times {_5C_1} = 75$

따라서 구하는 확률은

$\dfrac{75}{165} = \dfrac{5}{11}$

3 서로 다른 6개의 동전 중에서 3개를 뽑는 방법의 수는

$_6C_3 = 20$

꺼낸 동전 3개의 총 금액이 300원 이상이려면 500원짜리 동전 1개는 반드시 꺼내고, 나머지 동전 5개 중에서 2개를 꺼내야 하므로 그 방법의 수는

$_5C_2 = 10$

따라서 구하는 확률은

$\dfrac{10}{20} = \dfrac{1}{2}$

4 확률의 총합은 1이므로

$0.14 + 0.41 + p + 0.06 + 0.03 = 1$

$\therefore p = 0.36$

즉, 걸이 나올 확률이 0.36이므로

$\dfrac{90}{n} = 0.36$

$\therefore n = 250$

5 변 BC를 지름으로 하는 원 위에 점 P를 잡을 때 삼각형 PBC는 직각삼각형이 되므로 오른쪽 그림의 색칠한 부분에 점 P를 잡을 때 삼각형 PBC는 둔각삼각형이 된다.

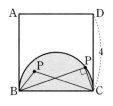

따라서 구하는 확률은

$\dfrac{(\text{색칠한 부분의 넓이})}{(\square ABCD\text{의 넓이})} = \dfrac{\dfrac{1}{2} \times \pi \times 2^2}{4^2} = \dfrac{\pi}{8}$

6 $P(A \cup B) = P(A) + P(B) - P(A \cap B)$에서

$\dfrac{3}{4} = P(A) + 3P(A) - \dfrac{1}{8}$

$4P(A) = \dfrac{7}{8}$　　　$\therefore P(A) = \dfrac{7}{32}$

7 꺼낸 공 4개 중에서 빨간 공이 2개인 사건을 A, 3개인 사건을 B라고 하면

$$P(A)=\frac{{}_3C_2\times{}_7C_2}{{}_{10}C_4}=\frac{3}{10}$$

$$P(B)=\frac{{}_3C_3\times{}_7C_1}{{}_{10}C_4}=\frac{1}{30}$$

두 사건 A, B는 서로 배반사건이므로 구하는 확률은

$$P(A\cup B)=P(A)+P(B)=\frac{3}{10}+\frac{1}{30}=\frac{1}{3}$$

8 빨간색과 노란색이 이웃하지 않도록 칠하는 사건을 A라고 하면 A^C은 빨간색과 노란색이 이웃하도록 칠하는 사건이다. 빨간색과 노란색이 이웃하도록 칠하는 경우의 수는 빨간색과 노란색을 하나로 생각하여 5가지 색을 원형으로 배열하는 경우의 수에 빨간색과 노란색이 칠해진 위치를 바꾸는 경우의 수를 곱한 것과 같으므로

$$P(A^C)=\frac{(5-1)!\times 2!}{(6-1)!}=\frac{2}{5}$$

따라서 구하는 확률은
$$P(A)=1-P(A^C)$$
$$=1-\frac{2}{5}=\frac{3}{5}$$

9 함수 $f:X\longrightarrow X$가 $f(1)\neq f(2)$인 사건을 A라고 하면 A^C은 함수 f가 $f(1)=f(2)$인 사건이다.
함수 f가 $f(1)=f(2)$인 경우는 정의역의 원소 1, 2는 공역의 원소 1, 2, 3, 4 중 하나의 값에 대응시키고, 공역의 원소 1, 2, 3, 4 중에서 중복을 허락하여 2개를 택하여 나머지 정의역의 원소 3, 4에 대응시키는 경우이므로

$$P(A^C)=\frac{4\times{}_4\Pi_2}{{}_4\Pi_4}=\frac{1}{4}$$

따라서 구하는 확률은
$$P(A)=1-P(A^C)$$
$$=1-\frac{1}{4}=\frac{3}{4}$$

10 1, 2, 3, 4 중에서 중복을 허락하여 7개를 뽑을 때, 짝수를 적어도 한 개 뽑는 사건을 A라고 하면 A^C은 뽑은 7개가 모두 홀수인 사건이다.
홀수만 뽑는 경우는 1, 3 중에서 중복을 허락하여 7개를 뽑는 경우이므로

$$P(A^C)=\frac{{}_2H_7}{{}_4H_7}=\frac{{}_8C_7}{{}_{10}C_7}=\frac{1}{15}$$

따라서 구하는 확률은
$$P(A)=1-P(A^C)$$
$$=1-\frac{1}{15}=\frac{14}{15}$$

11 방정식 $x+y+z=16$의 음이 아닌 정수해의 개수는

$${}_3H_{16}={}_{18}C_{16}={}_{18}C_2=153 \qquad \cdots\cdots \text{(가)}$$

$y=4$이면 $x+z=12$이므로 방정식 $x+z=12$의 음이 아닌 정수해의 개수는

$${}_2H_{12}={}_{13}C_{12}={}_{13}C_1=13 \qquad \cdots\cdots \text{(나)}$$

따라서 구하는 확률은 $\frac{13}{153}$이므로

$$p=153,\ q=13 \qquad \cdots\cdots \text{(다)}$$

$$\therefore\ p+q=166 \qquad \cdots\cdots \text{(라)}$$

채점 기준	배점
(가) 방정식 $x+y+z=16$의 음이 아닌 정수해의 개수를 구한다.	3점
(나) $y=4$일 때의 음이 아닌 정수해의 개수를 구한다.	4점
(다) p, q의 값을 구한다.	2점
(라) $p+q$의 값을 구한다.	1점

12 흰 공이 나오지 않는 사건을 A, 흰 공이 1개 나오는 사건을 B, 흰 공이 2개 나오는 사건을 C라고 하면

$$P(A)=\frac{{}_4C_4}{{}_9C_4}=\frac{1}{126} \qquad \cdots\cdots \text{(가)}$$

$$P(B)=\frac{{}_4C_3\times{}_5C_1}{{}_9C_4}=\frac{10}{63} \qquad \cdots\cdots \text{(나)}$$

$$P(C)=\frac{{}_4C_2\times{}_5C_2}{{}_9C_4}=\frac{10}{21} \qquad \cdots\cdots \text{(다)}$$

세 사건 A, B, C는 서로 배반사건이므로 구하는 확률은

$$P(A)+P(B)+P(C)=\frac{1}{126}+\frac{10}{63}+\frac{10}{21}=\frac{9}{14} \qquad \cdots\cdots \text{(라)}$$

채점 기준	배점
(가) 흰 공이 나오지 않을 확률을 구한다.	3점
(나) 흰 공이 1개 나올 확률을 구한다.	3점
(다) 흰 공이 2개 나올 확률을 구한다.	3점
(라) 주어진 조건을 만족하는 확률을 구한다.	1점

13 u와 e가 이웃하지 않도록 배열하는 사건을 A라고 하면 A^C은 u와 e가 이웃하도록 배열하는 사건이다.
주어진 7개의 문자를 일렬로 배열하는 방법의 수는

$$\frac{7!}{3!\times 2!}=420 \qquad \cdots\cdots \text{(가)}$$

u와 e를 한 문자로 생각하면 6개의 문자를 일렬로 배열하는 방법의 수는 $\frac{6!}{3!\times 2!}=60$이고, u와 e가 서로 자리를 바꾸는 방법의 수는 $2!=2$이므로 u와 e가 이웃하도록 배열하는 방법의 수는

$$60\times 2=120 \qquad \cdots\cdots \text{(나)}$$

$$\therefore\ P(A^C)=\frac{120}{420}=\frac{2}{7} \qquad \cdots\cdots \text{(다)}$$

따라서 구하는 확률은

$$P(A)=1-P(A^C)=1-\frac{2}{7}=\frac{5}{7} \qquad \cdots\cdots \text{(라)}$$

채점 기준	배점
(가) 전체 경우의 수를 구한다.	2점
(나) u, e가 이웃하는 경우의 수를 구한다.	4점
(다) u, e가 이웃할 확률을 구한다.	2점
(라) u, e가 이웃하지 않을 확률을 구한다.	2점

1 $\dfrac{2}{5}$	2 ③	3 ④	4 ②	5 ③
6 $\dfrac{4}{9}$	7 ⑤	8 $\dfrac{20}{81}$	9 ①	10 $\dfrac{15}{32}$
11 (1) $\dfrac{7}{8}$ (2) $\dfrac{4}{7}$		12 $\dfrac{4}{9}$	13 $\dfrac{26}{81}$	

1 제주도를 선호하는 학생을 뽑는 사건을 A, 1학년 학생을 뽑는 사건을 B라고 하면

$$P(A)=\frac{220}{400}=\frac{11}{20}$$

$$P(A\cap B)=\frac{88}{400}=\frac{11}{50}$$

따라서 구하는 확률은

$$P(B|A)=\frac{P(A\cap B)}{P(A)}=\frac{\frac{11}{50}}{\frac{11}{20}}=\frac{2}{5}$$

2 60세 이상인 사람을 뽑는 사건을 A, 남자를 뽑는 사건을 B라고 하면

$$P(A)=\frac{3}{10},\ P(B|A)=\frac{4}{9}$$

따라서 구하는 확률은

$$P(A\cap B)=P(A)P(B|A)$$
$$=\frac{3}{10}\times\frac{4}{9}=\frac{2}{15}$$

3 두 정육면체 A, B를 고르는 사건을 각각 A, B라 하고, 두 번 모두 빨간색 면이 나오는 사건을 R라고 하면

$$P(R)=P(A\cap R)+P(B\cap R)$$
$$=P(A)P(R|A)+P(B)P(R|B)$$
$$=\frac{1}{2}\times\left(\frac{1}{2}\right)^2+\frac{1}{2}\times\left(\frac{1}{3}\right)^2$$
$$=\frac{13}{72}$$

따라서 구하는 확률은

$$P(A|R)=\frac{P(A\cap R)}{P(R)}=\frac{\frac{1}{2}\times\left(\frac{1}{2}\right)^2}{\frac{13}{72}}=\frac{9}{13}$$

4 뽑은 한 사람이 양성 반응이 나타난 사람인 사건을 A, 실제로 C 질병에 걸린 사람인 사건을 B라고 하면

$P(A|B)=0.9,\ P(A^c|B^c)=0.9,\ P(B)=0.04$이므로

$P(A|B^c)=0.1,\ P(B^c)=0.96$

뽑은 한 사람이 양성 반응이 나타난 사람일 확률은

$$P(A)=P(B\cap A)+P(B^c\cap A)$$
$$=P(B)P(A|B)+P(B^c)P(A|B^c)$$
$$=0.04\times0.9+0.96\times0.1$$
$$=0.132$$

따라서 구하는 확률은

$$P(B|A)=\frac{P(A\cap B)}{P(A)}$$
$$=\frac{0.04\times0.9}{0.132}=\frac{3}{11}$$

5 $A=\{1, 3, 5, 7\},\ B=\{1, 2, 3, 4\},\ C=\{1, 2, 3, 6\}$

$A\cap B=\{1, 3\},\ A\cap C=\{1, 3\},\ B\cap C=\{1, 2, 3\}$

$$\therefore\ P(A)=\frac{1}{2},\ P(B)=\frac{1}{2},\ P(C)=\frac{1}{2}$$

$$P(A\cap B)=\frac{1}{4},\ P(A\cap C)=\frac{1}{4},\ P(B\cap C)=\frac{3}{8}$$

ㄱ. $P(A\cap B)=P(A)P(B)$
　　즉, A와 B는 서로 독립이다.

ㄴ. $P(A\cap C)=P(A)P(C)$
　　즉, A와 C는 서로 독립이다.

ㄷ. $P(B\cap C)\neq P(B)P(C)$
　　즉, B와 C는 서로 종속이다.

따라서 서로 독립인 사건은 ㄱ, ㄴ이다.

6 두 사건 A, B가 서로 독립이고 $P(A\cap B)=\dfrac{1}{9}$이므로

$$P(A)P(B)=\frac{1}{9}$$

A와 B^c, A^c과 B도 각각 서로 독립이므로

$$P(A\cap B^c)+P(A^c\cap B)$$
$$=P(A)P(B^c)+P(A^c)P(B)$$
$$=P(A)\{1-P(B)\}+\{1-P(A)\}P(B)$$
$$=P(A)+P(B)-2P(A)P(B)$$
$$=P(A)+P(B)-\frac{2}{9}$$

이때 $0<P(A)\leq1,\ 0<P(B)\leq1$이므로

$$P(A)+P(B)\geq2\sqrt{P(A)P(B)}=2\sqrt{\frac{1}{9}}=\frac{2}{3}$$

$$\left(\text{단, 등호는 }P(A)=P(B)=\frac{1}{3}\text{일 때 성립}\right)$$

$$\therefore\ P(A\cap B^c)+P(A^c\cap B)\geq\frac{2}{3}-\frac{2}{9}=\frac{4}{9}$$

따라서 구하는 최솟값은 $\dfrac{4}{9}$이다.

7 세 선수 A, B, C가 화살을 한 번 쏘아 표적을 맞히는 사건을 각각 A, B, C라고 하면 세 사건 A, B, C는 서로 독립이므로 A^c, B^c, C^c도 서로 독립이다.

∴ (표적을 맞힌 화살이 있을 확률)
　= (적어도 한 명이 표적을 맞힐 확률)
　= 1 - (세 명 모두 표적을 맞히지 못할 확률)
　$=1-P(A^c\cap B^c\cap C^c)$
　$=1-P(A^c)P(B^c)P(C^c)$
　$=1-\left(1-\dfrac{4}{5}\right)\left(1-\dfrac{3}{4}\right)\left(1-\dfrac{2}{3}\right)$
　$=1-\dfrac{1}{60}=\dfrac{59}{60}$

8 주사위를 한 번 던져서 6의 약수가 나오는 경우를 ○, 6의 약수가 나오지 않는 경우를 ×로 나타내면 총 4번을 던져서 성수가 이기는 경우와 그 확률은 다음 표와 같다.

	지은	성수	지은	성수	확률
(i)	×	○	×	○	$\frac{1}{3} \times \frac{2}{3} \times \frac{1}{3} \times \frac{2}{3} = \frac{4}{81}$
(ii)	○	○	×	○	$\frac{2}{3} \times \frac{2}{3} \times \frac{1}{3} \times \frac{2}{3} = \frac{8}{81}$
(iii)	×	○	○	○	$\frac{1}{3} \times \frac{2}{3} \times \frac{2}{3} \times \frac{2}{3} = \frac{8}{81}$

(i), (ii), (iii)에 의하여 구하는 확률은

$\frac{4}{81} + \frac{8}{81} + \frac{8}{81} = \frac{20}{81}$

9 4쌍의 부부가 시험관아기 시술을 하였을 때

(i) 한 쌍의 부부도 성공하지 못할 확률은

$_4C_0 \left(\frac{1}{4}\right)^0 \left(\frac{3}{4}\right)^4 = \frac{81}{256}$

(ii) 한 쌍의 부부만 성공할 확률은

$_4C_1 \left(\frac{1}{4}\right)^1 \left(\frac{3}{4}\right)^3 = \frac{27}{64}$

(i), (ii)에 의하여 구하는 확률은

$1 - \left(\frac{81}{256} + \frac{27}{64}\right) = \frac{67}{256}$

10 동전 한 개를 5번 던질 때, 앞면이 나오는 횟수를 x, 뒷면이 나오는 횟수를 y라고 하자.

(i) 점 P의 위치가 4인 경우

$x + y = 5$, $2x - y = 4$

두 식을 연립하여 풀면 $x = 3$, $y = 2$

즉, 그 확률은 $_5C_3 \left(\frac{1}{2}\right)^3 \left(\frac{1}{2}\right)^2 = \frac{5}{16}$

(ii) 점 P의 위치가 7인 경우

$x + y = 5$, $2x - y = 7$

두 식을 연립하여 풀면 $x = 4$, $y = 1$

즉, 그 확률은 $_5C_4 \left(\frac{1}{2}\right)^4 \left(\frac{1}{2}\right)^1 = \frac{5}{32}$

(i), (ii)에 의하여 구하는 확률은

$\frac{5}{16} + \frac{5}{32} = \frac{15}{32}$

11 (1) 세 개의 주사위를 동시에 던질 때, 나오는 모든 경우의 수는

$6 \times 6 \times 6 = 216$

사건 A의 여사건 A^c은 눈의 수의 곱이 홀수인 사건이고, 눈의 수의 곱이 홀수이려면 눈의 수가 모두 홀수이어야 하므로 그 경우의 수는

$3 \times 3 \times 3 = 27$

$\therefore P(A^c) = \frac{27}{216} = \frac{1}{8}$　　……㉮

따라서 구하는 확률은

$P(A) = 1 - P(A^c) = 1 - \frac{1}{8} = \frac{7}{8}$　　……㉯

(2) $A \cap B$는 눈의 수의 곱이 짝수이고, 그 합도 짝수인 사건으로 다음 두 가지 경우가 있다.

(i) 세 눈의 수가 모두 짝수인 경우

그 경우의 수는 $3 \times 3 \times 3 = 27$

(ii) 두 눈의 수는 홀수, 나머지 한 눈의 수는 짝수인 경우

그 경우의 수는 $_3C_1 \times (3 \times 3 \times 3) = 81$

(i), (ii)에 의하여 $A \cap B$가 일어나는 경우의 수는

$27 + 81 = 108$

$\therefore P(A \cap B) = \frac{108}{216} = \frac{1}{2}$　　……㉰

따라서 구하는 확률은

$P(B|A) = \frac{P(A \cap B)}{P(A)} = \frac{\frac{1}{2}}{\frac{7}{8}} = \frac{4}{7}$　　……㉱

채점 기준	배점
㉮ $P(A^c)$을 구한다.	3점
㉯ $P(A)$를 구한다.	2점
㉰ $P(A \cap B)$를 구한다.	3점
㉱ $P(B|A)$를 구한다.	2점

12 선미가 딸기 맛 사탕을 꺼내는 사건을 A, 지호가 딸기 맛 사탕을 꺼내는 사건을 B라고 하자.

(i) 선미, 지호 모두 딸기 맛 사탕을 꺼내는 경우

$P(A) = \frac{5}{9}$

$P(B|A) = \frac{4}{8} = \frac{1}{2}$

$\therefore P(A \cap B) = P(A)P(B|A)$

$= \frac{5}{9} \times \frac{1}{2} = \frac{5}{18}$　　……㉮

(ii) 선미, 지호 모두 오렌지 맛 사탕을 꺼내는 경우

$P(A^c) = \frac{4}{9}$, $P(B^c|A^c) = \frac{3}{8}$

$\therefore P(A^c \cap B^c) = P(A^c)P(B^c|A^c)$

$= \frac{4}{9} \times \frac{3}{8} = \frac{1}{6}$　　……㉯

(i), (ii)에 의하여 구하는 확률은

$P(A \cap B) + P(A^c \cap B^c) = \frac{5}{18} + \frac{1}{6} = \frac{4}{9}$　　……㉰

채점 기준	배점
㉮ 선미, 지호 모두 딸기 맛 사탕을 꺼낼 확률을 구한다.	4점
㉯ 선미, 지호 모두 오렌지 맛 사탕을 꺼낼 확률을 구한다.	4점
㉰ 선미와 지호가 같은 맛 사탕을 꺼낼 확률을 구한다.	2점

13 동전을 두 번 던져서 모두 앞면이 나오는 사건을 A라고 하면

$P(A) = \frac{1}{4}$　　……㉮

꺼낸 구슬 중에서 검은 구슬이 3개인 사건을 B라고 하면 주머니에서 구슬을 한 개씩 4번 꺼낼 때, 검은 구슬이 3개일 확률은

$P(B|A) = _4C_3 \left(\frac{2}{3}\right)^3 \left(\frac{1}{3}\right)^1 = \frac{32}{81}$　　……㉯

주머니에서 구슬을 한 개씩 3번 꺼낼 때, 검은 구슬이 3개
일 확률은

$$\mathrm{P}(B \,|\, A^C) = {}_3C_3 \left(\frac{2}{3}\right)^3 \left(\frac{1}{3}\right)^0 = \frac{8}{27} \qquad \cdots\cdots \text{(다)}$$

따라서 구하는 확률은

$$\begin{aligned}
\mathrm{P}(B) &= \mathrm{P}(B \cap A) + \mathrm{P}(B \cap A^C)\\
&= \mathrm{P}(A)\mathrm{P}(B \,|\, A) + \mathrm{P}(A^C)\mathrm{P}(B \,|\, A^C)\\
&= \frac{1}{4} \times \frac{32}{81} + \frac{3}{4} \times \frac{8}{27}\\
&= \frac{26}{81} \qquad\qquad\qquad\qquad \cdots\cdots \text{(라)}
\end{aligned}$$

채점 기준	배점
(가) 동전을 두 번 던져서 모두 앞면이 나올 확률을 구한다.	1점
(나) 구슬을 한 개씩 4번 꺼낼 때, 검은 구슬이 3개일 확률을 구한다.	3점
(다) 구슬을 한 개씩 3번 꺼낼 때, 검은 구슬이 3개일 확률을 구한다.	3점
(라) 검은 구슬이 3개일 확률을 구한다.	3점

09~10강 내공 점검　　　　　　p. 82~83

1 ③	2 $\dfrac{3}{4}$	3 ④	4 $\dfrac{6}{7}$	5 ③
6 ④	7 ②	8 ②	9 ①	10 ④
11 $\dfrac{4}{15}$	12 (1) $a=\dfrac{2}{5}$, $b=\dfrac{3}{10}$ (2) $\dfrac{12}{5}$			13 $3\sqrt{5}$

1 $\mathrm{P}(X \le 3) = 1 - \mathrm{P}(X=4)$
$$= 1 - \frac{3 \times 4 + 2}{40} = \frac{13}{20}$$

2 확률의 총합은 1이므로
$$a^2 + \frac{1}{4} + a = 1, \ 4a^2 + 4a - 3 = 0$$
$$(2a+3)(2a-1) = 0 \qquad \therefore a = \frac{1}{2} \ (\because 0 < a < 1)$$
$$\therefore \mathrm{P}(X \ge 0) = \mathrm{P}(X=0) + \mathrm{P}(X=1)$$
$$= \frac{1}{4} + a = \frac{1}{4} + \frac{1}{2} = \frac{3}{4}$$

3 두 개의 주사위를 동시에 던질 때, 나오는 모든 경우의 수는
$6 \times 6 = 36$
(i) 두 눈의 수의 차가 0인 경우
$(1, 1), (2, 2), (3, 3), (4, 4), (5, 5), (6, 6)$
이므로 그 경우의 수는　6
(ii) 두 눈의 수의 차가 1인 경우
$(1, 2), (2, 3), (3, 4), (4, 5), (5, 6),$
$(2, 1), (3, 2), (4, 3), (5, 4), (6, 5)$
이므로 그 경우의 수는　10

(iii) 두 눈의 수의 차가 2인 경우
$(1, 3), (2, 4), (3, 5), (4, 6),$
$(3, 1), (4, 2), (5, 3), (6, 4)$
이므로 그 경우의 수는　8
(i), (ii), (iii)에 의하여
$$\mathrm{P}(X=0) = \frac{6}{36} = \frac{1}{6}, \ \mathrm{P}(X=1) = \frac{10}{36} = \frac{5}{18}$$
$$\mathrm{P}(X=2) = \frac{8}{36} = \frac{2}{9}$$
$$\therefore \mathrm{P}(0 \le X \le 2) = \mathrm{P}(X=0) + \mathrm{P}(X=1) + \mathrm{P}(X=2)$$
$$= \frac{1}{6} + \frac{5}{18} + \frac{2}{9} = \frac{2}{3}$$

4 $X^2 - 3X + 2 \le 0$에서 $(X-1)(X-2) \le 0$
$$\therefore 1 \le X \le 2$$
$$\therefore \mathrm{P}(X^2 - 3X + 2 \le 0) = \mathrm{P}(X=1) + \mathrm{P}(X=2)$$
$$\mathrm{P}(X=1) = \frac{{}_4C_1 \times {}_3C_2}{{}_7C_3} = \frac{12}{35}$$
$$\mathrm{P}(X=2) = \frac{{}_4C_2 \times {}_3C_1}{{}_7C_3} = \frac{18}{35}$$
$$\therefore \mathrm{P}(X^2 - 3X + 2 \le 0) = \mathrm{P}(X=1) + \mathrm{P}(X=2)$$
$$= \frac{12}{35} + \frac{18}{35} = \frac{6}{7}$$

5 X의 확률분포를 표로 나타내면 다음과 같다.

X	1	2	3	4	5	합계
$\mathrm{P}(X=x)$	$\dfrac{1}{15}$	$\dfrac{2}{15}$	$\dfrac{1}{5}$	$\dfrac{4}{15}$	$\dfrac{1}{3}$	1

$$\mathrm{E}(X) = 1 \times \frac{1}{15} + 2 \times \frac{2}{15} + 3 \times \frac{1}{5} + 4 \times \frac{4}{15} + 5 \times \frac{1}{3} = \frac{11}{3}$$
$$\mathrm{E}(X^2) = 1^2 \times \frac{1}{15} + 2^2 \times \frac{2}{15} + 3^2 \times \frac{1}{5} + 4^2 \times \frac{4}{15} + 5^2 \times \frac{1}{3}$$
$$= 15$$
$$\therefore \mathrm{V}(X) = \mathrm{E}(X^2) - \{\mathrm{E}(X)\}^2 = 15 - \left(\frac{11}{3}\right)^2 = \frac{14}{9}$$
$$\therefore \sigma(X) = \sqrt{\mathrm{V}(X)} = \sqrt{\frac{14}{9}} = \frac{\sqrt{14}}{3}$$
따라서 X의 표준편차는 $\dfrac{\sqrt{14}}{3}$이다.

6 확률의 총합은 1이므로
$$a + a + 3a + 2a + 2a = 1$$
$$9a = 1 \qquad \therefore a = \frac{1}{9}$$
$$\mathrm{E}(X) = -2a - a + 0 + 2a + 4a$$
$$= 3a = 3 \times \frac{1}{9} = \frac{1}{3}$$
$$\mathrm{E}(X^2) = 4a + a + 0 + 2a + 8a$$
$$= 15a = 15 \times \frac{1}{9} = \frac{5}{3}$$
$$\therefore \mathrm{V}(X) = \mathrm{E}(X^2) - \{\mathrm{E}(X)\}^2 = \frac{5}{3} - \left(\frac{1}{3}\right)^2 = \frac{14}{9}$$
따라서 X의 분산은 $\dfrac{14}{9}$이다.

7 확률변수 X가 가질 수 있는 값은 0, 1, 2, 3, 4이고, 그 확률은 각각

$$P(X=0)=\frac{{}_2H_4}{{}_3H_4}=\frac{{}_5C_4}{{}_6C_4}=\frac{1}{3}$$

$$P(X=1)=\frac{{}_2H_3}{{}_3H_4}=\frac{{}_4C_3}{{}_6C_4}=\frac{4}{15}$$

$$P(X=2)=\frac{{}_2H_2}{{}_3H_4}=\frac{{}_3C_2}{{}_6C_4}=\frac{1}{5}$$

$$P(X=3)=\frac{{}_2H_1}{{}_3H_4}=\frac{{}_2C_1}{{}_6C_4}=\frac{2}{15}$$

$$P(X=4)=\frac{{}_2H_0}{{}_3H_4}=\frac{{}_1C_0}{{}_6C_4}=\frac{1}{15}$$

X의 확률분포를 표로 나타내면 다음과 같다.

X	0	1	2	3	4	합계
$P(X=x)$	$\frac{1}{3}$	$\frac{4}{15}$	$\frac{1}{5}$	$\frac{2}{15}$	$\frac{1}{15}$	1

$$E(X)=0\times\frac{1}{3}+1\times\frac{4}{15}+2\times\frac{1}{5}+3\times\frac{2}{15}+4\times\frac{1}{15}=\frac{4}{3}$$

따라서 X의 평균은 $\frac{4}{3}$이다.

8 확률변수 X가 가질 수 있는 값은 0, 1, 2이고, 그 확률은 각각

$$P(X=0)=\frac{{}_3C_0\times{}_6C_2}{{}_9C_2}=\frac{5}{12}$$

$$P(X=1)=\frac{{}_3C_1\times{}_6C_1}{{}_9C_2}=\frac{1}{2}$$

$$P(X=2)=\frac{{}_3C_2\times{}_6C_0}{{}_9C_2}=\frac{1}{12}$$

X의 확률분포를 표로 나타내면 다음과 같다.

X	0	1	2	합계
$P(X=x)$	$\frac{5}{12}$	$\frac{1}{2}$	$\frac{1}{12}$	1

$$E(X)=0\times\frac{5}{12}+1\times\frac{1}{2}+2\times\frac{1}{12}=\frac{2}{3}$$

$$E(X^2)=0^2\times\frac{5}{12}+1^2\times\frac{1}{2}+2^2\times\frac{1}{12}=\frac{5}{6}$$

$$\therefore V(X)=E(X^2)-\{E(X)\}^2=\frac{5}{6}-\left(\frac{2}{3}\right)^2=\frac{7}{18}$$

9 $E(aX+b)=7$, $V(aX+b)=12$에서

$aE(X)+b=7$, $a^2V(X)=12$

이때 $E(X)=5$, $V(X)=3$이므로

$5a+b=7$, $3a^2=12$

$3a^2=12$에서 $a^2=4$

$\therefore a=2\ (\because a>0)$

$a=2$를 $5a+b=7$에 대입하면

$10+b=7$ $\therefore b=-3$

$\therefore a-b=5$

10 확률의 총합은 1이므로

$$\frac{3}{10}+\frac{2}{5}+a+2a=1,\ 3a=\frac{3}{10}\qquad\therefore a=\frac{1}{10}$$

$$E(X)=1\times\frac{3}{10}+2\times\frac{2}{5}+3\times\frac{1}{10}+4\times\frac{1}{5}=\frac{11}{5}$$

$$E(X^2)=1^2\times\frac{3}{10}+2^2\times\frac{2}{5}+3^2\times\frac{1}{10}+4^2\times\frac{1}{5}=6$$

$$\therefore V(X)=E(X^2)-\{E(X)\}^2$$
$$=6-\left(\frac{11}{5}\right)^2=\frac{29}{25}$$

따라서 $\sigma(X)=\sqrt{V(X)}=\frac{\sqrt{29}}{5}$이므로

$$\sigma(5X+2)=|5|\sigma(X)$$
$$=5\times\frac{\sqrt{29}}{5}=\sqrt{29}$$

11 확률의 총합은 1이므로

$$P(X=1)+P(X=2)+\cdots+P(X=10)=1$$

$$\frac{k}{1\times2}+\frac{k}{2\times3}+\cdots+\frac{k}{10\times11}=1\qquad\cdots\cdots\text{(가)}$$

$$k\left\{\left(1-\frac{1}{2}\right)+\left(\frac{1}{2}-\frac{1}{3}\right)+\cdots+\left(\frac{1}{10}-\frac{1}{11}\right)\right\}=1$$

$$k\left(1-\frac{1}{11}\right)=1,\ \frac{10}{11}k=1$$

$$\therefore k=\frac{11}{10}\qquad\cdots\cdots\text{(나)}$$

$$\therefore P(X\geq3)=1-\{P(X=1)+P(X=2)\}$$
$$=1-\left(\frac{11}{20}+\frac{11}{60}\right)$$
$$=1-\frac{11}{15}=\frac{4}{15}\qquad\cdots\cdots\text{(다)}$$

채점 기준	배점
(가) 확률의 총합이 1임을 이용하여 k에 대한 식을 세운다.	3점
(나) k의 값을 구한다.	3점
(다) $P(X\geq3)$을 구한다.	4점

12 (1) 확률의 총합은 1이므로

$$\frac{3}{10}+a+b=1$$

$$\therefore a+b=\frac{7}{10}\qquad\cdots\cdots\text{㉠}\qquad\cdots\cdots\text{(가)}$$

$$E(X^2)=\frac{8}{5}$$이므로

$$a+4b=\frac{8}{5}\qquad\cdots\cdots\text{㉡}\qquad\cdots\cdots\text{(나)}$$

㉠, ㉡을 연립하여 풀면

$$a=\frac{2}{5},\ b=\frac{3}{10}\qquad\cdots\cdots\text{(다)}$$

(2) $E(X)=0\times\frac{3}{10}+1\times\frac{2}{5}+2\times\frac{3}{10}=1$

$$E(X^2)=\frac{8}{5}$$이므로

$$V(X)=E(X^2)-\{E(X)\}^2$$
$$=\frac{8}{5}-1^2=\frac{3}{5}\qquad\cdots\cdots\text{(라)}$$

$$\therefore V(2X+3)=2^2V(X)=4\times\frac{3}{5}=\frac{12}{5}$$

따라서 $2X+3$의 분산은 $\frac{12}{5}$이다. $\qquad\cdots\cdots\text{(마)}$

채점 기준	배점
(가) 확률의 총합이 1임을 이용하여 식을 세운다.	1점
(나) X^2의 평균이 $\dfrac{8}{5}$임을 이용하여 식을 세운다.	1점
(다) a, b의 값을 구한다.	2점
(라) $V(X)$를 구한다.	3점
(마) $2X+3$의 분산을 구한다.	3점

13 짝수는 2, 4, 6, 8의 4개이므로 확률변수 X가 가질 수 있는 값은 0, 1, 2, 3이고, 그 확률은 각각

$$P(X=0)=\frac{{}_4C_0\times{}_5C_3}{{}_9C_3}=\frac{5}{42}$$

$$P(X=1)=\frac{{}_4C_1\times{}_5C_2}{{}_9C_3}=\frac{10}{21}$$

$$P(X=2)=\frac{{}_4C_2\times{}_5C_1}{{}_9C_3}=\frac{5}{14}$$

$$P(X=3)=\frac{{}_4C_3\times{}_5C_0}{{}_9C_3}=\frac{1}{21}$$

X의 확률분포를 표로 나타내면 다음과 같다.

X	0	1	2	3	합계
$P(X=x)$	$\dfrac{5}{42}$	$\dfrac{10}{21}$	$\dfrac{5}{14}$	$\dfrac{1}{21}$	1

...... (가)

$$E(X)=0\times\frac{5}{42}+1\times\frac{10}{21}+2\times\frac{5}{14}+3\times\frac{1}{21}=\frac{4}{3}$$

$$E(X^2)=0^2\times\frac{5}{42}+1^2\times\frac{10}{21}+2^2\times\frac{5}{14}+3^2\times\frac{1}{21}=\frac{7}{3}$$

$$\therefore V(X)=E(X^2)-\{E(X)\}^2$$
$$=\frac{7}{3}-\left(\frac{4}{3}\right)^2=\frac{5}{9}$$

따라서 $\sigma(X)=\sqrt{V(X)}=\sqrt{\dfrac{5}{9}}=\dfrac{\sqrt5}{3}$이므로 ...... (나)

$$\sigma(9X+1)=|9|\sigma(X)$$
$$=9\times\frac{\sqrt5}{3}=3\sqrt5$$

...... (다)

채점 기준	배점
(가) 확률변수 X의 확률분포를 구한다.	3점
(나) $\sigma(X)$를 구한다.	4점
(다) $\sigma(9X+1)$을 구한다.	3점

11~13강 **내공 점검**　　　　　　p. 84~85

1 ⑤	2 ②	3 5	4 46	5 ②
6 $\dfrac{8}{27}$	7 14	8 ②	9 ⑤	10 ⑤
11 4	12 160	13 0.0668		

1 확률변수 X가 이항분포 $B\left(10,\dfrac{7}{10}\right)$을 따르므로 X의 확률질량함수는

$$P(X=x)={}_{10}C_x\left(\frac{7}{10}\right)^x\left(\frac{3}{10}\right)^{10-x}\ (x=0,\ 1,\ 2,\ \cdots,\ 10)$$

$$\therefore P(X\le9)=1-P(X=10)$$
$$=1-{}_{10}C_{10}\left(\frac{7}{10}\right)^{10}\left(\frac{3}{10}\right)^0$$
$$=1-\left(\frac{7}{10}\right)^{10}$$

2 $E(X)=5$에서　$20p=5$

$$\therefore p=\frac{1}{4}$$

따라서 확률변수 X는 이항분포 $B\left(20,\dfrac{1}{4}\right)$을 따르므로

$$V(X)=20\times\frac{1}{4}\times\frac{3}{4}=\frac{15}{4}$$

$V(X)=E(X^2)-\{E(X)\}^2$에서

$$E(X^2)=V(X)+\{E(X)\}^2$$
$$=\frac{15}{4}+5^2$$
$$=\frac{115}{4}$$

3 확률변수 X는 이항분포 $B\left(500,\dfrac{1}{10}\right)$을 따르므로

$$E(X)=500\times\frac{1}{10}=50$$

$$V(X)=500\times\frac{1}{10}\times\frac{9}{10}=45$$

$$\therefore V\left(\frac{1}{3}X-5\right)=\left(\frac{1}{3}\right)^2V(X)$$
$$=\frac{1}{9}\times45=5$$

4 주사위를 18번 던졌을 때, 3의 배수의 눈이 나오는 횟수를 확률변수 Y라고 하면 3의 배수 이외의 눈이 나오는 횟수는 $18-Y$이므로

$$X=3Y+(18-Y)=2Y+18$$

주사위를 한 번 던질 때, 3의 배수의 눈이 나올 확률은 $\dfrac{1}{3}$이므로 확률변수 Y는 이항분포 $B\left(18,\dfrac{1}{3}\right)$을 따른다.

이때

$$E(Y)=18\times\frac{1}{3}=6,$$

$$V(Y)=18\times\frac{1}{3}\times\frac{2}{3}=4$$

이므로

$$E(X)=E(2Y+18)=2E(Y)+18$$
$$=2\times6+18=30$$

$$V(X)=V(2Y+18)=2^2V(Y)$$
$$=4\times4=16$$

$$\therefore E(X)+V(X)=30+16=46$$

5 ①, ④ $-1 \leq x \leq 1$에서 항상 $f(x) \geq 0$, $i(x) \geq 0$인 것이 아니므로 확률밀도함수의 그래프가 아니다.

② $g(x) \geq 0$이고 $y=g(x)$의 그래프와 x축 및 두 직선 $x=-1$, $x=1$로 둘러싸인 도형의 넓이가 $2 \times \left(\dfrac{1}{2} \times 1 \times 1\right) = 1$이므로 확률밀도함수의 그래프이다.

③ $y=h(x)$의 그래프와 x축 및 두 직선 $x=-1$, $x=1$로 둘러싸인 도형의 넓이가 $\dfrac{1}{2} \times 2 \times 2 = 2$이므로 확률밀도함수의 그래프가 아니다.

⑤ $y=j(x)$의 그래프와 x축 및 두 직선 $x=-1$, $x=1$로 둘러싸인 도형의 넓이가 $2 \times 1 = 2$이므로 확률밀도함수의 그래프가 아니다.

따라서 확률밀도함수의 그래프가 될 수 있는 것은 ②이다.

6 $y=f(x)$의 그래프와 x축으로 둘러싸인 도형의 넓이가 1이므로

$\dfrac{1}{2} \times 6 \times a = 1$, $3a = 1$ $\therefore a = \dfrac{1}{3}$

$0 \leq x \leq 3$에서 $y=f(x)$의 그래프는 두 점 $\left(0, \dfrac{1}{3}\right)$, $(3, 0)$을 지나는 직선이므로 이 직선의 방정식은

$f(x) = \dfrac{0 - \dfrac{1}{3}}{3 - 0}(x - 3) = -\dfrac{1}{9}(x-3)$

$\therefore f(2) = \dfrac{1}{9}$

$P(|X| \leq 2) = P(-2 \leq X \leq 2)$는 $y=f(x)$의 그래프와 x축 및 두 직선 $x=-2$, $x=2$로 둘러싸인 도형의 넓이이므로

$P(|X| \leq 2) = P(-2 \leq X \leq 2)$
$= 2P(0 \leq X \leq 2)$
$= 2 \times \dfrac{1}{2} \times \left(\dfrac{1}{3} + \dfrac{1}{9}\right) \times 2$
$= \dfrac{8}{9}$

$\therefore aP(|X| \leq 2) = \dfrac{1}{3} \times \dfrac{8}{9} = \dfrac{8}{27}$

7 정규분포 곡선은 직선 $x=m$에 대하여 대칭이고, (가)에서 $P(X \leq 5) = P(X \geq 17)$이므로

$m = \dfrac{5 + 17}{2} = 11$

(나)에서 $\sigma(-2X+1) = 6$이므로

$|-2|\sigma(X) = 6$ $\therefore \sigma(X) = 3$, 즉 $\sigma = 3$

$\therefore m + \sigma = 11 + 3 = 14$

8 확률변수 X, Y는 각각 정규분포 $N(50, 5^2)$, $N(40, 2^2)$을 따르므로 $Z_X = \dfrac{X-50}{5}$, $Z_Y = \dfrac{Y-40}{2}$으로 놓으면 Z_X, Z_Y는 모두 표준정규분포 $N(0, 1)$을 따른다.

$P(X \geq 60) = P\left(Z_X \geq \dfrac{60-50}{5}\right) = P(Z_X \geq 2)$

$P(Y \leq a) = P\left(Z_Y \leq \dfrac{a-40}{2}\right) = P\left(Z_Y \geq \dfrac{40-a}{2}\right)$

이때 $P(X \geq 60) = P(Y \leq a)$이므로

$2 = \dfrac{40-a}{2}$ $\therefore a = 36$

9 확률변수 X가 정규분포 $N(80, 4^2)$을 따르므로 $Z = \dfrac{X-80}{4}$으로 놓으면 Z는 표준정규분포 $N(0, 1)$을 따른다.

$P(X \leq a) = 0.8413$에서

$P\left(Z \leq \dfrac{a-80}{4}\right) = 0.8413$

$P(Z \leq 0) + P\left(0 \leq Z \leq \dfrac{a-80}{4}\right) = 0.8413$

$0.5 + P\left(0 \leq Z \leq \dfrac{a-80}{4}\right) = 0.8413$

$\therefore P\left(0 \leq Z \leq \dfrac{a-80}{4}\right) = 0.3413$

이때 $P(0 \leq Z \leq 1) = 0.3413$이므로

$\dfrac{a-80}{4} = 1$ $\therefore a = 84$

10 사과 한 개의 무게를 확률변수 X라고 하면 X는 정규분포 $N(280, 10^2)$을 따르므로 $Z = \dfrac{X-280}{10}$으로 놓으면 Z는 표준정규분포 $N(0, 1)$을 따른다.

이때 택한 사과의 무게가 270 g 이상 295 g 이하일 확률은

$P(270 \leq X \leq 295)$
$= P\left(\dfrac{270-280}{10} \leq Z \leq \dfrac{295-280}{10}\right)$
$= P(-1 \leq Z \leq 1.5)$
$= P(-1 \leq Z \leq 0) + P(0 \leq Z \leq 1.5)$
$= P(0 \leq Z \leq 1) + P(0 \leq Z \leq 1.5)$
$= 0.3413 + 0.4332$
$= 0.7745$

11 $E(X) = 72p$, $V(X) = 72p(1-p)$이므로

$3V(X) - E(X)$
$= 3 \times 72p(1-p) - 72p$
$= -216\left(p - \dfrac{1}{3}\right)^2 + 24$ ...... (가)

즉, $p = \dfrac{1}{3}$일 때, $3V(X) - E(X)$의 값이 최대이므로 ...... (나)

$\sigma(X) = \sqrt{72 \times \dfrac{1}{3} \times \dfrac{2}{3}} = 4$ ...... (다)

채점 기준	배점
(가) $3V(X) - E(X)$를 p에 대한 식으로 나타낸다.	5점
(나) $3V(X) - E(X)$의 값이 최대일 때의 p의 값을 구한다.	2점
(다) $\sigma(X)$를 구한다.	3점

12 응시한 학생의 입학 시험 점수를 확률변수 X라고 하면 X는 정규분포 $N(55, 10^2)$을 따르므로 $Z=\dfrac{X-55}{10}$로 놓으면 Z는 표준정규분포 $N(0, 1)$을 따른다. ...... (가)

이때 입학 시험 점수가 65점 이상일 확률은

$$P(X\geq 65)=P\left(Z\geq \dfrac{65-55}{10}\right)=P(Z\geq 1)$$
$$=P(Z\geq 0)-P(0\leq Z\leq 1)$$
$$=0.5-0.34=0.16 \quad \cdots\cdots \text{(나)}$$

따라서 입학 시험 점수가 65점 이상인 학생 수는

$1000\times 0.16=160$ ...... (다)

채점 기준	배점
(가) 확률변수 X를 정하고 표준화한다.	3점
(나) 입학 시험 점수가 65점 이상일 확률을 구한다.	4점
(다) 입학 시험 점수가 65점 이상인 학생 수를 구한다.	3점

13 150발의 화살을 쏠 때, 목표물을 맞힌 화살의 개수를 확률변수 X라고 하면 X는 이항분포 $B\left(150, \dfrac{3}{5}\right)$을 따른다. ...... (가)

이때 n은 충분히 크고

$np=150\times\dfrac{3}{5}=90$, $npq=150\times\dfrac{3}{5}\times\dfrac{2}{5}=36$

이므로 X는 근사적으로 정규분포 $N(90, 6^2)$을 따른다.

즉, $Z=\dfrac{X-90}{6}$으로 놓으면 Z는 표준정규분포 $N(0, 1)$을 따른다. ...... (나)

따라서 99발 이상이 목표물을 맞힐 확률은

$$P(X\geq 99)=P\left(Z\geq \dfrac{99-90}{6}\right)=P(Z\geq 1.5)$$
$$=P(Z\geq 0)-P(0\leq Z\leq 1.5)$$
$$=0.5-0.4332=0.0668 \quad \cdots\cdots \text{(다)}$$

채점 기준	배점
(가) 확률변수 X를 정하고, X가 이항분포를 따름을 안다.	2점
(나) X가 정규분포를 따름을 알고 표준화한다.	3점
(다) 99발 이상이 목표물을 맞힐 확률을 구한다.	5점

14~15강 내공 점검   p.86~87

1 ③	2 ②	3 $\dfrac{4}{27}$	4 20	5 ①
6 203	7 9	8 ②	9 ⑤	10 ②
11 71	12 97	13 97		

1 $E(\overline{X})=m$이므로 $m=8$

$V(\overline{X})=\dfrac{36}{n}$이므로 $\dfrac{36}{n}=2$ $\therefore n=18$

$\therefore m+n=26$

2 표본평균의 표준편차가 $\dfrac{3}{\sqrt{n}}$이므로

$\dfrac{3}{\sqrt{n}}\leq 0.5$, $\sqrt{n}\geq 6$ $\therefore n\geq 36$

따라서 n의 최솟값은 36이다.

3 확률의 총합은 1이므로

$\dfrac{1}{9}+\dfrac{1}{3}+\dfrac{1}{3}+a=1$

$\therefore a=\dfrac{2}{9}$

$E(X)=1\times\dfrac{1}{9}+2\times\dfrac{1}{3}+3\times\dfrac{1}{3}+4\times\dfrac{2}{9}=\dfrac{8}{3}$

$E(X^2)=1^2\times\dfrac{1}{9}+2^2\times\dfrac{1}{3}+3^2\times\dfrac{1}{3}+4^2\times\dfrac{2}{9}=8$

$\therefore V(X)=E(X^2)-\{E(X)\}^2$

$\qquad =8-\left(\dfrac{8}{3}\right)^2=\dfrac{8}{9}$

이때 표본의 크기는 $n=6$이므로

$V(\overline{X})=\dfrac{\frac{8}{9}}{6}=\dfrac{4}{27}$

4 상자에서 임의로 1장의 카드를 꺼낼 때, 카드에 적힌 숫자를 확률변수 X라 하고 X의 확률분포를 표로 나타내면 다음과 같다.

X	1	2	3	합계
$P(X=x)$	$\dfrac{1}{3}$	$\dfrac{1}{3}$	$\dfrac{1}{3}$	1

$E(X)=1\times\dfrac{1}{3}+2\times\dfrac{1}{3}+3\times\dfrac{1}{3}=2$

$E(X^2)=1^2\times\dfrac{1}{3}+2^2\times\dfrac{1}{3}+3^2\times\dfrac{1}{3}=\dfrac{14}{3}$

$\therefore V(X)=E(X^2)-\{E(X)\}^2$

$\qquad =\dfrac{14}{3}-2^2=\dfrac{2}{3}$

표본의 크기가 n일 때 $V(\overline{X})=\dfrac{1}{30}$이므로

$\dfrac{\frac{2}{3}}{n}=\dfrac{1}{30}$ $\therefore n=20$

5 모집단이 정규분포 $N(30, 12^2)$을 따르고 표본의 크기가 16이므로 표본평균 $\overline{X}$는 정규분포 $N\left(30, \dfrac{12^2}{16}\right)$, 즉 $N(30, 3^2)$을 따른다.

즉, $Z=\dfrac{\overline{X}-30}{3}$으로 놓으면 Z는 표준정규분포 $N(0, 1)$을 따르므로

$$P(27\leq\overline{X}\leq 33)=P\left(\dfrac{27-30}{3}\leq Z\leq\dfrac{33-30}{3}\right)$$
$$=P(-1\leq Z\leq 1)$$
$$=2P(0\leq Z\leq 1)$$
$$=2\times 0.3413$$
$$=0.6826$$

6 모집단이 정규분포 $N(200, 10^2)$을 따르고 표본의 크기가 25 이므로 표본평균 $\overline{X}$는 정규분포 $N\left(200, \dfrac{10^2}{25}\right)$, 즉 $N(200, 2^2)$을 따른다.

즉, $Z=\dfrac{\overline{X}-200}{2}$으로 놓으면 Z는 표준정규분포 $N(0, 1)$을 따르므로 $P(\overline{X}\geq k)=0.0668$에서

$P\left(Z\geq\dfrac{k-200}{2}\right)=0.0668$

$0.5-P\left(0\leq Z\leq\dfrac{k-200}{2}\right)=0.0668$

$\therefore P\left(0\leq Z\leq\dfrac{k-200}{2}\right)=0.4332$

이때 $P(0\leq Z\leq 1.5)=0.4332$이므로

$\dfrac{k-200}{2}=1.5$, $k-200=3$

$\therefore k=203$

7 모집단이 정규분포 $N(100, 15^2)$을 따르고 표본의 크기가 n 이므로 표본평균 $\overline{X}$는 정규분포 $N\left(100, \dfrac{15^2}{n}\right)$을 따른다.

즉, $Z=\dfrac{\overline{X}-100}{\dfrac{15}{\sqrt{n}}}$으로 놓으면 Z는 표준정규분포 $N(0, 1)$을 따르므로 $P(\overline{X}\leq 95)=0.1587$에서

$P\left(Z\leq\dfrac{95-100}{\dfrac{15}{\sqrt{n}}}\right)=0.1587$

$P\left(Z\leq-\dfrac{\sqrt{n}}{3}\right)=0.1587$

$P\left(Z\geq\dfrac{\sqrt{n}}{3}\right)=0.1587$

$P(Z\geq 0)-P\left(0\leq Z\leq\dfrac{\sqrt{n}}{3}\right)=0.1587$

$0.5-P\left(0\leq Z\leq\dfrac{\sqrt{n}}{3}\right)=0.1587$

$\therefore P\left(0\leq Z\leq\dfrac{\sqrt{n}}{3}\right)=0.3413$

이때 $P(0\leq Z\leq 1)=0.3413$이므로

$\dfrac{\sqrt{n}}{3}=1$, $\sqrt{n}=3$

$\therefore n=9$

8 모표준편차는 $\sigma=16$, 표본의 크기는 $n=64$, 표본평균은 $\overline{x}=120$이므로 모평균 m에 대한 신뢰도 95 %의 신뢰구간은

$120-2\times\dfrac{16}{\sqrt{64}}\leq m\leq 120+2\times\dfrac{16}{\sqrt{64}}$

$\therefore 116\leq m\leq 124$

9 표본의 크기는 $n=36$, 모평균 m에 대한 신뢰도 95 %의 신뢰구간의 길이는 5.88이므로

$2\times 1.96\times\dfrac{\sigma}{\sqrt{36}}=5.88$

$\therefore \sigma=9$

따라서 모평균 m에 대한 신뢰도 99 %의 신뢰구간의 길이는

$2\times 2.58\times\dfrac{9}{\sqrt{36}}=7.74$

10 모표준편차는 5, 표본의 크기는 n이므로 신뢰도 95 %로 모평균을 추정할 때 신뢰구간의 길이가 4 이하가 되려면

$2\times 2\times\dfrac{5}{\sqrt{n}}\leq 4$

$\sqrt{n}\geq 5$

$\therefore n\geq 25$

따라서 n의 최솟값은 25이다.

11 모집단은 정규분포 $N(55, 4^2)$을 따르고 표본의 크기는 n이 므로 표본평균 $\overline{X}$는 정규분포 $N\left(55, \dfrac{4^2}{n}\right)$을 따른다.

$\therefore m=55$ ...... (가)

$\dfrac{4^2}{n}=1$이므로

$n=16$ ...... (나)

$\therefore m+n=55+16=71$ ...... (다)

채점 기준	배점
(가) m의 값을 구한다.	4점
(나) n의 값을 구한다.	4점
(다) $m+n$의 값을 구한다.	2점

12 샴푸 한 개의 용량을 확률변수 X라고 하면 X는 정규분포 $N(700, 7^2)$을 따르므로 n개의 용량의 표본평균 $\overline{X}$는 정규 분포 $N\left(700, \dfrac{7^2}{n}\right)$을 따른다.

즉, $Z=\dfrac{\overline{X}-700}{\dfrac{7}{\sqrt{n}}}$으로 놓으면 Z는 표준정규분포 $N(0, 1)$을 따르므로 $P(|\overline{X}-700|\leq 1.4)\geq 0.95$에서

$P\left(\left|\dfrac{\overline{X}-700}{\dfrac{7}{\sqrt{n}}}\right|\leq\dfrac{1.4}{\dfrac{7}{\sqrt{n}}}\right)\geq 0.95$

$P(|Z|\leq 0.2\sqrt{n})\geq 0.95$ ...... (가)

$2P(0\leq Z\leq 0.2\sqrt{n})\geq 0.95$

$\therefore P(0\leq Z\leq 0.2\sqrt{n})\geq 0.475$ ...... (나)

이때 $P(0\leq Z\leq 1.96)=0.475$이므로

$0.2\sqrt{n}\geq 1.96$

$\sqrt{n}\geq 9.8$

$\therefore n\geq 96.04$ ...... (다)

따라서 n의 최솟값은 97이다. ...... (라)

채점 기준	배점
(가) $P(|\overline{X}-700|\leq 1.4)\geq 0.95$를 표준정규분포를 따르는 확률변수 Z에 대한 식으로 변형한다.	4점
(나) 표준정규분포표를 이용할 수 있도록 식을 변형한다.	2점
(다) n의 값의 범위를 구한다.	2점
(라) n의 최솟값을 구한다.	2점

13 $P(0 \le Z \le 1.44) = 0.425$에서

$P(|Z| \le 1.44) = 0.85$

이때 모표준편차는 σ, 표본의 크기는 n이므로 모평균 m에 대한 신뢰도 85 %의 신뢰구간의 길이 l은

$$l = 2 \times 1.44 \times \frac{\sigma}{\sqrt{n}} \qquad \cdots\cdots \text{(가)}$$

이때 신뢰도 a %의 신뢰구간의 길이가 $\frac{3}{2}l$이므로

$$\frac{3}{2}l = \frac{3}{2} \times 2 \times 1.44 \times \frac{\sigma}{\sqrt{n}}$$

$$= 2 \times 2.16 \times \frac{\sigma}{\sqrt{n}} \qquad \cdots\cdots \text{(나)}$$

$P(0 \le Z \le 2.16) = 0.485$에서

$P(|Z| \le 2.16) = 0.97$

따라서 신뢰구간의 길이가 $\frac{3}{2}l$인 신뢰구간의 신뢰도는 97 %이다.

$\therefore a = 97 \qquad \cdots\cdots \text{(다)}$

채점 기준	배점
(가) 신뢰도 85 %의 신뢰구간의 길이를 식으로 나타낸다.	3점
(나) 신뢰도 a %의 신뢰구간의 길이를 식으로 나타낸다.	3점
(다) a의 값을 구한다.	4점

memo